O PODER DA ALTA PERFORMANCE

Brendon Burchard

O poder da alta performance
Os hábitos que tornam as pessoas extraordinárias

TRADUÇÃO
Bruno Fiuza

8ª reimpressão

Copyright © 2017 by High Performance Research LLC.
Publicado mediante acordo com Folio Literary Management, LLC e Agência Literária Riff.

Grafia atualizada segundo o Acordo Ortográfico da Língua Portuguesa de 1990, que entrou em vigor no Brasil em 2009.

Título original
High Performance Habits: How Extraordinary People Become That Way

Capa
Cleber Rafael de Campos

Preparação
Pedro Staite

Revisão
Clara Diament
Marise Leal

Dados Internacionais de Catalogação na Publicação (CIP)
(Câmara Brasileira do Livro, SP, Brasil)

Burchard, Brendon
    O poder da alta performance: os hábitos que tornam as pessoas extraordinárias / Brendon Burchard; tradução Bruno Fiuza. – Rio de Janeiro: Objetiva, 2018.

    Título original: High Performance Habits: How Extraordinary People Become That Way.
    Bibliografia.
    ISBN 978-85-470-0071-4

    1. Desempenho 2. Desenvolvimento pessoal 3. Desenvolvimento profissional 4. Hábitos 5. Sucesso – Aspectos psicológicos I. Título.

18-18916   CDD-158

Índice para catálogo sistemático:
1. Alta performance: Psicologia aplicada   158

Maria Paula C. Riyuzo – Bibliotecária – CRB-8/7639

Todos os direitos desta edição reservados à
EDITORA SCHWARCZ S.A.
Praça Floriano, 19, sala 3001 — Cinelândia
20031-050 — Rio de Janeiro — RJ
Telefone: (21) 3993-7510
www.companhiadasletras.com.br
www.blogdacompanhia.com.br
facebook.com/editoraobjetiva
instagram.com/editora_objetiva
twitter.com/edobjetiva

Para o meu sol, Denise, a pessoa mais extraordinária que conheço.

Sumário

Introdução 9
Além do natural: A busca pela alta performance 36

PARTE UM: HÁBITOS PESSOAIS

Hábito de alta performance #1: Procurar clareza 58
Hábito de alta performance #2: Gerar energia 92
Hábito de alta performance #3: Encontrar a necessidade 125

PARTE DOIS: HÁBITOS SOCIAIS

Hábito de alta performance #4: Aumentar a produtividade 168
Hábito de alta performance #5: Exercitar a influência 206
Hábito de alta performance #6: Demonstrar coragem 242

PARTE TRÊS: MANTER O SUCESSO

Inimigos da alta performance: Fuja de três armadilhas 276
A coisa mais importante 307
Guia resumido 325

Agradecimentos 331
Notas 337
Referências bibliográficas 349

Introdução

A excelência é alcançada com prática. Não agimos corretamente porque temos virtude ou excelência; as temos porque agimos corretamente. Somos o que fazemos incessantemente. A excelência, portanto, não é uma ação, é um hábito.

Aristóteles

"Por que você está com tanto medo de querer mais?"

Uma grande mesa de carvalho me separa de Lynn. Ela se ajeita na cadeira e olha para a janela por um momento. Estamos no 42º andar, olhando para o oceano lá fora, com a névoa da manhã quase ao nível da vista.

Mesmo antes de fazer a pergunta, já sei que ela não vai gostar.

Lynn é uma dessas pessoas que poderiam ser descritas como altamente eficientes. Ela é focada e faz as coisas acontecerem, demonstra aptidão para o pensamento crítico e para a liderança. Recebeu três grandes promoções em cinco anos. As pessoas a admiram, dizem que ela está no caminho certo, que tem um diferencial.

Quase ninguém usaria o termo "apavorada" para descrevê-la. Mas eu consigo reconhecer.

Ela me devolve um olhar de relance e começa a responder: "Bem, eu não diria que estou...".

Eu me inclino em direção a ela e balanço a cabeça.

Ela interrompe o que ia dizer e concorda com a cabeça, alisando o cabelo castanho já liso. Ela sabe que nesse momento não pode inventar uma história para se safar.

"O.k.", diz Lynn. "Talvez você esteja certo. Estou com medo de avançar mais uma etapa."

Pergunto por quê.

"Porque eu mal consigo sobreviver a essa."

Este livro mostra como algumas pessoas se tornam extraordinárias, e por que as outras se privam dessa possibilidade. Estas páginas vão revelar de forma clara e descomplicada por que alguns se sobressaem, outros falham, e muitos nem mesmo chegam a tentar.

Como coach de alta performance, trabalhei com muitas pessoas parecidas com Lynn: indivíduos realizadores que, com garra e determinação, dão duro por muito tempo para ter sucesso, mas, quando menos esperavam, ficam estagnados, perdem a paixão ou se sentem esgotados. Para quem vê de fora, eles podem parecer estáveis e serenos nessa trajetória, mas, lá no fundo, esses indivíduos estão se debatendo por dentro, perdidos em um oceano de prioridades e oportunidades. Não sabem bem para onde dirigir seu foco nem como conquistar ou multiplicar o sucesso com segurança. Eles chegaram longe na vida, e mesmo assim não possuem princípios práticos para a manutenção do sucesso. Mesmo que tenham capacidade, muitos vivem com medo constante de ficar para trás ou de fracassar de forma retumbante ao lidar com as demandas do estágio seguinte do sucesso. Por que o medo e a relutância? E por que algumas pessoas conseguem mudar esse cenário, crescer cada vez mais e desfrutar do maravilhoso bem-estar e do abundante e duradouro sucesso que tantos invejam ou consideram fora de alcance?

Para compreender o fenômeno, este livro reúne vinte anos de pesquisa, dez anos de insights obtidos como coach de desempenho de altíssimo nível e um vasto conjunto de dados sobre alta performance ao redor do mundo, coletados por meio de levantamentos, entrevistas estruturadas e técnicas de avaliação profissional. Ele apresentará o que é preciso para se tornar não apenas um *vencedor*, mas um profissional de *alta performance* — alguém capaz de conquistar níveis cada vez maiores de bem-estar e sucesso a longo prazo.

Durante esta jornada, vou tratar de muitos dos principais mitos sobre "sucesso", incluindo os motivos pelos quais garra, força de vontade, experiência e suas vantagens e talentos "naturais" não são suficientes para levá-lo a um nível mais alto em um mundo que exige que você colabore, lidere equipes e gerencie prioridades e projetos complexos. Para alcançar alta performance, é preciso levar em consideração mais do que suas paixões e esforços individuais, e ir muito além de seus gostos, predileções ou do que executa melhor naturalmente, porque, para ser franco, o mundo se preocupa menos com seus pontos fortes e sua personalidade do que com seu trabalho e suas contribuições significativas para os demais.

Ao terminar este livro, você nunca mais vai se perguntar o que de fato é necessário para ter sucesso quando der início a um novo projeto no trabalho ou perseguir com ousadia um novo sonho. Você terá em suas mãos um conjunto de hábitos confiáveis, amparados por pesquisas, que funcionam com diversas personalidades e em várias situações, para criar resultados extraordinários a longo prazo. Você vai experimentar uma nova sensação de energia vital e confiança ao saber onde concentrar suas forças e como atuar de modo mais eficaz. Vai entender como continuar crescendo depois de desfrutar o sucesso inicial. Se você se vir diante de uma situação em que precisa colaborar ou competir dentro dos mais altos níveis de realização, saberá *exatamente* como pensar e o que fazer.

Isso não quer dizer que você se tornará sobre-humano, nem que precisa ser. Você tem defeitos; todos nós temos. Quando você terminar este livro, dirá para si mesmo: "Finalmente aprendi da maneira *exata* como dar o meu melhor de forma consistente. Confio na minha capacidade de perceber as coisas e sou totalmente capaz de superar adversidades no caminho do sucesso, para o resto da vida". Você passará a ter um sistema operacional mental padrão e um conjunto testado e aprovado de hábitos que levarão de forma confiável ao sucesso de longo prazo diante das mais diversas situações, e em vários âmbitos da vida. No meu trabalho como coach de alta performance, vi esses hábitos aumentarem a eficiência das pessoas de todos os setores possíveis — de CEOs da *Fortune 50* a artistas, de atletas olímpicos a pais e mães comuns, de especialistas de renome internacional a estudantes do ensino médio. Se você alguma vez já procurou um caminho sério e com base científica para tornar sua vida melhor, acabou de encontrá-lo aqui neste livro.

Munido da informação que aprenderá nas páginas a seguir, você vai viver uma vida em que todo seu potencial está em ação, terá uma sensação vital de bem-estar, se sentirá capaz de conduzir os outros à excelência e estará profundamente realizado. Se dedicar disposição e disciplina totais para implementar os hábitos de alta performance, você estará prestes a entrar em um período de profunda transformação em sua vida e sua carreira. Você está na iminência de se tornar ainda mais extraordinário.

POR QUE ESTE LIVRO? POR QUE AGORA?

Tive a sorte de treinar milhões de pessoas ao redor do mundo em desenvolvimento pessoal e profissional, e posso afirmar que há um sentimento palpável em todos os lugares neste momento: as pessoas estão completamente inseguras sobre como evoluir e sobre quais decisões tomar em relação a si, à família e à carreira. As pessoas querem progredir, mas estão esgotadas. Elas estão trabalhando demais, só que simplesmente não avançam. Elas têm ímpeto, mas nem sempre sabem ao certo o que desejam. Elas querem correr atrás de seus sonhos, mas temem fracassar ou ser chamadas de loucas.

Além disso, temos as tarefas das quais não podemos fugir, a falta de autoconfiança, as obrigações indesejadas, as escolhas e responsabilidades avassaladoras — é o bastante para exaurir qualquer um. Para muitos, existe a sensação de que as coisas nunca vão melhorar e de que eles estarão sempre nadando em um turbulento mar de distrações e decepções. Isso parece terrível, porque de fato é. As pessoas têm esperanças e estão prontas para mudar, mas sem uma direção e os hábitos corretos correm o risco de viver vidas maçantes, desconectadas e insatisfatórias.

Claro, muitos têm vidas felizes e maravilhosas. Mas a consistência é um problema. Eles podem se sentir capazes — e até mesmo considerar que atingem um "pico de performance" às vezes —, mas sempre há um desfiladeiro do outro lado. É por isso que as pessoas estão cansadas dos altos e baixos dos picos de performance. Elas estão se perguntando como podem alcançar crescimento e sucesso elevados e *estáveis*. Elas não precisam apenas de novos truques para chegar a melhores condições e estados de espírito; elas precisam de habilidades de verdade e métodos para promover de forma holística a vida e a carreira.

Não é uma demanda simples. Embora todos digam que querem avançar em todas as áreas da vida, muitos, como Lynn, estão profundamente preocupados com a ideia de que perseguir seus sonhos trará danos colaterais, destruirá relacionamentos, arruinará as finanças e provocará constrangimentos e um estresse insuportável. Em algum momento, talvez, todos nós nos preocupamos com essas coisas. Não é verdade que você sabe como atingir realizações, mas às vezes limita sua visão de futuro porque *já está* ocupado, estressado e sobrecarregado demais?

Não é que você seja incapaz de ter um desempenho melhor. Você sabe que às vezes *arrasa* em um projeto no trabalho, mas tem dificuldade em outro, semelhante. Você sabe que é uma estrela em determinado ambiente social, mas não em outro. Você sabe como encontrar motivação, mas às vezes se odeia no fim do dia por não ter feito nada além de assistir a três temporadas seguidas de alguma série na Netflix.

Talvez, também, você tenha notado que algumas pessoas avançam mais rápido. Pode ser que você tenha visto algum colega transitar com graciosidade e leveza de projeto em projeto, sempre com êxito, não importando o que aparece pela frente. A sensação é de que eles podem estar em qualquer contexto, qualquer equipe, qualquer empresa, qualquer setor, e terão *sucesso sempre*.

Quem são essas pessoas, e qual o segredo delas? Elas são profissionais de alta performance, e o segredo são seus hábitos. A boa notícia é que você pode se tornar uma delas e tirar proveito desses mesmos hábitos, independentemente de antecedentes, personalidade, pontos fracos ou campo de ação de sua vida. Com o treinamento e os hábitos certos, qualquer um pode se tornar um profissional de alta performance, e posso provar. Foi por isso que escrevi este livro.

AS REFERÊNCIAS MUDARAM

A maioria de nós vê um abismo entre a vida comum que levamos e a vida extraordinária com a qual sonhamos. Cinquenta anos atrás, talvez fosse mais fácil navegar pelo mundo e avançar. As referências para o sucesso eram mais claras: "Trabalhe duro. Jogue de acordo com as regras. Mantenha a cabeça baixa. Não faça muitas perguntas. Siga o líder. Dedique-se a aprender algo que vai mantê-lo por aqui".

Então, há vinte anos, o referencial começou a mudar. "Trabalhe duro. Quebre as regras. Levante a cabeça — otimistas se saem melhor. Pergunte aos especialistas. Você é um líder. Corra e descubra."

Hoje, para muitos, esse ponto de referência parece distante, borrado, quase incompreensível. Foram-se os dias em que nosso trabalho era previsível e as expectativas dos que nos rodeavam eram "estáticas". As mudanças ganharam velocidade. Agora tudo parece caótico. Seu chefe, cônjuge ou cliente sempre quer algo novo, *para já*. Seu trabalho não é tão simples nem garantido como costumava ser. E, se for, são grandes as chances de que um computador ou um robô o substitua em breve. Para agravar o estresse, agora tudo está conectado, então, se você cometer um erro em um ponto, isso afeta toda uma rede. Falhas não são mais um assunto privado. Elas são públicas e globais.

É um mundo novo. Há pouca certeza, mas muita expectativa. Em vez de mantras sobre trabalhar duro, seguir as regras, manter a cabeça baixa ou levantada, o que temos é uma regra tácita, mas amplamente aceita: "Finja que não está trabalhando tão pesado, de modo que seus amigos fiquem impressionados com suas fotos e postagens relaxadas enquanto tomam café da manhã, mas, sim, trabalhe pesado. Não espere instruções, porque não há regras. Tente manter a cabeça no lugar, porque é tudo uma loucura aqui. Pergunte, mas não espere que alguém saiba as respostas. Não existem líderes, porque todos lideram, então basta encontrar o seu ritmo e acrescentar algum valor. *Você nunca compreenderá nada — apenas continue a se adaptar, porque amanhã tudo muda de novo*".

Isso não é apenas perturbador. Avançar em meio ao caos é como tentar correr em uma piscina de água turva. Não dá para saber aonde estamos indo. Você está agitado, mas não progride. Você procura ajuda, uma vantagem, uma tábua de salvação, *qualquer coisa*, mas não encontra ar nem uma escada. Você tem boas intenções e uma forte ética de trabalho, mas não sabe nem sequer onde aplicá-las. Há pessoas contando com você, mas o rumo está longe de sua alçada.

Mesmo que não se sinta como se estivesse se afogando, você pode ter a sensação de estagnação. Ou talvez tenha a sensação de afundar, como se estivesse prestes a ser deixado para trás. Certo, você avançou graças a paixão, coragem e trabalho duro. Você escalou algumas montanhas. Mas as perguntas que vêm a seguir o consomem: *Para onde vou agora? Como chegar mais longe? Por que os outros estão escalando mais rápido do que eu? Quando poderei relaxar e fincar raízes? Por que parece sempre que estou passando por um moedor? Estou realmente vivendo da melhor forma possível?*

Você precisa é de um conjunto confiável de práticas para impulsionar suas maiores habilidades. Estude os profissionais de alta performance e você verá que a rotina deles tem sistemas incorporados para alavancar o sucesso. Esses sistemas permitem distinguir, por exemplo, o especialista do novato, e a ciência da filosofia de botequim. Sem sistemas, não é possível testar hipóteses, acompanhar o progresso ou entregar resultados excepcionais com frequência. No desenvolvimento pessoal e profissional, esses sistemas e procedimentos são, em última instância, *hábitos*. Mas quais deles funcionam?

O QUE NÃO FUNCIONA

Quando tentamos lidar com as difíceis demandas da atualidade, que conselho recebemos? O mesmo que nos deram por séculos, talvez com alguma dose de otimismo:

- Trabalhe duro.
- Ame o que faz.
- Concentre-se nos seus pontos fortes.
- Pratique bastante.
- Tenha perseverança.
- Seja grato.

Sem dúvida, é um conselho popular, positivo e *útil*. É racional e atemporal, porque parece impossível fracassar com essa filosofia. E sem dúvida rende um belo de um discurso de formatura.

Mas esse conselho é *adequado*?

Você conhece pessoas dedicadas que seguem *tudo* isso, mas não estão *nem perto* do nível de sucesso e satisfação que desejam?

Não é verdade que existem bilhões de pessoas que trabalham duro na base da pirâmide? Você não conhece em sua cidade várias pessoas apaixonadas que ficaram estagnadas? Você não conheceu muitas pessoas que sabem quais são os próprios pontos fortes, mas ainda assim não têm perspectivas claras, não fazem ideia do que fazer quando um novo projeto começa e continuam sendo superadas por gente com menos habilidades?

Talvez todas essas pessoas devessem praticar um pouco mais, certo? Dedicar "dez mil horas" a alguma coisa? Muito se pratica, mas ainda assim derrotas acontecem. Será que é a atitude delas? Talvez devessem ser mais gratas e conscientes? No entanto, há muitas pessoas perseverando com gratidão em trabalhos e relacionamentos sem saída.

Como é possível?

MINHA BUSCA POR UM CAMINHO MELHOR

Eu era uma dessas pessoas. Na juventude, eu era aquele que estava se afogando. Quando eu tinha dezenove anos, fiquei desanimado e com pensamentos suicidas após o fim do relacionamento com a primeira mulher que amei. Foi um tempo muito obscuro. Ironicamente, o que me ajudou a atravessar a falta de estabilidade emocional naquele momento foi um acidente de carro. Meu amigo estava dirigindo quando saímos da pista a mais de 130 quilômetros por hora. Ficamos ensanguentados e cheios de medo, mas vivos. O incidente mudou minha vida, porque me deu o que chamo de "motivação da mortalidade".

Escrevi sobre esse acidente em meus livros anteriores, então vou compartilhar somente a lição que aprendi: não há palavras para descrever como a vida é preciosa, e quando você receber uma segunda oportunidade — e cada manhã, cada decisão, pode ser essa segunda chance — tire algum tempo para pensar em quem você realmente é e no que quer de verdade. Percebi que não queria tirar minha vida; eu queria *viver*. Eu estava de coração partido, sim, mas ainda queria *amar*. Senti que tinha ganhado uma segunda chance, então queria dar *valor* a isso, fazer a diferença. *Viver. Amar. Valorizar.* Isso se tornou meu mantra. Foi quando decidi mudar, quando comecei a procurar as respostas para viver uma vida com mais intensidade, conexão e contribuição.

Fiz coisas previsíveis: li todos os livros de autoajuda. Assisti a aulas de psicologia. Escutei programas motivacionais. Fui a seminários de desenvolvimento pessoal e segui a fórmula que todos abraçavam: trabalhei duro. Vivi com paixão. Eu me concentrei nos meus pontos fortes. Pratiquei. Perseverei. Expressei gratidão durante a jornada.

E sabe de uma coisa? *Deu certo.*

O conselho mudou minha vida. Depois de alguns anos, eu tinha um bom trabalho, uma namorada legal, bons amigos e um lugar bacana para viver. Eu tinha muito a agradecer.

No entanto, mesmo pondo em prática todos aqueles bons conselhos básicos, fiquei estagnado. Por seis ou sete anos, minha vida não avançou muito, foi enlouquecedor. É frustrante trabalhar duro, ser apaixonado e grato e ainda assim não progredir, não ver resultado. Isso também causa uma sensação de vazio: sobressair-se às vezes, mas sentir-se exausto a todo momento; ter garra e ser bem pago, mas não se sentir recompensado; estar motivado, mas não criar um impulso verdadeiro; envolver-se com os outros mas não criar conexão; acrescentar valor, mas não concluir nada. Essa não é a perspectiva de vida que desejamos.

Aos poucos, eu percebi que tinha tido algum êxito, embora não conseguisse apontar o *motivo*. Eu não era tão disciplinado quanto queria, estava longe de ter reconhecimento internacional, e tampouco estava contribuindo da maneira que desejava. Eu queria um planejamento rigoroso do que deveria ser feito todos os dias e para cada nova situação, de forma que eu pudesse aprender mais rápido, contribuir melhor e, sim, também aproveitar mais a trajetória.

Aí me dei conta de que o problema com a antiga fórmula para o sucesso é que ela é voltada demais para resultados *individuais* e sucesso *inicial*. Essas coisas fazem você entrar no jogo e manter-se nele. Mas o que acontece *depois* das primeiras vitórias? O que acontece depois que você tirou boas notas, descobriu algo que ama, conseguiu um emprego ou deu início àquele sonho, desenvolveu certo conhecimento, economizou algum dinheiro, se apaixonou, criou condições favoráveis? O que pode ajudar quando você quer estar entre os melhores do mundo, *liderar*, motivar um impacto duradouro? Como adquirir a confiança necessária para alcançar o próximo nível? Como *manter o sucesso* a longo prazo sem perder a alegria? Como inspirar e capacitar outros a fazer o mesmo?

Responder a essas perguntas se tornou uma obsessão pessoal e, em última análise, minha profissão.

LIÇÕES DE ALTA PERFORMANCE

Este livro é o resultado de vinte anos buscando respostas para três questões fundamentais:

1. Por que alguns indivíduos e algumas equipes obtêm êxito *mais rápido* do que os demais e *mantêm* esse sucesso a longo prazo?
2. Entre os que triunfam, por que alguns são *infelizes* em sua jornada, enquanto outros mantêm a *alegria*?
3. O que motiva as pessoas a alcançar mais sucesso, e quais hábitos, treinamento e apoio as ajudam a melhorar com mais rapidez?

Meu trabalho e minhas pesquisas sobre essas questões — que se tornaram conhecidos como estudos de alta performance — me levaram a entrevistar, treinar ou prestar coaching a muitas das pessoas mais bem-sucedidas e felizes do mundo, de CEOs a celebridades, de empreendedores de alto nível a artistas como Oprah e Usher, de pais a profissionais em dezenas de indústrias, para mais de 1,6 milhão de estudantes de 195 países, que assistiram aos meus cursos ou minhas séries de vídeos on-line.

A aventura me levou para salas de reuniões repletas de tensão e vestiários do Super Bowl, a pistas de atletismo olímpicas, a helicópteros privados com bilionários e a mesas de jantar ao redor do mundo, onde conversei com alunos, participantes de pesquisas e pessoas comuns que se esforçavam para melhorar de vida.

Esse trabalho me ajudou a criar o curso on-line sobre alta performance mais popular do mundo, a newsletter mais lida sobre o assunto e o maior conjunto de dados sobre características de indivíduos de alta performance. Também levou à fundação High Performance Institute [Instituto de Alta Performance], onde eu e uma equipe de especialistas conduzimos pesquisas sobre como as pessoas com mais alto rendimento pensam, se comportam, influenciam os outros e vencem. Criamos a única avaliação de alta performance validada do mundo, bem como o primeiro programa de certificação profissional na área: Certified High Performance Coaching™. Tivemos o privilégio de treinar, prestar coaching e avaliar mais indivíduos de alta performance do que qualquer outra organização do mundo, e eu pessoalmente certifico mais de duzentos coaches de alta performance por ano.

Este livro é composto dos aprendizados advindos de todas essas iniciativas. A pesquisa abrange não apenas vinte anos de desenvolvimento e experiência pessoais, mas também inclui dados de prestação de coaching a diversos clientes, avaliações detalhadas do antes e depois de milhares de participantes dos workshops, entrevistas estruturadas com centenas de pessoas no topo de seus campos de atuação, ideias extraídas a partir da consulta da literatura acadêmica especializada e centenas de milhares de comentários feitos pelos meus alunos e enviados a partir dos meus vídeos gratuitos de treinamento disponíveis na internet, que tiveram mais de cem milhões de visualizações.

Por meio desse vasto conjunto de dados e duas décadas de experiência, encontrei hábitos testados e aprovados em contextos pessoais e profissionais. Eis o que aprendi:

Com os hábitos certos, qualquer pessoa pode melhorar drasticamente seus resultados e se tornar um profissional de alta performance em quase todos os campos de atuação.

A alta performance não está obrigatoriamente relacionada a idade, educação, renda, raça, nacionalidade ou gênero. Isso significa que muitas das desculpas que usamos para explicar a falta de sucesso são simplesmente erradas. A alta performance não é alcançada por um único *tipo de pessoa*, mas graças a um conjunto específico de *práticas*, que chamo de *hábitos de alta performance*. Qualquer um pode aprendê-los, independentemente de experiência, pontos fortes, personalidade ou posição. Pessoas que estão lutando para realizar novos progressos podem usar este livro para revitalizar sua vida, seguir adiante e utilizar todo seu potencial. E aqueles que já são bem-sucedidos podem recorrer a estas páginas para chegar a um degrau mais alto.

Nem todos os hábitos são criados da mesma forma.

O que ocorre é que há hábitos maus, bons, melhores e ideais para colocar em prática todo o seu potencial de vida e carreira. O grau de prioridade dos seus comportamentos e a forma como eles são organizados para criar novos hábitos de verdade fazem diferença. Se existe algo de especial no trabalho da minha equipe de pesquisadores é que desvendamos o código e descobrimos *quais hábitos são mais importantes* e como é possível estabelecer uma rotina que os fortaleça e os sustente. Sim, você pode começar a escrever um diário para expor sua gratidão, e isso o tornará mais feliz, mas será o bastante para impulsioná-lo em direção ao progresso verdadeiro em todas as áreas da vida? Claro, você pode dar início a uma nova rotina matinal, mas será suficiente para melhorar de forma significativa sua performance e sua felicidade de modo geral? (A propósito, a resposta é não.) Então, onde concentrar esforços? Descobrimos que seis hábitos bem determinados são os mais eficazes para ajudá-lo a alcançar alta performance em várias áreas da vida. Constatamos também que existem hábitos para avançar de forma tática, além de hábitos estratégicos para aproveitar a vida. Você vai aprender ambos.

O problema não é conquistar — é entrar no espírito.

Se você está lendo estas palavras, então são grandes as chances de que as conquistas não sejam o problema. Você já sabe como definir metas, fazer checklists, dar conta do que ainda precisa ser feito. Você se dedica a chegar a uma posição de destaque no seu campo de atuação. Mas existe uma grande probabilidade de estar vivenciando uma boa cota de estresse e sobrecarga. Você tem capacidade, sem dúvida, mas está prestes a aprender algo que todos os realizadores precisam saber: não é porque as pessoas querem colocar mais coisas no seu colo, cientes de que você é capaz de dar conta, que você deve permitir. *O que é possível nem sempre é o importante.* Você pode fazer muitas coisas. Então, a questão central deixa de ser "como faço para conseguir mais?" e passa a ser "como quero *viver*?". Este livro é um plano de fuga para aqueles que aniquilam a própria alma em busca do sucesso apenas no campo exterior, sem qualquer significado além da conquista por si só. Ele fala de como realinhar seus pensamentos e suas atitudes para experimentar crescimento, bem-estar e satisfação durante a empreitada.

As certezas são inimigas do crescimento e da alta performance.

Muitas pessoas buscam certezas em meio ao caos deste mundo. A certeza, porém, é o ouro dos tolos e, portanto, o chamariz do charlatão. Em última instância, a certeza cega, define limites falsos ou imutáveis, e cria hábitos "automáticos" que se transformam em um pessimismo previsível e abrem brechas para seus concorrentes o superarem. A pessoa que tem muita certeza é mais resistente ao aprendizado, mais vulnerável a dogmas e provavelmente será alcançada e ultrapassada por quem é capaz de inovar. Você vai aprender que os profissionais de alta performance superam a necessidade juvenil por certeza e a substituem por curiosidade e genuína autoconfiança.

A tecnologia não vai nos salvar.

Venderam para nós a visão sedutora de um mundo em que novos gadgets vão nos tornar mais inteligentes, mais rápidos e melhores. No entanto, muitos de nós estão começando a perceber o exagero. Ferramentas não substituem a sabedoria. Você pode ter todos os dispositivos do mundo e mergulhar profundamente no movimento *Quantified Self*, onde cada passo, segundo de sono, batida do seu coração e momento do seu dia são rastreados e analisados, como em um jogo. Mas muitas pessoas estão conectadas e rastreadas e continuam sozinhas, cheias de angústia. Muitos se valem de todos os aplicativos e estatísticas disponíveis e ainda assim perdem o contato com suas verdadeiras ambições e a própria alma. Em meio a toda a empolgação sobre as melhorias que a tecnologia traz para nossa vida, no fim das contas o que melhor nos serve são simples hábitos humanos de alta performance.

O QUE É ALTA PERFORMANCE?

Para nossos propósitos neste livro, o termo "alta performance" refere-se ao *sucesso além do padrão estabelecido, com consistência e a longo prazo.*
Embora o sucesso seja definido de acordo com o campo de atuação, a pessoa, equipe, empresa ou cultura de alta performance simplesmente *demonstra*

melhor desempenho por períodos mais longos. Mas alta performance não se trata apenas de uma melhora sem fim. Uma simples melhora nem sempre resulta em alta performance. Muitas pessoas estão melhorando, mas não necessariamente brilhando — elas avançam, mas todo mundo avança também. Muitas pessoas progridem, mas sem impacto real. Os profissionais de alta performance, por sua vez, quebram as normas. Eles estão sempre apresentando resultados além das expectativas.

A alta performance também é muito diferente do mero desenvolvimento de especialidades. O que está em jogo não é apenas aprender uma nova habilidade ou um novo idioma, nem se tornar um mestre de xadrez, um pianista de renome internacional ou um CEO. Um profissional de alta performance de qualquer área não é bom somente em uma tarefa ou aptidão: ela ou ele desenvolveu competências adjacentes para complementar uma expertise. Não são como bandas de um único sucesso. Eles têm conjuntos de habilidades que lhes permitem ter sucesso a longo prazo e, principalmente, liderar. Eles praticam meta-hábitos que os ajudam a se destacar em várias áreas da vida. Um jogador de futebol que conquista uma Copa do Mundo não sabe apenas chutar bem. Ele teve que trabalhar a resiliência emocional, a nutrição, a disciplina, a liderança da equipe, a força e o condicionamento físico, a negociação de contratos, a construção de marcas, e assim por diante. Quem alcança a alta performance em qualquer carreira precisa ter competência em muitas das áreas que se relacionam de alguma forma com essa carreira.

Em nossa definição de *alta performance*, "com consistência" seguido por "a longo prazo" pode parecer redundante. Mas são termos distintos. Por exemplo, os profissionais de alta performance não "calham" de ter êxito no último minuto de uma década de esforços. Eles não atravessam de repente a linha de chegada do sucesso. Eles mantêm a *regularidade*. Superam as expectativas de maneira contínua. Há em seus esforços uma consistência que falta a seus pares. É por isso que, quando olhamos para eles depois da conquista, percebemos que não chegaram lá à toa.

Como você vai aprender, ir ao encontro da definição "sucesso além do padrão estabelecido, com consistência e a longo prazo" exige hábitos que protejam seu bem-estar, mantenham relacionamentos positivos e assegurem que você esteja colaborando conforme progride. *É simplesmente impossível quebrar o padrão tendo o chão como meta.* Como constatamos, a estabilidade do sucesso advindo da alta performance se deve em grande parte à preocupação com uma vida saudável. Não se trata somente de obter conquistas na profissão ou em apenas uma área de interesse. Trata-se de criar uma *vida de alta performance*, na qual se experimenta um sentimento contínuo de comprometimento, alegria e confiança por dar o melhor de si.

É por isso que a abordagem de alta performance vai além de conceitos populares como "concentre-se em seus pontos fortes" e "basta se dedicar por dez mil horas a algo". Muitas pessoas têm uma força pessoal incrível, mas destroem a saúde na busca por sucesso e, portanto, não conseguem manter um alto nível de desempenho. Muitos indivíduos praticam de maneira obsessiva ou dedicam seu tempo em tal escala que destroem os relacionamentos de que precisam para dar suporte a seu crescimento contínuo. Elas afastam o coach que os ajudava a progredir; estragam um relacionamento, e as consequências emocionais as deixam fora de combate; decepcionam seus investidores e, de repente, o dinheiro para crescer desaparece.

> *Quero que você tenha sucesso e uma vida saudável,*
> *cheia de emoções e relacionamentos positivos.*

A alta performance, como a defino e os dados confirmam, não significa avançar a todo custo. Trata-se de cultivar hábitos que o ajudem a se *destacar* e a *enriquecer* todo o espectro de sua vida.

Organizações também transitam pela alta performance. Hoje, mais do que nunca, empresas no mundo todo lutam para se manter na ponta de forma consistente. Muitos líderes experientes estão combatendo culturas corporativas com baixo grau de comprometimento e desempenho. Eles estão desesperados para colocar em prática visões ousadas e fazer com que seu pessoal se esforce mais, mas perceberam que as equipes já estão esgotadas. É por isso que executivos vão adorar este livro: ficarão encantados ao saber que suas empresas podem ser saudáveis e de alta performance. Na verdade, a segunda característica precisa da primeira. Os hábitos descritos neste livro funcionam tanto para equipes quanto para indivíduos.

Aos grandes realizadores e líderes que querem ajudar suas organizações a se destacar: tenha certeza de que você vai alcançar o próximo nível de sucesso com mais equilíbrio, rapidez e confiança do que da última vez. Existe, sim, uma forma melhor de viver e de liderar, e a boa notícia é que isso não é nenhum mistério. Os hábitos de alta performance neste livro são precisos, práticos, duráveis, sustentáveis e funcionam em qualquer escala.

O QUE SABEMOS SOBRE INDIVÍDUOS DE ALTA PERFORMANCE

O que sabemos a respeito das pessoas que alcançam êxito além da média, de forma consistente e a longo prazo?

Profissionais de alta performance são mais bem-sucedidos do que seus pares, e ainda assim estão menos estressados.

O mito de que temos que suportar calados mais fardos e ansiedade conforme nos tornamos cada vez mais bem-sucedidos simplesmente não é verdade (contanto que tenhamos os hábitos corretos). Pode-se viver uma vida extraordinária, muito diferente da batalha que a maioria das pessoas enfrenta na luta pela sobrevivência ou da que experimenta quando toda realização depende de esforço e esgotamento. Isso não quer dizer que profissionais de alta performance nunca se estressam — eles se estressam, sim —, mas sim que lidam melhor com ele, são mais resistentes e atravessam quedas menos graves de desempenho relacionadas a fadiga, distração e sobrecarga.

Profissionais de alta performance adoram desafios e são mais confiantes de que alcançarão seus objetivos, apesar das adversidades.

Muitas pessoas evitam qualquer sensação de dificuldade em sua vida. Elas temem não poder lidar com ela, temem ser julgadas ou rejeitadas. Mas profissionais de alta performance são diferentes. Não é que eles nunca duvidem de si mesmos. Mas eles anseiam por experimentar coisas novas e acreditam em sua capacidade para solucionar problemas. Eles não fogem de desafios, e isso não só os ajuda a progredir, mas também inspira aqueles que os rodeiam.

Profissionais de alta performance são mais saudáveis do que seus pares.

Eles comem melhor e se exercitam mais. Os 5% no topo da alta performance são 40% mais propensos a praticar exercícios três vezes por semana. Todo mundo quer ser saudável, mas pode pensar que precisam trocar a saúde pelo sucesso. Isso é mentira. Pesquisa após pesquisa, descobrimos que profissionais de alta performance têm mais energia — mental, emocional e física — do que seus pares.

Profissionais de alta performance são felizes.

Todos nós queremos ser felizes, mas muitos realizadores são tristes. Eles trabalham muito, mas não se sentem satisfeitos. Não é assim com profissionais de alta performance. Absolutamente todos os hábitos de alta performance que descobrimos, mesmo se praticados de maneira isolada, aumentam o nível geral de felicidade. Aplicados em conjunto, os seis hábitos que você aprenderá aqui não vão apenas levá-lo à excelência. Eles o farão mais feliz — os dados comprovam. As emoções positivas de comprometimento, alegria e confiança que definem o estado emocional do indivíduo de alta performance podem ser *suas* também.

Profissionais de alta performance são admirados.

Seus colegas os admiram, mesmo que os profissionais de alta performance os superem. Por quê? Porque, ao se tornar um profissional de alta performance, o ego passa para segundo plano. Profissionais de alta performance dominaram a arte de exercer influência de tal forma que os outros se sentem respeitados, valorizados e apreciados — e mais propensos a se tornarem eles mesmos profissionais de alta performance.

Indivíduos de alta performance conseguem melhores notas e alcançam posições mais altas.

Estatisticamente, a alta performance está correlacionada com o coeficiente de rendimento (CR). Em um estudo com duzentos atletas universitários, descobrimos que quanto maior a pontuação no Indicador de Alta Performance — uma ferramenta de avaliação para medir o potencial de alta performance —, maior o CR. Indivíduos de alta performance também são mais propensos a se tornar CEOs e executivos-seniores. Por quê? Porque seus hábitos os ajudam a liderar e a ascender na hierarquia corporativa.

Profissionais de alta performance trabalham com paixão, independentemente das recompensas tradicionais.

A alta performance não está relacionada a compensação. Isso significa que o que você recebe não altera suas chances nem sua capacidade de atuar em alto nível. Profissionais de alta performance trabalham duro não por causa de dinheiro, mas por algo chamado *necessidade*, sobre o qual você aprenderá em breve. Não estão no jogo por causa de troféus, elogios ou bônus; estão pelo sentido. É por isso que, nas pesquisas, profissionais de alta performance quase sempre demonstram que se sentem bem recompensados, independentemente do nível de renda. Além disso, eles raramente acham que seu trabalho é "ingrato" ou que outros não apreciam como eles trabalham duro. Não é porque o trabalho deles é especial nem porque sempre foi o trabalho dos sonhos. Ao contrário, é porque eles enxergam seu trabalho com um senso maior de propósito, o que os ajuda a se sentirem mais engajados, competentes e satisfeitos.

Profissionais de alta performance são assertivos (pelos motivos certos).

Eles se entregam às experiências e falam o que pensam, não para "conquistar" nem para competir. Eles são assertivos porque cultivam os hábitos corajosos de compartilhar novas ideias, participar de conversas complexas, expressar seus verdadeiros pensamentos e sonhos e defender seus pontos de vista. Os dados também nos mostram que eles se manifestam pelo coletivo e apoiam ideias de outras pessoas com mais frequência. Ou seja, estão no caminho certo para se tornarem líderes diretos e inclusivos.

Profissionais de alta performance não só enxergam como vão além de seus pontos fortes.

Existe um mito de que devemos nos concentrar apenas em nossos "pontos fortes" inatos. Mas o tempo de olhar só para o próprio umbigo já passou há muito. Devemos enxergar além do que temos naturalmente, e desenvolver o que precisamos para crescer, servir e liderar. Profissionais de alta performance entendem isso. Eles estão menos preocupados em "encontrar seus pontos fortes" e mais em "aptidões flexíveis" — explorando o que precisa ser corrigido e transformando-se em alguém que pode fazer a correção. Eles não ficam se perguntando "quem sou eu, e no que sou bom?", e sim "o que é necessário para ser útil aqui, e como posso me tornar essa pessoa ou guiar outros a se tornarem?". Profissionais de alta performance trabalham em seus pontos fortes não mais do que a média das pessoas, de modo que o que lhes dá vantagem não é o foco nessas habilidades naturais.

Profissionais de alta performance têm uma produtividade singular — eles dominaram a forma prolífica de produção.

Não importa o campo, eles são os que mais produzem em termos qualitativos. Não é que eles simplesmente produzam mais; muitos de seus colegas podem executar mais tarefas. Mas profissionais de alta performance conseguem fazer mais coisas que são *altamente valorizadas* em seu campo primário de interesse. Eles nos lembram de que a prioridade é manter as prioridades em primeiro lugar. O foco e o esforço em criar apenas resultados significativos os ajudam a se destacar.

Profissionais de alta performance são líderes que sabem servir e se adaptar.

O que separa meu trabalho sobre alta performance da moda em torno de experts internacionais é que não estou buscando gênios solitários nem expoentes individuais. Profissionais de alta performance não pensam, vivem ou trabalham em outra dimensão. Eles estão influenciando pessoas e agregando enorme valor àqueles que os rodeiam, e não apenas ganhando concursos de soletração ou partidas de xadrez. Eles costumam ser líderes que se adaptam a circunstâncias desafiadoras e orientam as pessoas em direção à colaboração e ao sucesso delas mesmas. Com essa capacidade, profissionais de alta performance podem passar de um projeto para outro e serem repetidamente bem-sucedidos. É como se você pudesse colocá-los em qualquer contexto, equipe, empresa, indústria, e eles sairiam vencedores — não porque sejam gênios ou lobos solitários, mas porque influenciam positivamente os demais a crescer também. Eles não desenvolvem apenas *habilidades*; eles desenvolvem *pessoas*.

Tenho consciência de que ler uma lista como essa talvez faça com que um profissional de alta performance soe como um trabalhador maravilhoso e infalível. Mas não é isso, de modo algum. A lista é uma boa descrição geral, mas, é claro, há espaço suficiente para diferenças individuais e variações. Alguns profissionais de alta performance, por exemplo, podem não ser tão saudáveis quanto outros, mesmo que gerem resultados mais produtivos. Alguns podem ser felizes e saudáveis, mas não são tão admirados. Em outras palavras, essas descrições não são 100% precisas para 100% dos indivíduos. Mas é grande a chance de que, ao longo do tempo, os hábitos detalhados neste livro levem aos benefícios listados e a vidas extraordinárias.

Se alguma das descrições acima ainda não se aplica a você, não se preocupe — profissionais de alta performance não nasceram assim. Tendo treinado mais de um milhão de pessoas sobre esse assunto, posso afirmar que não há super-humanos nessa categoria. Profissionais de alta performance não são fundamentalmente diferentes de você ou de qualquer outra pessoa por causa de algum talento especial, ponto forte específico, milagre genético ou reconstrução de personalidade. Alta performance não é uma característica inata; é o resultado de um conjunto específico de hábitos deliberados. Você pode aprender esses hábitos e atingir alta performance em quase todos os empreendimentos que realizar. E podemos medi-la e comprová-la.

OS HÁBITOS DE ALTA PERFORMANCE

Se existe algo que define minha abordagem de pesquisa e de treinamento é que certos hábitos garantem uma vantagem competitiva, transformando uma pessoa de desempenho mediano em um indivíduo de alta performance. Profissionais de alta performance simplesmente dominaram — seja de propósito, por acaso ou por necessidade — os seis hábitos *mais* importantes para atingir e manter o sucesso de longo prazo.

Chamamos esses seis hábitos de AP6. Eles estão relacionados a clareza, energia, necessidade, produtividade, influência e coragem. Refletem como profissionais de alta performance *agem* continuamente — diante de cada meta, cada projeto, cada equipe, cada pessoa. É possível aprender cada um dos hábitos, aprimorá-los e implantá-los em todos os contextos da vida. Você pode começar a pôr esses hábitos em prática hoje, e eles vão lhe fazer bem. Vamos abordar cada hábito nos capítulos a seguir e oferecer exercícios para desenvolvê-los.

Antes de entrar nos AP6, entretanto, vamos falar sobre hábitos. De acordo com a tradição, hábitos surgem quando fazemos algo tantas vezes que aquilo se torna quase automático. Realize uma ação simples e fácil de lembrar, repita-a várias vezes, seja recompensado, e você vai começar a desenvolver um hábito que em breve se tornará praticamente natural. Por exemplo, depois de praticar algumas vezes, é fácil amarrar os sapatos, dirigir um carro, digitar em um teclado. Agora dá para fazer essas coisas sem pensar muito. Você já as fez tantas vezes que elas se tornaram procedimentos *automáticos*.

Este livro não é sobre esse tipo de hábito. Não estou interessado em ensinar simples comportamentos de rotina que podem ser feitos com pouco ou nenhum pensamento consciente. Quero que você esteja *plenamente consciente* quando enfrentar grandes batalhas, se esforçar em direção ao topo e liderar outras pessoas. Isso porque os hábitos que realmente melhoram a performance não são inconscientes. Eles não se tornam necessariamente automáticos ou mais fáceis com o tempo, porque o mundo se torna mais complexo à medida que buscamos mais sucesso. Assim, você precisa estar atento aos seus passos conforme vai chegando mais alto.

Ou seja, os hábitos de alta performance que você aprenderá neste livro são *hábitos deliberados*. Eles precisam ser escolhidos de maneira consciente, precisam ser desejados para que existam, e devem ser continuamente revisados para fortalecer seu caráter e aumentar suas chances de sucesso.

Os hábitos deliberados são geralmente difíceis de adotar. Você deve praticá-los com muito foco mental, sobretudo em ambientes que estão passando por mudanças. Toda vez que você se sentir preso, iniciar um novo projeto, medir seu progresso, tentar liderar outras pessoas, precisa deliberadamente pensar nos hábitos de alta performance. Você terá que usá-los como um checklist, da mesma forma que um piloto de avião antes de cada decolagem.

Acredito que isso é uma coisa positiva, também. Não quero que meus clientes progridam de forma inconsciente, reativa ou compulsivamente. Quero que eles *saibam* o que estão fazendo para vencer, e que o façam com total intenção e propósito. Dessa forma, eles são capitães do próprio destino, e não escravos de seus impulsos. Quero você no comando, com consciência e clareza sobre o que está fazendo, para que possa ver seu desempenho melhorar cada vez mais — e assim ajudar os outros a melhorarem também.

Implantar os hábitos de alta performance que você está prestes a aprender exige muito esforço, mas não se esquive dele.

> *Quando você bater na porta da oportunidade, não se surpreenda se for o Trabalho que vier abri-la.*

Alguns dirão que eu poderia ter oferecido hábitos mais fáceis e assim provavelmente venderia mais livros. Mas, ao melhorar sua vida, *facilidade* não é o ponto; é o *crescimento*. E os dados deixam claro que esses seis hábitos farão diferença significativa, ainda que exijam atenção e esforço consistentes. Se nossa meta é a alta performance, então eu e você teremos que trabalhar para implementar e desenvolver esses hábitos em todos os contextos de nossa vida — pelo resto de nossa vida.

Assim como os atletas jamais abandonam o treinamento, os profissionais de alta performance nunca param de condicionar e fortalecer seus hábitos de modo consciente.

Sucesso de verdade — holístico e de longo prazo — não vem por fazermos o que é natural, seguro, conveniente ou automático. Muitas vezes, a jornada para a excelência começa no momento em que nossa predileção por conforto e segurança é sobreposta por um propósito maior, que exige desafio e contribuição.

As habilidades e os pontos fortes que você possui agora provavelmente são insuficientes para chegar ao próximo nível de sucesso, portanto é absurdo pensar que você não terá que trabalhar em suas fraquezas, desenvolver novos pontos fortes, experimentar novos hábitos, ir além do que imagina que sejam seus limites e seus dons. É por isso que não estou aqui para vender a solução barata de focar apenas no que já é fácil para você.

Então, estamos combinados: há muito trabalho pela frente.

AUTORIZAÇÃO CONCEDIDA

Além dos hábitos, o que mais detém a maioria das pessoas? Descobri que muitas pessoas simplesmente não se sentem merecedoras nem prontas para galgar o próximo nível. Elas questionam o próprio valor ou esperam por alguma validação externa — promoção, certificação, prêmio — antes de entrar no jogo maior. Isso está errado, é óbvio. Você merece um extraordinário sucesso tanto quanto qualquer um. E você não precisa da permissão de ninguém para começar a viver em seus próprios termos. Só precisa de um plano. E garanto que você vai encontrá-lo neste livro.

Às vezes, pessoas não vão atrás de mais sucesso em sua vida porque estão cercadas por outras que dizem: "Por que você não pode ser feliz com o que tem?". Quem diz isso não entende os indivíduos de alta performance. Você pode estar extremamente feliz com o que tem e ainda assim se esforçar para crescer e dar sua contribuição. Portanto, não permita jamais que alguém o desencoraje de sua ambição por uma vida melhor. Não diminua seus sonhos nem a si mesmo por motivo algum. *Está tudo bem querer mais.* Não tema suas novas ambições. Basta entender como alcançá-las com mais foco, elegância e satisfação do que da última vez. Basta seguir o caminho traçado neste livro.

O próximo capítulo revela os seis hábitos de alta performance, os AP6, e dá mais detalhes sobre como eles foram mapeados. Compreender a ciência por trás dessas descobertas vai ajudá-lo a perceber as nuances e o potencial dessa abordagem. Depois, vamos direto para cada um dos seis hábitos. Cada hábito tem seu próprio capítulo, e os capítulos juntos vão ensinar três práticas inéditas para ajudá-lo a estabelecer o hábito geral. Por fim, vou preveni-lo das armadilhas que podem fazer você estagnar ou fracassar, e antes de me despedir vou tratar do aspecto essencial para manter o progresso.

Como seu guia, vou inspirar uma nova forma de pensar, desafiá-lo ao longo do caminho e ajudá-lo a se tornar mais consciente quanto ao que importa *de verdade*. Se, às vezes, pareço exagerado, me perdoe. Acabei de passar uma década treinando pessoas extraordinárias, e sei quais são os incríveis resultados que o esperam. Ao contrário de um blogueiro ou acadêmico, só me sinto recompensado quando obtenho resultados mensuráveis, e fiz isso para indivíduos e equipes de diferentes áreas profissionais no mundo todo. Vi o que é possível para você, e minha alma se alegra enquanto escrevo esta frase. Minha enorme paixão por compartilhar essas ideias vem de observar meus alunos, e os dados têm comprovado esses métodos de modo constante. Então, sim, você terá que perdoar minha exuberância às vezes. Sou totalmente louco por este trabalho. Mas, se me permitir isso, você pode me permitir também fazer perguntas difíceis e sugerir ações que podem parecer tediosas ou fazer você se sentir um pouco desconfortável. Se eu estivesse sentado ao seu lado, pediria permissão para incentivá-lo, desafiá-lo e exigir que você dê tudo. Visto que você escolheu este livro, não tenho dúvidas de que está pronto para a viagem.

Também devo adiantar o que você *não* vai encontrar nas páginas a seguir. Trabalhei duro para manter este livro o mais prático possível, dando preferência a *estratégias* para aplicar e melhorar sua vida, em vez de *histórias* sobre pessoas que você não conhece e detalhes acadêmicos com os quais você talvez não se preocupe. Não espero que este livro seja um trabalho completo de psicologia humana ou de ciência da realização; é uma tentativa de filtrar vinte anos de descobertas e fazer um guia prático para você. Em um trabalho desse alcance, inevitavelmente há generalizações e questões em aberto, e procurei fazer uso delas da melhor forma possível.

Limitar este livro aos hábitos práticos foi difícil. O primeiro rascunho tinha 1498 páginas, e precisei fazer algumas escolhas difíceis em relação ao que cortar. Para tomar as decisões, segui o conselho que compartilhei anteriormente, que aprendi com muitos profissionais de alta performance:

*Para ter sucesso, lembre-se sempre de que a prioridade
é manter as prioridades em primeiro lugar.*

Neste livro, a "prioridade" é ensinar os hábitos para que você se torne extraordinário. É ajudá-lo a entender conceitualmente os hábitos e também poder praticá-los com confiança.

Então, cortei um pouco do material mais divertido, provocador — perfis de figuras históricas ou líderes contemporâneos, histórias fascinantes sobre experimentos em laboratório —, porque essas coisas eram mais adequadas para o meu blog ou podcast do que para este livro. Fiz essa escolha para que o livro fosse mais um manual de instruções do que uma coleção de estudos de caso ou de anotações acadêmicas. Apresentarei vinhetas sobre o trabalho com profissionais de alta performance, bem como muitas de nossas amplas descobertas, mas, na maior parte, vou me concentrar no que *você* precisa *fazer* para chegar ao próximo nível de sucesso. Se quiser ainda mais histórias de vida ou estudos de caso, confira meu blog ou podcast em Brendon.com. Se quiser uma abordagem mais acadêmica e uma visão mais profunda de nossa metodologia, visite HighPerformanceInstitute.com.

Aqui, vou me concentrar em tornar este livro útil e atemporal, para que, independentemente da frequência com que você o consulte ao longo da vida, as lições continuem a ser relevantes e precisas. Uma vez que nossos alunos sempre perguntam como esses tópicos se aplicam a mim, enquanto figura pública, darei alguns exemplos pessoais. Mas mesmo eles são, em última instância, ilustrações do que aprendi com profissionais de alta performance. Como o mais importante para a melhoria do seu desempenho são os seis hábitos específicos, não vou perder tempo falando de dietas, infância, livros favoritos, rotinas matinais ou aplicativos favoritos dos profissionais de alta performance — tudo isso varia demais, e não encontramos qualquer correlação substancial entre esses aspectos e a alta performance. Então, vou deixar essas discussões sobre estilo de vida para apresentadores de podcast e jornalistas, que fazem perguntas fascinantes a pessoas fascinantes. Este livro é diferente porque trata de performance, não de personalidade nem intrigas. Não é um livro de perfis; é um livro de *práticas comprovadas*.[1] Aqui, o assunto é *você*. É sobre como pensar, e sobre os hábitos de que você precisa para começar a implementá-los de forma deliberada em sua vida. Agora, vamos ao trabalho.

O QUE FAZER AGORA MESMO

Você está ocupado, eu sei. Tem muita coisa para fazer hoje. Talvez eu tenha despertado sua curiosidade, e você esteja realmente disposto a melhorar de vida já. Mas também sei que existe o risco de que seu interesse não se traduza em ações imediatas. Portanto, tenho duas sugestões sobre o que você pode fazer agora mesmo, para começar *hoje*.

1. Faça a avaliação no site HighPerformanceIndicator.com.

Não se preocupe, é *de graça*, e leva de cinco a sete minutos apenas, um tempo que você tem. Você obterá uma pontuação nas seis categorias relacionadas à alta performance. Vai descobrir onde está indo bem e onde não está. Essa avaliação vai ajudá-lo a prever se, na sua atual trajetória, alcançará metas ou sonhos de longo prazo. Depois de fazer sua avaliação e obter a pontuação, receberá recomendações de cursos e outros recursos gratuitos. Será bem-vindo compartilhar esse link ou os resultados com seus colegas ou sua equipe. Sinta-se à vontade para comparar sua pontuação com a dos outros, mas não deixe de voltar ao livro e aprender a melhorar.

2. Leia os próximos dois capítulos hoje.

Sim, hoje. Agora. Não vai levar muito tempo. Se mergulhar fundo e se comprometer a ler os próximos dois capítulos, você vai descobrir os fatores que fazem a diferença estatística para ajudá-lo a ter sucesso a longo prazo, não importa sua área. Você vai se deparar com formas mensuráveis de melhorar, e nunca mais vai se perguntar o que é mais importante para alcançar o sucesso duradouro.

A alta performance pode ser sua. Uma vida extraordinária espera por você. É só virar a página.

Além do natural
A busca pela alta performance

Não se preocupe apenas em ser melhor do que seus contemporâneos ou predecessores. Tente superar a si próprio.
William Faulkner

Um e-mail que mudou minha vida:

Brendon,

Eu sou INTJ no teste indicador de personalidade Myers-Briggs. Isso não diz absolutamente nada sobre mim ou sobre minha capacidade de ter sucesso. Agora não. Não pelos próximos anos.

Meus dois pontos fortes no StrengthsFinder são "Developer" [Criador] e "Achiever" [Realizador]. Isso também não diz absolutamente nada sobre minha capacidade de executar tarefas ou alcançar resultados específicos.

No Kolbe, faço mais pontos como Quick Start [Início Rápido]. Isso não significa nada, porque ao longo do tempo tive que lidar com a vida real e melhorar em outros pontos nos quais sou péssimo como Fact Finder [Pesquisador de Fatos], Follow Thru [Perseverante] e Implementor [Implantador].

Gosto mais de azul do que de verde.

Sou mais como um leão do que como um chimpanzé.

Sou determinado, mas muitas vezes preguiçoso. Eu me identifico mais com um círculo do que com um quadrado. Tenho uma dieta mediterrânea na maior parte do tempo, mas gosto de hambúrguer. Gosto de estar cercado de pessoas, por algum tempo, mas muitas vezes quero escapar para a solidão de uma xícara de chá e um livro grosso. Faço compras toda semana no Whole

Foods, mas muitas das minhas horas de almoço são passadas em um restaurante mexicano barato.

Nada disso diz muita coisa, de forma alguma, sobre minha capacidade, minhas chances de sucesso ou minha performance no futuro.

Então, cara, pare de tentar me enquadrar em um "tipo" ou presumir que meus "pontos fortes" ou minhas origens me dão qualquer vantagem. Rotular pessoas é uma estupidez, independentemente de como é feito. Vejo você dizer que essas avaliações são para explorar e aprender sobre mim, não para rotular nem para me dizer o que fazer.

Mas, olha, a gente conhece meus supostos "pontos fortes", e *mesmo assim* eles não estão me ajudando a progredir. Minhas inclinações naturais não fazem o trabalho. Como líder, tenho que ser honesto — às vezes não tem só a ver com quem *eu* sou, com o que *eu* gosto nem com *meus* talentos inatos. Tem a ver com me prontificar a cumprir uma missão, não com a missão se adequar aos meus pontos fortes limitados.

Eu sei que você gostaria de perguntar sobre meu histórico, também. Você sabe que sou do Meio-Oeste, mas hoje moro na Califórnia. Minha mãe criou sozinha a mim e à minha irmã. Trabalhava como cabeleireira de dia e como recepcionista em um bufê à noite. Papai nos abandonou quando eu tinha catorze anos. As minhas notas ficavam na média. Só sofri bullying uma ou duas vezes. Adorava jogar golfe na faculdade. Ao longo dos cinco anos seguintes à formatura, tive dois relacionamentos muito ruins. Fui demitido uma vez. Mas também fiz bons amigos e aos poucos adquiri confiança. Encontrei o trabalho que faço hoje meio que por acaso, mas o acho ótimo.

Esse cenário, também, não diz *nada* sobre o meu potencial. Não dá pistas nem um caminho definitivo para trilhar hoje.

Então, estou sendo sincero, Brendon. Sei que você gosta de avaliações de personalidade e de perguntar sobre meu histórico. Mas, apesar de todos terem um passado e uma história, sem dúvida esse passado ou essa história não são o que lhes dá vantagem.

O que quero dizer é que não posso olhar para meu próprio umbigo sem qualquer tipo de ajuda. Contratei você para me dizer o que *fazer* para chegar ao próximo nível.

Preciso saber o que *fazer*, Brendon. Que procedimentos funcionam *independentemente* da personalidade?

Não diga quem são os profissionais de alta performance. Quero que você me fale o que eles fazem em um nível microscópico, em todos os projetos, que possa ser replicado. Esse nível de detalhe. É aí que está o tesouro.
Se você encontrá-lo para mim, terá um cliente para o resto da vida.
Caso contrário, é hora de cada um seguir seu rumo.

Recebi esse e-mail de Tom, um cliente de coaching, no início da minha carreira. Para dizer o mínimo, me surpreendeu. Tom era uma pessoa gentil e um executivo de sucesso. Ele cooperava e estava sempre disposto a tentar coisas novas.[1] Um e-mail como esse, colocando a nossa relação de trabalho em risco a menos que eu encontrasse "o tesouro", era incomum da parte dele. A conversa que tivemos depois disso foi ainda mais direta. Ele estava exasperado.

Tom queria *resultados*. Mas eu não sabia ao certo como obtê-los.

Isso foi há uma década. Naquela época, quando eu era apenas um "life coach" mediano, havia quatro coisas que se faziam com frequência para descobrir como ajudar alguém a melhorar sua performance.

Normalmente, começava-se com perguntas ao cliente sobre o que ele ou ela queria, e quais "convicções limitadoras" estavam no meio do caminho. Também se entrevistava o cliente sobre o passado, em uma tentativa de detectar quaisquer acontecimentos que pudessem estar influenciando comportamentos atuais.

A seguir, utilizavam-se ferramentas de avaliação para ajudar a determinar tipos de personalidade, padrões e preferências. O objetivo era fazer com que as pessoas entendessem melhor a si mesmas e a quaisquer comportamentos que pudessem ajudá-las a ter sucesso. Entre as ferramentas populares havia o teste Myers-Briggs, o Clifton Strengths Finder, o Kolbe A™ Index e o Disc® Test. Muitas vezes, o life coach contratava especialistas ou consultores certificados nessas ferramentas, para ajudá-lo a aplicá-las.

No terceiro passo, o treinador apurava as avaliações de desempenho do trabalho e conversava com pessoas próximas ao cliente, usando avaliações de 360 graus para descobrir como os outros o enxergavam e o que esperavam dele. Buscava-se falar com as pessoas com quem o cliente convivia e trabalhava.

Em quarto lugar, você avaliaria a *produtividade* real do cliente. Verificaria seus resultados anteriores para encontrar o que se destacava, que processos o ajudaram a criar um bom trabalho, o prazer que ele sentia quando provocava impacto.

Então, seguindo a tradição, fiz todas essas coisas. Como Tom gostava de dados e relatórios tangíveis, passamos muito tempo fazendo avaliações e as colocando em discussão. Trabalhamos com vários consultores de alto nível que eram especialistas nas diferentes ferramentas. Tínhamos pastas cheias de informação.

Então, ao longo de dois anos, apesar de conhecer as características, os talentos, a pontuação e o histórico do meu cliente, eu o via *fracassar* repetidamente.

Eu me sentia péssimo. Não conseguia descobrir por que ele não alcançava os resultados que queria. Assim estavam as coisas quando ele enviou o e-mail.

O LABORATÓRIO

Avancemos rápido uma década após o e-mail de Tom, e agora me sinto abençoado por ter um dos maiores "laboratórios" — que é como descrevo meu público e minhas plataformas globais — de desenvolvimento pessoal e profissional do mundo. Enquanto escrevo estas palavras, esse público conta com mais de *dez milhões* de seguidores em nossas páginas do Facebook; mais de dois milhões de assinantes da newsletter; um milhão e meio de estudantes que assistiram a todas as minhas séries de vídeos ou cursos on-line; milhares de participantes em nossos seminários ao vivo sobre alta performance; milhões de leitores dos livros e dos blogs sobre motivação, psicologia e mudança de vida; e mais de meio milhão de assinantes do nosso canal no YouTube. Esse público ajudou meus vídeos de desenvolvimento pessoal a alcançarem cem milhões de visualizações on-line, e tudo isso sem postar um único vídeo de gato.

O que é singular em relação a esse público é que eles vieram até nós exclusivamente interessados em conselhos e práticas para o desenvolvimento pessoal, o que nos dá uma visão reveladora das dificuldades que as pessoas estão enfrentando, o que elas dizem querer da vida e o que as ajuda a mudar. No High Performance Institute, usamos esse grande público para fazer pesquisas, realizar entrevistas, compilar dados sobre o comportamento e os comentários dos alunos e estudar o antes e o depois de cursos on-line e de sessões de coaching personalizadas com foco em desempenho. Toda vez que buscamos compreender melhor algo sobre comportamento humano e alta performance, vamos ao nosso laboratório em busca de pistas.

Muito do que aprendemos com um público e um conjunto de dados dessa magnitude parece senso comum. Para ser bem-sucedido, o trabalho árduo, a paixão, a prática, a perseverança e as habilidades pessoais costumam ser mais importantes do que o QI, o talento inato ou sua origem. Nada aqui deveria ser surpresa, já que essas informações endossam a pesquisa contemporânea sobre sucesso e desempenho de ponta. Leia qualquer pesquisa recente em ciências sociais (e listo muitas notas ao fim do livro, para quem quiser ler os estudos por conta própria) e você verá que o sucesso, no geral, em quase qualquer empreitada, se viabiliza por fatores maleáveis — coisas que você pode mudar e melhorar com esforço. Por exemplo:

- a mentalidade que você escolhe adotar[2]
- o foco dedicado a suas paixões e a persistência com que você as persegue[3]
- o tempo investido no seu aprendizado[4]
- a maneira como você busca compreender e tratar os outros[5]
- a disciplina e a constância estabelecidas para alcançar seus objetivos[6]
- a forma como você se recupera das derrotas[7]
- a quantidade de exercício físico que você faz para manter a cabeça e o corpo em forma e para cuidar do seu bem-estar geral[8]

O que ficou claro em nosso trabalho e nas literaturas científica e acadêmica é que o sucesso é alcançado não por *um tipo específico de pessoa*, mas por pessoas de diferentes naturezas que seguem *um conjunto específico de práticas*. A pergunta que inspirou este livro foi "Quais são, exatamente, as práticas mais eficazes?".

EM BUSCA DO QUE IMPORTA

> *Motivação é o que faz você dar o primeiro passo.*
> *Hábito é o que o mantém caminhando.*
> Jim Rohn

Ao longo dos últimos anos, nós nos concentramos nas atitudes mais eficazes para ajudar as pessoas a alcançar sucesso de longo prazo. E descobrimos o que Tom já sabia de maneira intuitiva: profissionais de alta performance *agem* de forma distinta dos demais, e suas práticas podem ser replicadas em diferentes projetos (e em quase todas as situações), independentemente de personalidade, passado ou preferências. Na verdade, descobrimos que existem seis hábitos deliberados que desempenharam um papel preponderante nos resultados de performance em todos os domínios. Até seus maiores pontos fortes ou habilidades naturais são irrelevantes sem esses hábitos para lhes dar suporte.

Para descobrir quais hábitos foram mais relevantes, utilizamos conceitos fundamentais da literatura acadêmica, dados do nosso laboratório global e insights de mais de três mil sessões de coaching. Em seguida, juntamos todo esse material para criar um questionário estruturado que poderíamos aplicar aos profissionais de alta performance.

Identificamos profissionais de alta performance por meio de práticas-padrão de ciências sociais, como pesquisas de identificação e medições objetivas de performance (desempenho acadêmico ou atlético, resultados concretos de negócios e finanças etc.). Por exemplo, perguntamos aos entrevistados o quanto eles concordavam com declarações como as seguintes:

- A maioria dos meus colegas me consideraria um profissional de alta performance.
- Ao longo dos últimos anos, mantive um alto nível de sucesso em geral.
- Se a definição de "alta performance" é ter sucesso a longo prazo no que se faz, eu me identifico como um profissional de alta performance em comparação com a maioria das pessoas.
- No meu principal campo de interesse, tive sucesso por mais tempo do que a maioria dos meus pares.

Realizamos entrevistas personalizadas com aqueles que se identificaram fortemente com essas declarações (e às vezes com seus pares). Também fizemos pesquisas complementares aos que se autodeclararam profissionais de alta performance, com perguntas como:

- Ao começar um novo projeto, o que você faz de forma consciente e consistente para se preparar para ter êxito?
- Quais comportamentos pessoais e profissionais o ajudam a se manter focado, disposto, criativo, produtivo e eficiente? (Perguntamos separadamente a respeito de cada característica.)
- Que hábitos você começou a aplicar e deixou de lado, e quais manteve e que parecem *sempre* funcionar?
- Que pensamentos ou afirmativas você costuma repetir de propósito a si mesmo, para dar o melhor de si quando (a) entra em novas situações, (b) reage a adversidades ou a decepções e (c) ajuda os outros?
- Se tivesse que apontar três coisas que o tornam bem-sucedido, e soubesse que poderia aplicar novamente apenas essas três em seu próximo grande projeto, quais seriam elas?
- Ao se preparar para uma reunião (ou partida, espetáculo, cena, conversa) muito importante, como se dão sua preparação e suas práticas?
- Se você assumisse um projeto em equipe novo e importante amanhã, o que exatamente diria e faria para instruir a equipe rumo ao sucesso?
- Que hábitos lhe proporcionam vitórias rápidas, e quais são as práticas de longo prazo que fazem você se destacar?
- Quando você está sob a pressão de um cronograma de curto prazo, como mantém ou protege seu bem-estar?
- O que você costuma dizer a si mesmo quando enfrenta dúvidas ou desilusão ou sente que está fracassando?
- O que ativa sua confiança e como você "liga" essa chave quando precisa dela?
- Como você lida com pessoas que o apoiam, que não o apoiam e que você quer que o apoiem, mas não o fazem?
- Que práticas o mantêm feliz e saudável à medida que você persegue grandes objetivos?

Essas e outras dezenas de perguntas semelhantes nos ajudaram a apurar os fatores e os hábitos que os profissionais de alta performance apontaram como os maiores diferenciais em seu sucesso. Alguns temas se destacaram, e assim foi criada uma lista inicial de quase duas dúzias de hábitos de alta performance.

Em seguida, demos início a pesquisas com o público geral, com perguntas semelhantes às que fizemos aos autodenominados profissionais de alta performance. Depois de estudar os hábitos que melhor respondiam pela diferença entre esses profissionais e o público geral, diminuímos ainda mais a lista. Finalmente, reduzimos a lista aos hábitos deliberados, observáveis, maleáveis, exercitáveis e, o mais importante, eficazes em todos os domínios. Ou seja, queríamos hábitos que ajudassem alguém a se tornar bem-sucedido não apenas em um campo específico, mas em diferentes áreas, atividades e indústrias. Queríamos hábitos que qualquer um, em qualquer lugar, em qualquer campo de atuação, pudesse aplicar repetidas vezes para melhorar significativamente sua performance.

No fim, apenas seis hábitos atenderam aos requisitos. Chamamos os remanescentes de hábitos de alta performance, ou AP6.

Uma vez que identificamos os AP6, conduzimos análises de literatura complementar e testes de validade. Criamos o Indicador de Alta Performance (IAP), com base nos seis hábitos e em outras medidas comprovadas de sucesso. Testamos o piloto do IAP com mais de 30 mil pessoas de 195 países e comprovamos quantitativamente sua validade, sua confiabilidade e sua utilidade.[9] Descobrimos não só que os seis hábitos se *combinam* para contribuir com a alta performance, como que *cada* hábito se relaciona com a alta performance de maneira isolada. E, juntos, estão ligados a outros resultados importantes da vida, como felicidade geral, melhor saúde e relacionamentos positivos.

Os AP6 vão ajudá-lo a ter sucesso seja você estudante, empresário, gerente, CEO, atleta, pai ou mãe. Seja você bem-sucedido ou não, esses hábitos vão ajudá-lo a alcançar o próximo nível.

Embora dezenas de outros fatores possam afetar seu sucesso a longo prazo — sorte, tempo, apoio social ou rompantes de criatividade, só para citar alguns —, os AP6 estão *sob seu controle* e melhoram seu desempenho com mais eficácia do que qualquer outra coisa que examinamos.

Se quiser alcançar níveis mais altos de desempenho em qualquer atividade, é preciso fazer, *de modo consistente*, o seguinte:

1. *Saiba claramente* quem você quer ser, como quer interagir com os outros, o que deseja e o que lhe garante maior significado. À medida que der início a cada projeto ou grande iniciativa, faça perguntas como "que tipo de pessoa quero ser enquanto estou fazendo isso?", "como devo tratar os outros?", "quais minhas intenções e meus objetivos?", "em que posso me concentrar para ter uma sensação de conexão e satisfação?". Os profissionais de alta performance se fazem essas perguntas não só no começo de uma empreitada, mas ao longo de todo o processo. Eles não apenas "descobrem com clareza" uma vez e elaboram uma declaração de missão que dura para sempre; eles buscam a clareza a todo instante à medida que os tempos mudam, quando assumem novos projetos ou adentram novas situações sociais. Essa rotina de automonitoramento é uma das características de seu sucesso.
2. *Gere energia* para que você possa manter foco, a dedicação e o bem-estar. Para dar o melhor de si, será preciso cuidar atentamente de sua resistência mental, de sua energia física e das emoções positivas de forma bastante específica.
3. *Encontre necessidade* para ter uma performance excepcional. Isso significa explorar de maneira ativa as razões pelas quais você deve ter *indiscutivelmente* um bom desempenho. Essa necessidade se baseia em uma combinação dos seus padrões internos (por exemplo, identidade, crenças, valores ou expectativa de excelência) e demandas externas (como obrigações sociais, concorrência, compromissos públicos, prazos). Está relacionada a sempre conhecer suas *motivações* e atiçar esse fogo o tempo todo, para sentir o impulso ou a pressão necessários para alcançá-las.
4. *Aumente a produtividade* em seu campo principal de interesse. Concentre-se principalmente na *produtividade de natureza prolífica* (PNP) na área em que você quer gerar impacto e ser reconhecido. Você também terá que minimizar distrações (inclusive oportunidades) que desviam sua atenção de criar PNP.
5. *Exercite a influência* com aqueles ao redor. Isso o tornará mais apto a fazer com que as pessoas acreditem em suas iniciativas e ambições e as apoiem. A menos que você desenvolva intencionalmente uma rede de apoio positivo, conquistas importantes a longo prazo serão quase impossíveis.

6. *Demonstre coragem* expressando suas ideias, tomando atitudes audaciosas e defendendo a si próprio e aos outros, mesmo diante do medo, da incerteza, da ameaça ou de um ambiente instável. Coragem não é um ato isolado, mas uma característica que se escolhe e se exerce com força de vontade.

HÁBITOS DE ALTA PERFORMANCE

Esses são os seis hábitos que você precisa adotar se quer atingir a alta performance em qualquer situação. Nas centenas de empreitadas individuais e comportamentos sociais que observamos, esses hábitos são os mais eficazes para melhorar o desempenho de maneira drástica.

Nos seis capítulos a seguir, abordaremos o extraordinário poder que é liberado ao desenvolvermos esses hábitos.

PONTOS FORTES SOZINHOS NÃO BASTAM

Você já deve ter notado que nenhum ponto dessa lista trata de se concentrar em seus dons, talentos, bênçãos, história de vida ou pontos fortes. Isso porque não importa quão marcante seja sua personalidade, quantos supostos dons você possui, o dinheiro que você tem, sua beleza, sua criatividade, que talentos cultivou nem com que esplendor você teve êxito no passado — nada disso significa muita coisa por si só. Elas não farão diferença se você não souber o que quer e como conquistá-lo (clareza), encontrar-se esgotado demais para agir (energia), não sentir ímpeto nem urgência para executar as tarefas (necessidade), não conseguir focar nem criar os resultados fundamentais (produtividade), não possuir o traquejo social para que os outros acreditem em você e o apoiem (influência), ou não assumir riscos nem defender a si mesmo e aos outros (coragem). Sem os AP6, até a pessoa mais talentosa estaria perdida, cansada, desmotivada, improdutiva, sozinha ou com medo.

A eficácia não vem ao nos concentrarmos no que é automático, fácil ou natural. Em vez disso, é resultado de como nos esforçamos conscientemente para enfrentar os desafios mais complicados, para crescer além de nossa zona de conforto e trabalhar deliberadamente para superar nossos preconceitos e preferências, de forma que possamos entender, amar, servir e liderar.

Quando defendo esse argumento, muitas vezes as pessoas resistem, devido à popularidade do movimento de "pontos fortes". Pessoalmente, sou fã de qualquer ferramenta que ajude as pessoas a aprender mais sobre si mesmas. Também tenho enorme admiração pela Gallup, organização que liderou a revolução baseada em pontos fortes. Mas não recomendo que as pessoas usem a ideia dos pontos fortes para liderar nem para correr atrás do próximo nível de sucesso na própria vida. O movimento dos pontos fortes baseia-se na ideia de que temos qualidades "inatas" — talentos com os quais nascemos. Presume que somos "naturalmente" bons em algumas coisas desde o nascimento, e que podemos também nos concentrar nessas coisas. Sem dúvida, é uma fórmula que garante o bem-estar, e certamente é melhor do que ficarmos obcecados com nossas fraquezas o tempo todo.

Minha maior reserva ao movimento dos pontos fortes é que, em um mundo complexo e em constante mudança, alcançar o topo não é algo natural para *ninguém*. Independentemente de ser bom desde sempre em alguma coisa, para chegar mais longe você deve pensar além do que recebeu naturalmente ao nascer ou na adolescência, certo? É por isso que o argumento das qualidades *inatas* não se sustenta. Para alcançar um desempenho excepcional e se tornar um vencedor em longo prazo, você será obrigado a se desenvolver *muito além* do que é fácil ou natural para você, porque o mundo real está cheio de incertezas e demandas por crescimento cada vez maiores. Seus pontos fortes inatos e "naturais" não serão suficientes. Como Tom disse no e-mail para mim, no início deste capítulo: "Tem a ver com me prontificar a cumprir uma missão, não com a missão se adequar às minhas forças limitadas". Se você tem grande ambição de fazer contribuições extraordinárias, terá que crescer e ir muito além do que é natural para você. Para alcançar a alta performance, você precisará trabalhar suas fraquezas, desenvolver conjuntos de habilidades inteiramente novos e além do que considera fácil ou prazeroso. Deveria ser senso comum: se você quer de fato deixar sua marca, terá que crescer mais para dar mais, e isso não vai ser fácil ou natural.

No fim, mesmo que você não concorde com a minha linha de raciocínio aqui, conhecer o seu tipo de personalidade ou supostos pontos fortes inatos simplesmente não será tão útil assim para ajudá-lo a alcançar seu próximo grande objetivo em ambientes inconstantes. Conhecer seu rótulo ou seus pontos fortes e apenas tentar ser "mais do mesmo" é como dizer a um urso que está tentando pegar mel em uma colmeia em um penhasco inexplorado: "Procure apenas ser mais urso".

Para meus amigos e colegas que estão à frente de empresas: vamos parar de gastar todo esse dinheiro em caras avaliações de pontos fortes e personalidades em uma tentativa vã de categorizar as pessoas e, em vez disso, comecemos a nos concentrar em capacitar nossas equipes em hábitos comprovados que qualquer um pode usar para melhorar a performance.

A boa notícia é que ninguém, "de forma inata", carece de qualquer hábito de alta performance. Profissionais de alta performance não são meros sortudos recheados de qualidades desde o nascimento. Eles simplesmente aplicam os hábitos que discutimos, e o fazem de forma mais consistente do que seus pares. Só isso. *Essa é a diferença.*

Por isso, não importa se você tem personalidade INTJ ou ESFP, se é extrovertido ou introvertido, cristão ou ateu, espanhol ou cingapuriano, artista ou engenheiro, gerente ou CEO, realizador ou analisador, mãe ou marciano — os seis hábitos de alta performance têm o poder de causar um profundo impacto em áreas essenciais para você. Juntos, eles têm o poder de revolucionar seu desempenho em todos os domínios significativos da vida. Ninguém espera que você seja naturalmente bom nos AP6. É preciso exercitá-los o tempo todo. Sempre que desejar ter sucesso em um novo objetivo, projeto ou sonho, é preciso lançar mão dos AP6. Toda vez que se encontrar com uma performance abaixo de seu verdadeiro potencial, ponha em prática os AP6. Se você já se perguntou por que está falhando em algo, basta usar o IAP e identificar quais hábitos tiveram baixa pontuação. Então, fortaleça essa área e estará de volta aos trilhos.

Esse foco intencional faz muita diferença, principalmente porque nos liberta do mito de que o sucesso chega mais "naturalmente" para uns do que para outros. Olhando para trás, para a década em que ajudei diversos empreendedores de elite, bem como para todas as nossas pesquisas e avaliações profissionais, simplesmente não encontramos uma correlação consistente entre alta performance e personalidade, QI, talento inato, criatividade, anos de experiência, gênero, raça, cultura ou salário.[10] Nas últimas duas décadas de pesquisa em neurociências e psicologia positiva, cientistas começaram a notar o mesmo e viraram o antigo modelo de cabeça para baixo. O que fazemos com aquilo que temos tende a ser muito mais importante do que o que temos em primeiro lugar. Os pontos em que você é muito bom são menos importantes do que a forma como você escolhe ver o mundo, se desenvolver, liderar e perseverar na adversidade.

Todos nós conhecemos alguém cujas circunstâncias todas conspiram a favor — educação de ponta, personalidade forte, mente criativa —, mas que mesmo assim não levanta do sofá nem conquista nada. Muitas pessoas são muito bem remuneradas, mas não atingem uma alta performance. Qualquer funcionário de uma empresa que tenha feito uma avaliação para conhecer os pontos fortes de uma equipe pode atestar que a maioria dos colegas conhece suas qualidades e até mesmo se dedica a tarefas relacionadas a elas, mas *nem por isso* consegue entregar um ótimo trabalho. E em qualquer grande empresa, não importa a cultura, há sempre profissionais de alta e de baixa performance. Por quê? Porque a alta performance não tem a ver com um *tipo* específico de pessoa. Não se trata de tirar a sorte na loteria genética, de quanto tempo trabalhou, da cor da pele, de quantas pessoas lhe dão suporte nem de quanto você recebe. Tem a ver com hábitos de performance — sobre os quais você tem total controle.

É importante insistir nesse ponto até ficar claro, porque muitas pessoas se valem desses fatores para justificar seu mau desempenho. Basta pensar com que frequência ouvimos coisas como:

- "Não tenho a *personalidade* certa para avançar. Simplesmente não sou [extrovertido, intuitivo, carismático, aberto, diligente]."
- "Não sou a pessoa mais inteligente da equipe."
- "Não sou naturalmente talentoso como os outros. Não nasci bom desse jeito. Não tenho a combinação certa de pontos fortes."
- "Não tenho uma mentalidade criativa."
- "Não tenho muita experiência."
- "Sou [mulher, negro, latino, homem branco de meia-idade, imigrante], e é por isso que não consigo."
- "A cultura da minha empresa não me apoia."
- "Eu seria muito melhor se me pagassem o que realmente valho."

É hora de todos nós admitirmos o que essas explicações realmente são: desculpas esfarrapadas para uma performance abaixo das expectativas, principalmente a longo prazo.

Isso não quer dizer que fatores intrínsecos não sejam *nem um pouco* relevantes. Há forte evidência de que eles são importantes, sobretudo durante a infância, e muitos podem influenciar drasticamente seu humor, seu comportamento, suas escolhas, sua saúde e seus relacionamentos na vida adulta. (Se você se interessa por uma abordagem mais acadêmica dos motivos pelos quais esses fatores são importantes, mas menos relevantes para o sucesso a longo prazo do que imagina a maioria das pessoas, veja nossos artigos publicados em HighPerformanceInstitute.com/research.)

Líderes deveriam tomar nota: concentrar-se em qualquer fator que mencionei nessa lista não vai ajudá-lo a melhorar sua performance. Esses fatores simplesmente não são tão fáceis de definir, gerenciar ou melhorar. Por exemplo, imagine que está trabalhando em um projeto em equipe com alguns colegas. Há uma pessoa em particular que não está indo bem. Pense como seria ridículo se você fosse até ela e falasse:

"Se você ao menos pudesse refinar sua personalidade..."
"Se você ao menos pudesse aumentar seu QI..."
"Se você ao menos pudesse trocar seus talentos inatos..."
"Se você ao menos pudesse ser mais emotivo e criativo..."
"Se você ao menos pudesse ter mais cinco anos de experiência nas costas..."

"Se você ao menos pudesse ser mais [asiático, negro, branco, masculino, feminino]..."

"Se você ao menos pudesse melhorar nossa cultura corporativa, e rápido..."

"Se você ao menos pudesse pagar a si mesmo o salário perfeito para ser mais produtivo..."

Percebeu? *Simplesmente não faz sentido focar nessas categorias.*

A conclusão é que, se você precisa se concentrar em *alguma coisa* para melhorar a sua performance ou a da sua equipe, comece pelos AP6.

A MARÉ CHEIA ERGUE TODOS OS BARCOS – UM HÁBITO ERGUE TODOS OS DEMAIS

Gostamos de pensar nos AP6 como "meta-hábitos", porque eles fazem todos os outros hábitos positivos entrarem nos eixos. Ao buscar a clareza, você desenvolve o hábito de fazer perguntas, olhar para si mesmo, observar seus comportamentos, certificar-se de estar no caminho certo. Ao gerar energia, você fica mais descansado, se alimenta de forma mais saudável e se exercita mais. E assim por diante.

O que é fascinante em nossa pesquisa sobre os AP6 é que toda melhoria em uma área específica favorece as demais. Ou seja, se você aperfeiçoar sua clareza, provavelmente verá melhorias na energia, na necessidade, na produtividade, na coragem e na influência. Nossa análise também indica que, mesmo que as pessoas com pontuação alta em determinado hábito costumem apresentar boa pontuação nos demais, cada hábito lhes dá alguma vantagem em aumentar sua pontuação global de alta performance. Basta melhorar em um desses hábitos e sua performance vai crescer como um todo.

Outra coisa maravilhosa que aprendemos é que *todos* os AP6 preveem a felicidade geral, ou seja, quanto maior sua pontuação em qualquer hábito, maiores as chances de ser feliz. Analisados em conjunto, então, os AP6 são um poderoso preditivo não apenas da alta performance, mas também da *felicidade*.

EXISTE UM "ESTADO MENTAL" DE ALTA PERFORMANCE?

> *O êxtase é um envolvimento pleno e profundo na vida.*
> John Lovell

As pessoas muitas vezes me perguntam se existe um "estado" específico que lhes permitirá ter sucesso a longo prazo. Bem, por definição, estados emocionais e mentais não perduram. São fugazes. Estados de espírito sobrevivem por algum tempo mais, enquanto hábitos são longevos — e é por isso que nos concentramos neles.

Mas acho que o que as pessoas querem realmente saber é: "Qual a sensação de atingir a alta performance? Com o que se parece, para que eu possa alcançá-la por engenharia reversa?".

Os dados dão a resposta. Analisando palavras-chave nos dados de pesquisas públicas com mais de trinta mil entrevistados de alta performance, fica bastante claro: quando falam sobre como se sentem na alta performance, as pessoas dizem sentir *comprometimento total, alegria e confiança* (nessa ordem).

> *Isso significa que elas tendem a estar totalmente imersas no que fazem, que gostam do que fazem e têm confiança em sua capacidade de resolver as coisas.*

Para fechar o top cinco foram citados *motivação* e *fluxo*, no sentido de estar em sincronia com os acontecimentos. *Determinação, foco, vontade, propósito* e *conscientização* completaram os principais conceitos que as pessoas usavam para descrever a sensação de atuar em alta performance.

Ciente disso, você também pode começar já com o desfecho em mente. Comece direcionando sua total atenção aos momentos de sua vida. Comece trazendo mais alegria. Comece por ser mais confiante. Essas coisas não apenas vão fazer você se sentir melhor, como o ajudarão a ter uma performance melhor. Porém, a mesma advertência quanto aos pontos fortes se aplica aos estados: sem hábitos efetivos, eles não são suficientes.

TESTANDO OS AP6

Os AP6 me forneceram uma estratégia testada e aprovada para ter êxito em meus projetos de vida. Eles se transformaram em um sistema operacional padrão para abordar qualquer situação nova. Eu os aplico em minha carreira profissional, e os resultados foram surpreendentes e bastante divulgados.

Para além de mim, os hábitos e conceitos neste livro melhoraram de forma significativa a vida de dezenas de milhares de alunos nossos. Esses alunos testaram o IAP antes e depois dos nossos programas on-line, eventos de treinamento ao vivo e experiências de coaching. Eles adoram ver *dados palpáveis* de que estão melhorando sua vida. Observamos constantemente que nossos alunos melhoram de maneira significativa sua pontuação global de alta performance (e de felicidade geral). Também usamos o IAP em empresas, para ajudar a identificar onde seus funcionários e equipes devem concentrar seu desenvolvimento.

Além disso, vimos resultados extraordinários em clientes depois de intervenções de coaching. Mais de três mil horas de sessões lideradas por coaches de alta performance independentes revelam que as pessoas podem mudar e muito seus comportamentos e alcançar a alta performance em muitas áreas de suas vidas em questão de *semanas*, não anos.

Isso não significa que esses hábitos sejam uma tática infalível para todos os desafios da vida. Ao longo da última década trabalhando nessa área, procurei muitas evidências que pusessem os AP6 à prova, e falarei com prazer a respeito. Ao buscar essas evidências, procuramos indivíduos que *não* apresentam alta performance, mesmo aplicando os hábitos deste livro. Será que existem ao redor do mundo pessoas que procuram ativamente a clareza, geram energia, alimentam a necessidade, aumentam a produtividade, exercitam a influência e demonstram coragem e que, mesmo assim, apresentam baixa performance, ou mesmo *fracassam*? Para falar a verdade, nunca conheci ninguém assim, mas o senso comum nos diz que deve haver uma exceção em algum lugar. É possível que alguém não aplique um dos hábitos e ainda seja bem-sucedido? Por exemplo, alguém pode ter um enorme sucesso ainda que lhe falte clareza? Sim, sem dúvida. Pode faltar coragem a alguém e mesmo assim essa pessoa ser um sucesso? Pode apostar que sim. Mas lembre-se: não queremos falar de sucesso *inicial*. Queremos abordar o *longo prazo*. São grandes as chances de que, se você negligenciar qualquer um dos AP6 por muito tempo, sua pontuação de alta performance (e de felicidade) caia. Você simplesmente não será tão eficiente ou extraordinário quanto poderia ser.

Alguns críticos dirão que nossa descrição dos hábitos de alta performance ou que os testemunhos usados no IAP são muito vagos ou abertos à interpretação. Isso, claro, é sempre um risco ao se descrever o comportamento humano. Se dissermos que alguém "tem garra", "é criativo", "é extrovertido" ou "tem dificuldade para manter o foco", sempre se pode argumentar que tais descrições são vagas ou generalizadas. Mas isso não significa que não devemos tentar fazer definições e medições nem ensinar às pessoas a respeito. Estudar a psicologia humana é um empreendimento impreciso, mas o esforço vale a pena se nos ajudar a descobrir o que torna alguém um profissional de alta performance. Tudo o que podemos fazer é usar as ferramentas validadas à disposição, ainda que nem sempre precisas, e continuar o debate sobre como descrever e correlacionar as declarações e os hábitos que valem para os indivíduos de alta performance. É isso que estamos fazendo.

Além de buscar com afinco pôr em xeque nossos próprios pressupostos, tentamos superar o viés das autoavaliações conferindo se o que as pessoas relataram em nossas pesquisas iniciais condizia com a vida delas. Fizemos isso entrevistando-as aleatoriamente, comparando medidas objetivas de desempenho e buscando feedback de seus colegas. Na maioria das vezes, descobrimos que as pessoas compartilham respostas sinceras nesse campo, porque querem avaliar com precisão em que ponto estão e descobrir onde podem melhorar. Também incluímos declarações e pontuação reversas em muitas das pesquisas, para ver se as respostas dadas eram mesmo verdadeiras.

Como qualquer pesquisador, estou sempre atento a novas evidências, e observo as descobertas, inclusive as que estão neste livro, como um outro passo desajeitado no longo caminho para compreender os indivíduos e a maneira como agem. Faço questão de lembrar que não sou psicólogo, psiquiatra, neurocientista, biólogo, nem tenho qualquer outro título acadêmico. Sou um coach de alta performance profissional que recebe pelos resultados, não para falar nem teorizar. E isso, inevitavelmente, me orienta em direção ao que vi funcionar. E, se por um lado me sinto abençoado por ter me tornado o profissional mais bem pago e influente nesse assunto, não há dúvida de que sou tão imperfeito como qualquer escritor ou profissional tentando abordar um tema de tamanho alcance e complexidade. Ainda tenho muito a aprender sobre alta performance. Há muita coisa que o campo inteiro ainda não conhece e que precisa ser explorado. Que efeitos doenças mentais, experiências da infância e fatores socioeconômicos e neurobiológicos têm na formação e na manutenção desses hábitos? Qual hábito é mais eficaz em determinada indústria, carreira ou nível de formação?

Ao longo deste livro, convido-o abertamente a formular perguntas próprias, bem como a questionar minhas afirmações. Nos artigos que publicamos, pedi diretamente que nossas ideias fossem recolocadas à prova, e gostaria de também ouvir os comentários que você tenha a fazer. Todos os dias, minha equipe e eu tentamos apreender cada vez mais detalhes sobre esse assunto. Vou passar a vida inteira estudando. Gostaria de ouvir o que funciona para você e o que não funciona. E, concorde ou não com o que vai encontrar nas páginas a seguir, sugiro que você simplesmente guarde o que funciona e dispense o resto.

COMPROVE VOCÊ MESMO

Será que os AP6 trarão resultados tão contundentes para você, como vimos em nossas pesquisas, treinamentos e coaching? Eu adoraria testá-los com você. É por isso que, mais uma vez, convido você a ser juiz da eficácia desses hábitos. Caso o capítulo anterior ainda não o tenha convencido de seguir meus conselhos, teste seu IAP antes continuar a leitura. Leva apenas alguns minutos, é gratuito e pode ser feito on-line em HighPerformanceIndicator.com. Você receberá uma pontuação em cada um dos seis hábitos, e não, não será uma espécie de "rótulo". Faça o teste. Agora. E certifique-se de inserir seu e-mail, para que eu possa lhe enviar outro link para que você refaça a avaliação daqui a um período entre sete e dez semanas. (Nesse meio-tempo, leia este livro e assista aos vídeos que receberá após o teste, para dispor das ferramentas necessárias para evoluir.) Você verá como esse trabalho pode começar a mudar sua vida por suas próprias respostas ao novo teste, apenas algumas semanas depois.

Uma coisa ficou bastante clara a partir de nossas descobertas: você não deve nunca esperar para correr atrás de um sonho ou para agregar valor por medo de que lhe faltem as "qualidades necessárias". A alta performance é alcançada graças ao que você pensa deliberadamente e ao que faz de forma rotineira para se superar e atuar em níveis mais altos. É a missão de se desafiar a desenvolver hábitos positivos que vai animá-lo e que vai ajudá-lo a aproveitar todo o seu potencial.

Em Montana, onde cresci, há um ditado que diz o seguinte: "Não adianta procurar o mapa depois de entrar na floresta". Um dia, em breve, você vai se ver diante de uma situação complexa, em que sua performance será fundamental. Antes que esse dia chegue, leia este livro e comece a aplicar os seis hábitos de alta performance. Este é o seu mapa, e ele vai guiá-lo por meio dos bosques da vida até o mais alto nível de sucesso. No próximo capítulo, marcaremos um xis nesse mapa. Saberemos com clareza quem você é e aonde quer chegar *nesta fase* da vida.

Parte um

Hábitos pessoais

HÁBITOS DE ALTA PERFORMANCE

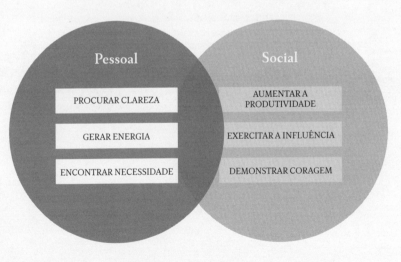

Hábito de alta performance #1
Procurar clareza

Se você não tem clareza quanto a suas ideias, está apenas transmitindo meros sons.
Yo-Yo Ma

TENHA EM MENTE OS QUATRO HORIZONTES

DETERMINE O SENTIMENTO QUE ESTÁ BUSCANDO

DEFINA O QUE É SIGNIFICATIVO

Kate, a mulher sentada à minha frente chorando, "tem tudo".

Gerencia milhares de funcionários em uma das principais empresas de seu setor. É uma líder admirada com dezenas de anos de experiência. Como sua empresa é muito lucrativa, seu salário de seis dígitos por ano é quase o dobro da média para o cargo que ocupa. Mas ela nunca deixa isso subir à cabeça. Só conta vantagem na hora de elogiar sua equipe. Tem orgulho de como eles trabalham duro e se apoiam mutuamente.

Não importa sobre o que Kate está falando, você tem certeza de que ela tem um interesse genuíno em *você*. Ela é extraordinariamente elegante. Sempre que a vejo entrar em uma sala, penso no ditado: "Existem dois tipos de pessoas. A que entra na sala e anuncia: 'Cheguei!'. E a outra que entra e diz: 'Ah, você está aí!'".

Kate tem que cuidar de três filhos. Quando tinha quinze anos, perdeu a mãe, vítima de câncer, razão pela qual valoriza muito estar perto deles.

Há pouco tempo, ela foi promovida mais uma vez, então seu marido, Mike, largou o emprego para ficar em casa com as crianças. Eles estão felizes por poderem passar mais tempo juntos.

Kate me contratou como coach e, para nos conhecermos melhor, me convidou para um churrasco na casa deles no subúrbio. Poucos minutos depois de chegar, eu já estava na cozinha conversando com quatro amigas dela, em torno de uma garrafa de vinho naquela tarde ensolarada. Perguntei como elas a conheceram e como a descreveriam. Elas a definiram como "um ser humano incrível", "que se doa", "alguém que você gostaria de ser" e "tão eficiente que nos faz parecer preguiçosas". Uma delas disse que Kate está sempre envolvida em muitas coisas, mas, mesmo assim, se mostra disponível para as outras pessoas. Outra disse que sempre se impressionava em como ela era capaz de fazer tudo e, ainda assim, manter a forma. Quando a terceira disse "eu não sei *como* ela consegue dar conta de tudo", as outras três anuíram murmurando em coro.

Pouco depois, Kate me chamou ao seu escritório para conversarmos. Janelas que iam do chão ao teto iluminavam o ambiente, e portas francesas davam acesso ao deque, onde se via Mike preparando o churrasco.

Kate parecia animada. Então, comentei como suas amigas a admiravam.

De repente, sua voz falhou. Disse que ficava muito feliz com os elogios; então seus olhos encheram de lágrimas. Ela desviou o olhar e, com ele, o pensamento.

Como geralmente faço nessas situações, respondi de forma bem-humorada. Perguntei: "O que perdi? Você tem um ódio secreto por alguma delas?".

"Como assim?" Ela pareceu confusa, mas, quando percebeu que eu estava brincando, relaxou. "Ah!" Ela começa a rir. "Não, não. Só estou um pouco sentimental."

"Percebi. O que está acontecendo?"

Olhou pela janela, para o marido e as amigas no quintal. Tentou se recompor, ajeitando as costas, enxugando as lágrimas com a mão. "É muito importante para mim que minhas amigas tenham dito coisas legais, Brendon. Fico feliz que você esteja conhecendo elas e o Mike." Sua voz falhou de novo e as lágrimas continuaram. Então, virou o rosto mais uma vez, agora para o chão, e balançou a cabeça. "Sinto muito, nesse momento minha vida está um completo caos."

"Um caos?", perguntei.

Ela concordou com a cabeça, enxugou as lágrimas e se endireitou novamente na cadeira. "Eu sei. É bobo. 'Coitadinha de mim', né? A mulher com o trabalho e a família perfeitos não é feliz. Parece um melodrama. E sei que isso aqui não é uma sessão de terapia. É só que, quando você se sente realmente privilegiada e as pessoas a admiram, é difícil reclamar. Foi por isso que chamei você aqui. Estou passando por dificuldades, mesmo que ninguém perceba. Não quero que você, nem mais ninguém, tenha pena de mim. E não quero que você me diga que eu *não* sou um caos — isso é o que as minhas amigas fazem. É bom que você saiba disso. As coisas são boas, mas algo não vai bem."

"Pode me contar."

Kate respirou fundo. "Você já sentiu como se estivesse no piloto automático, talvez por tempo demais?"

Pensei comigo mesmo: *Será que alguém precisa viver a vida no piloto automático por qualquer tempo que seja?* Mas fiquei calado, porque ela perguntou se *eu* já tinha sentido isso em algum momento. Quando estão lutando contra seus sentimentos, as pessoas muitas vezes colocam as coisas para fora e fazem perguntas sobre a vida de outras pessoas, em vez de tomar a própria vida como exemplo.

"É isso que *você* está sentindo, Kate? Como se estivesse o tempo todo no piloto automático?"

"Acho que sim."

Eu me inclinei na direção dela. "Como você me explica essas duas coisas: viver no piloto automático e se sentir um caos?"

Ela fez uma pausa. "Não sei exatamente. É por isso que eu queria sua opinião. Tem coisa demais acontecendo. Sinto que estou sempre reinventando a roda e, ao mesmo tempo, ficando para trás. Então isso faz com que eu me sinta um caos em alguns aspectos. E, mesmo assim, sou boa no que faço, por isso consigo lidar com tudo. Então sinto que estou só no piloto automático, e todo o caos se tornou praticamente... uma rotina. Tem muita coisa acontecendo, mas não estou naufragando. Estou meio frustrada e inquieta ao mesmo tempo. Isso faz sentido?"

"Faz. Como você tem lidado com esses sentimentos?"

Kate pareceu insegura e olhou pela janela. "Esse é o ponto. Não sei se tenho lidado com tudo isso. Estou fazendo tudo o que se espera de mim, sabe? As pessoas dizem que devemos amar nossa família e estar próximos a ela. Eu tento. Todos os dias, tento ser boa para as crianças e para o Mike. Dizem que precisamos ser eficazes. Uso listas de tarefas diárias, planejamentos e outros checklists para que isso seja possível. Eu faço as coisas. Dizem para sermos apaixonados pelo nosso trabalho. Eu sou. Dizem para sermos perseverantes. Eu tenho sido. Precisei encarar muito machismo para ascender profissionalmente. Percorri um longo caminho e estou feliz, e ninguém tem que sentir pena de mim. Mas, sei lá, Brendon..."

"Acho que você sabe, *sim*."

Ela recuou na cadeira. Encolheu os ombros e tomou um gole de vinho, enquanto mais lágrimas começaram a cair.

"Com tanta coisa acontecendo e eu tentando dar conta, estou começando a me sentir um pouco desconectada de tudo. Meio... *perdida*."

Fiz que sim e esperei pelo que quase sempre vem em seguida.

"Só não sei mais o que quero."

Aposto que você conhece muitas pessoas como Kate. Ela é dedicada, inteligente, capaz, carinhosa. Como muitos vencedores, tem uma lista de objetivos e atinge a maioria deles. Mas a verdade é que ela não sabe o que vai trazer a energia de volta à sua vida.

Se não mudar imediatamente seus hábitos, ela terá problemas. Isso não significa que ela vai fracassar por completo. Quando realizadores passam por dificuldades na vida real, não é como aparece na TV. Não existe um enorme dilema existencial ou uma crise de meia-idade que faz com que eles desistam de tudo de repente, reduzindo a cinzas seus negócios ou relacionamentos, durante um surto no fim de semana.

Não é isso que os vencedores fazem. Quando estão nessa situação, principalmente quando não têm certeza do que querem, eles tendem a marchar como bons soldados. Não querem estragar as coisas. Eles têm medo de mudar de uma hora para outra, porque, na verdade, as coisas são *boas*. Não querem se afastar de todas as coisas pelas quais trabalharam tanto. Não querem retroceder ou desperdiçar oportunidades ou ser ultrapassados por seus colegas de trabalho ou concorrentes.

Eles sabem, lá no fundo, que existe um outro nível, uma qualidade de vida diferente. Mas sentem uma profunda incerteza em relação a mudar o que já está funcionando. Melhorar uma coisa ruim é fácil para o vencedor. Mas mexer em uma coisa boa? É aterrorizante.

Incertos do que realmente desejam, os vencedores geralmente escolhem só continuar a se esforçar. Só que em algum momento, se eles não entenderem *muito bem* quem são e o que querem, *nessa fase de suas vidas*, as coisas começam a desmoronar.

No início, a performance deles se deteriora de forma sutil. Começam a sentir que algo está errado, por isso não se esforçam tanto. Recuam um pouco. Não significa que acreditem que lhes falta alguma coisa na vida. "Tenho a agradecer por muitas coisas", dirão. Mas a questão não é sobre algo externo que deveria inspirar a gratidão — é sobre alguma coisa lá dentro que não parece correta. Assim como Kate, estão frustrados ou inquietos, *embora a vida seja boa*.

Começam a se preocupar: "Talvez eu não tenha encontrado minha verdadeira vocação" — mesmo que tenham se dedicado a algo importante durante boa de parte de sua vida.

Quando as luzes do escritório se apagam no fim da noite ou quando finalmente têm um momento de silêncio, após semanas sob pressão, uma voz interior começa a fazer questionamentos:

- *Será que toda a complexidade que criei na minha vida vale a pena?*
- *Esta é a direção certa para minha família e para mim neste estágio de nossa vida?*
- *Se eu só fizesse uma pausa, talvez alguns meses para aprender algo novo ou tentar uma nova direção, sairia perdendo ou seria esquecido?*
- *As coisas vão bem, então se eu tentar algo novo, será que todos vão pensar que sou louco? Estou sendo apenas burro ou ingrato?*
- *Já estou bastante esgotado. Posso realmente dar mais de mim nesse momento?*
- *Sou realmente bom o suficiente para dar um passo adiante?*
- *Por que estou começando a me sentir tão distraído?*
- *Por que meus relacionamentos parecem meio sem graça?*
- *Por que não estou me sentindo mais confiante neste momento da vida?*

Quando essas perguntas ficam sem resposta por muito tempo, inicia-se um desenlace. Alguém como Kate começa a olhar para todas as montanhas que conquistou na vida e teme que tenha escalado muitas das erradas. Aprende que o que é possível nem sempre é o importante.

A motivação do dia a dia logo diminui. Começam a se sentir limitados ou insatisfeitos. Começam a se concentrar em proteger seus sucessos, em vez de se preocupar em progredir. Nada mais parece trazer alguma emoção.

Mas ninguém percebe nada disso a princípio, porque um vencedor *continua sendo bom no que faz*. Evidentemente, a paixão não está no nível de antes, mas pelo menos todos em casa e no trabalho estão bastante felizes (ou talvez apenas não estejam cientes do que está acontecendo).

Essa é a situação na qual Kate se encontra. Ninguém sabia que ela era "um completo caos", mas ela não conseguia evitar essa sensação.

No fim, a insatisfação se infiltra nos relacionamentos, em casa ou no trabalho, e as outras pessoas percebem. O estresse causado pela decepção dá origem a uma condição negativa, que afeta entes queridos ou colegas de trabalho. A pessoa perde reuniões e telefonemas. Atrasa a entrega de trabalhos. Deixa de contribuir com boas ideias, não retorna ligações. É óbvio tanto para o realizador quanto para as pessoas ao redor que ele começou entrar no piloto automático. A empolgação, a alegria e a confiança desapareceram e, com elas, a performance.

Se isso soa familiar para você, então este capítulo é a sua chance de reiniciar. E se isso parece dramático demais, provavelmente é porque você ainda não atingiu o beco sem saída. Vamos garantir que isso nunca aconteça.

FUNDAMENTOS DA CLAREZA

> *O sentimento é claro e indiscutível. Como se de repente você sentisse o todo da natureza e de súbito dissesse: sim, esta é a verdade.*
> Fiódor Dostoiévski

Este capítulo é sobre encontrar clareza em sua vida. É sobre como pensar no amanhã e o que fazer para se manter conectado com o que é importante hoje. Manter o hábito fundamental de *procurar clareza* ajuda os profissionais de alta performance a se manterem comprometidos, crescendo, e satisfeitos a longo prazo.

Nossa pesquisa mostra que, em comparação com seus pares, os indivíduos de alta performance têm mais clareza sobre quem são, o que querem e como obtê-lo, e sobre o que consideram significativo e gratificante. Descobrimos que, se conseguirmos aumentar a clareza de alguém, sua pontuação geral de alta performance aumentará.

Tendo ou não um alto grau de clareza na vida, não se preocupe, porque você pode aprender a desenvolvê-la. Clareza não é um traço de personalidade que alguns são privilegiados por "ter" e outros não. Assim como uma usina não "tem" energia — ela transforma energia —, você não "tem" nenhuma realidade específica, mas gera a própria realidade. Nessa mesma linha de pensamento, você não "tem" clareza; você gera clareza.

Portanto, não espere que um lampejo de inspiração revele o que você deseja em seguida. Você gera clareza fazendo perguntas, pesquisando, experimentando coisas novas, explorando as oportunidades que a vida oferece, e farejando o que é certo para você. Não é como se você saísse de casa um dia e o sentido da vida caísse como um piano em sua cabeça, e todas as coisas se tornassem claras. *A clareza é filha do pensamento cuidadoso e da experimentação deliberada.* É resultado de um questionamento constante, de refinar ainda mais sua perspectiva em relação à vida.

A pesquisa sobre clareza nos mostra que pessoas bem-sucedidas sabem as respostas para certas questões fundamentais: Quem sou eu? (O que valorizo? Quais são meus pontos fortes e fracos?) Quais são meus objetivos? Qual é o meu plano? Essas perguntas podem parecer elementares, mas você ficaria surpreso com o quanto saber as respostas pode afetar sua vida.

A clareza de quem você é está associada à autoestima geral. Ou seja, a maneira como você se sente em relação a si mesmo está relacionada a quão bem você se *conhece*. Por outro lado, a falta de clareza está fortemente associada ao neuroticismo e às emoções negativas.[1] É por isso que o autoconhecimento é tão fundamental para o sucesso inicial. É preciso saber quem você é, o que valoriza, quais são seus pontos fortes e fracos, e para onde quer ir. Esse tipo de conhecimento faz com que você se sinta melhor consigo mesmo e com a vida.

Em seguida, você precisa ter objetivos claros e desafiadores. Décadas de pesquisa mostram que ter objetivos específicos e difíceis melhora o desempenho, sejam eles criados por você ou atribuídos a você. Metas desafiadoras bem definidas nos dão energia e nos levam a obter mais prazer, produtividade, lucratividade e satisfação no trabalho.[2] A escolha de metas desafiadoras em cada um dos setores da sua vida é um bom ponto de partida para a alta performance.

Você também deve estabelecer prazos para atingir suas metas, ou não seguirá adiante. Estudos mostram que ter um plano específico vinculado a seus objetivos — saber quando e onde algo será feito — pode *mais do que dobrar* a probabilidade de alcançar um objetivo desafiador.[3] Ter um plano bem definido é tão importante quanto a motivação e a força de vontade. Ajuda também a perceber o que o distraiu em outros momentos e a imunizá-lo contra sentimentos negativos — quanto mais clareza, maior a probabilidade de fazer as coisas, mesmo nos dias em que se sentir cansado ou com preguiça.[4] Quando o passo a passo está bem na sua frente, é difícil fingir que não está vendo.

Nossa pesquisa valida tudo isso. Em um de nossos levantamentos, pedimos a mais de vinte mil pessoas que lessem as seguintes afirmações e classificassem a si mesmas, em uma escala de 1 a 5, sendo 1 "discordo totalmente" e 5 "concordo totalmente":

- Sei quem sou. Tenho clareza em relação a meus valores, pontos fortes e fracos.
- Sei o que quero. Tenho clareza em relação a meus objetivos e paixões.
- Sei como conseguir o que quero. Tenho um plano para alcançar meus sonhos.

Quanto maior a pontuação em questões como essas, melhor será a pontuação geral de alta performance. Os dados do Indicador de Alta Performance também mostram que a pontuação em relação à maior clareza é significativamente associada a maiores níveis de confiança, felicidade em geral e assertividade. Indivíduos com maior clareza também costumam relatar que seu desempenho é superior ao de seus pares e sentem que estão fazendo uma maior diferença. Para os alunos, quanto maior a pontuação em relação à clareza, maior o Coeficiente de Rendimento (CR). Isso significa que os jovens que têm mais clareza acerca de seus valores, de suas metas e do caminho a seguir estão mais propensos a ter um CR maior.

Grande parte disso tudo parece senso comum, claro. "Saiba quem você é e o que você quer" não é exatamente um conselho pioneiro. Ainda assim, vale a pena avaliar: você tem clareza em relação a esses pontos? Se não, comece por aí. Pode ser fazendo algo simples como registrar diariamente esses tópicos em um diário. Por enquanto, porém, vamos nos concentrar na promessa do livro: os conceitos mais avançados que mudarão de maneira significativa sua performance. Para chegar lá, vamos considerar o que você diria a alguém como Kate, que já sabe quem ela é e tem definido e atingido metas desafiadoras há décadas.

O PRÓXIMO NÍVEL DE CLAREZA TEM A VER COM O FUTURO

> *Olhei e vi a terra prometida.*
> Martin Luther King, Jr.

Mais recentemente, na minha vida profissional, me perguntei se os profissionais de alta performance teriam uma visão de mundo específica sobre clareza — a respeito de si mesmos, do que querem e de que maneira podem concretizar esse objetivo. Sobre o que, se é que existe algo, eles teriam *maior clareza* quando comparados à maioria das pessoas?

Para responder a essa pergunta, analisei os comentários de estudiosos da alta performance, apelei para pesquisadores que estudam o sucesso e falei com os Certified High Performance Coaches™ sobre o que coloca seus clientes em vantagem. Também conduzi entrevistas estruturadas, com foco absoluto na clareza, das quais participaram quase cem pessoas, que se reconheciam como indivíduos de alta performance. Entre outras, fizemos as seguintes perguntas:

- Em relação a que você tem absoluta clareza? De que maneira essas coisas o ajudam a obter uma performance melhor do que a de seus pares?
- Em que você se concentra para que consiga manter a clareza quanto ao que é mais importante?
- Sobre o que você *não tem* clareza, e como isso afeta sua performance?
- O que você faz quando está se sentindo inseguro ou sem rumo?
- Se tivesse que explicar a algum pupilo o que faz de você uma pessoa bem-sucedida, o que diria?
- O que mais você sabe sobre si mesmo — além de seus valores, pontos fortes e projetos — que o torna bem-sucedido?

Em quase todas as questões fundamentais quanto a quem eram ou ao que queriam, os indivíduos de alta performance tinham uma grande capacidade de se *concentrar no futuro* e de presumir como alcançariam a excelência. Não apenas sabiam quem eram; na verdade, raramente se concentravam na própria personalidade ou nas preferências atuais. Em vez disso, pensavam regularmente sobre *quem gostariam de ser* e como alcançar esse objetivo. Não sabiam apenas quais eram seus pontos fortes naquele momento; sabiam quais habilidades deveriam ser capazes de dominar mais amplamente nos meses e anos por vir, para atuar com excelência em um próximo nível. Não tinham apenas planejamentos bem definidos para atingir suas metas durante o trimestre; tinham listas de projetos futuros que os levariam a realizar um sonho maior. Não pensaram só em como poderiam conseguir o que pessoalmente queriam em determinado mês; focaram intensamente em como ajudar outras pessoas a conseguirem o que queriam, de modo geral, em suas vidas pessoal e profissional.

Esse "foco no futuro" foi muito além daquilo que eles queriam se tornar ou de como alcançariam o que eles e os outros queriam. Poderiam também descrever com grande clareza como gostariam de se *sentir* nas próximas empreitadas, e sabiam especificamente o que poderia acabar com seu entusiasmo, seu sentimento de satisfação e seu crescimento.

A partir dessa pesquisa, descobrimos hábitos específicos que ajudam a criar esse nível superior de clareza.

PRÁTICA UM

TENHA EM MENTE OS QUATRO HORIZONTES

> *Tenha sonhos elevados e, enquanto sonha, assim você se tornará. Sua visão é a promessa do que você será um dia; seu ideal é a profecia do que você finalmente desvendará.*
> James Allen

O profissional de alta performance tem consciência do que deseja para si mesmo, ao coletivo, às próprias capacidades e à sua contribuição em relação aos demais. Chamo essas áreas de consciência, coletivo, capacidades e contribuição, ou os Quatro Horizontes.

CONSCIÊNCIA

"Conhece-te a ti mesmo" é a recomendação atemporal inscrita no Templo de Delfos, na Grécia, há mais de 2400 anos. Mas há uma diferença entre "*conhece*-te a ti mesmo" e "*imagina*-te a ti mesmo". O profissional de alta performance conhece a si mesmo, mas não fica preso a isso.[5] Ele está mais focado em se tornar uma pessoa mais forte e mais capaz. Essa é outra grande diferença: *introspecção* versus *intenção*.

Descobrimos que indivíduos de alta performance podem articular seu futuro com mais facilidade do que os demais. Estrategicamente, isso significa que eles tendem a ter uma resposta mais rápida, mais ponderada e mais confiante quando lhes pergunto: "Se você pudesse descrever seu eu ideal no futuro, a pessoa que você está tentando se tornar, como você descreveria?".

Ao revisar as gravações de minhas entrevistas, ficou claro que os indivíduos de alta performance já tinham refletido mais do que os outros a respeito. Foram capazes de se descrever mais rapidamente, e a parte coerente de suas respostas — que vêm após os "hum" e "boa pergunta" — foi dada, em uma média, sete a nove segundos antes. Suas respostas eram menos evasivas que as dos demais. Quando pedi que descrevessem como seria esse futuro eu ideal em apenas três palavras, os indivíduos de alta performance também responderam mais rapidamente e com mais confiança.[6]

Tentar se imaginar no futuro com grande clareza é um trabalho árduo para qualquer um. É por esse motivo que a maioria das pessoas tende a fazer isso apenas uma vez por ano — isso mesmo, na véspera do Ano-Novo. Mas as pessoas de alta performance investem muito tempo pensando nesse eu ideal e no modelo a partir do qual estão tentando se desenvolver. Com base nas minhas entrevistas, descobri que os dez clientes que obtiveram a maior pontuação no IAP, ou seja, que apresentam melhor performance, pensam em seu futuro eu ideal e se dedicam a atividades relacionadas a isso durante quase sessenta minutos a mais *por semana* do que os dez de menor pontuação. Por exemplo, ao se ver como um grande comunicador no futuro, você estará mais propenso não só a imaginar situações nas quais está falando com outras pessoas, mas também a passar mais tempo fazendo isso. Você está conscientemente agindo de modo a demonstrar uma capacidade que almeja desenvolver.

Não é que os indivíduos de alta performance sejam mais introspectivos do que qualquer outra pessoa. Muitas pessoas têm o hábito de registrar semanalmente suas atividades do dia a dia, e seria possível dizer que elas são conscientes de si mesmas, ainda que não sejam classificadas como de alta performance. Por exemplo, muitas pensam em si mesmas constantemente, mas muito desse pensamento são apenas elucubrações negativas. Então, o que faz a diferença é que os profissionais de alta performance imaginam uma versão positiva de si mesmos no futuro, e, desse modo, se *empenham de modo consciente* na busca por esse ideal. Essa parte de se empenhar de modo consciente é importante. Eles não estão esperando para demonstrar uma de suas capacidades na próxima semana ou no próximo mês. Estão vivendo conscientemente o seu eu ideal *agora*.

Você já captou a essência, então vamos resumir essa recomendação em algumas coisas simples que você pode fazer: Seja mais consciente sobre quem você quer se tornar. Tenha uma perspectiva que vá além de suas circunstâncias atuais. Imagine o seu eu ideal futuro e comece a agir como essa pessoa agiria hoje mesmo.

Isso não precisa ser complicado. Quando eu tinha dezenove anos e lutava para me recuperar de um acidente de carro, três comandos ajudaram a mudar minha vida. Como você deve saber, eles foram inspirados pelas lições que aprendi sobre a vida quando enfrentei minha própria mortalidade. São simples e concisos: *VIVA. AME. FAÇA A DIFERENÇA.*

Essas palavras se tornaram um item do meu checklist para buscar a clareza na vida. Toda noite, deitado na cama, pouco antes de pegar no sono, eu me perguntava: "Vivi plenamente o dia de hoje? Fui capaz de amar? Fiz a diferença?". Eu me fiz essas perguntas todas as noites por mais de vinte anos. A verdade é que nem sempre vou para a cama com um retumbante "sim!" para as três perguntas. Tenho dias ruins, como qualquer outra pessoa. Mas as noites em que posso responder sim a essas perguntas — quando sinto clareza e a sensação de seguir o caminho certo — são as noites em que durmo melhor. Essa prática simples me deu mais clareza do que qualquer outra coisa que fiz na vida. Ainda hoje uso uma pulseira gravada com essas palavras. Não preciso da pulseira. Não preciso continuar me fazendo essas perguntas. Mas me faço porque elas mantêm minha clareza e meus passos no caminho certo.

Isso é semelhante ao trabalho que precisei fazer com Kate. Seu processo de formação de identidade havia estagnado.

*Há muito tempo ela já não pensava em uma versão melhor
de si mesma, porque já estava indo muito bem.*

Uma vez, durante uma sessão de coaching, pedi que ela se descrevesse em várias situações de sua vida ao longo das últimas semanas: enquanto voltava para casa, quando brincava com os filhos, ao fazer uma apresentação no trabalho, interagindo com amigos, ao sair com Mike para se divertir. Então pedi que fizesse isso de novo, dessa vez se descrevendo naquelas mesmas situações como se ela fosse uma versão futura ainda melhor de si mesma. Ela começou a perceber que a Kate das últimas semanas não era quem realmente se imaginava sendo nos próximos anos. Isso deveria ser um sinal de alerta para qualquer um.

Em seguida, pedi-lhe que identificasse três palavras que descrevessem como ela gostaria que fosse esse seu futuro eu. Surgiram os adjetivos *viva, divertida* e *grata*. Nenhuma de suas descrições ou palavras soou como apenas "estar no piloto automático", da maneira que se sentira recentemente. Foi uma atividade simples, mas fez com que ela abrisse os olhos. Às vezes, simples processos mentais nos ajudam a redefinir nosso foco. Kate era uma pessoa confiante em geral, mas a questão era que ela tinha parado de ter em mente um futuro eu para se tornar. Era isso que a machucava: *nenhuma perspectiva, nenhum entusiasmo*. Então lhe pedi que ativasse em seu telefone um alarme, que dispararia três vezes ao dia, e que exibisse uma mensagem com essas três palavras. Ao longo do dia, um alarme soava e ela via as palavras no telefone para lembrá-la de quem ela era e de quem poderia se tornar.

Agora é sua vez.

1. Descreva como você se sentiu nas seguintes situações nos últimos meses — com seu parceiro, no trabalho, com seus filhos ou sua equipe, em interações sociais com estranhos.
2. Agora se pergunte: "É isso que realmente me vejo sendo no futuro?" "De que diferente maneira meu futuro eu seria, se sentiria e se comportaria nessas situações?".
3. Se você pudesse se descrever em apenas três palavras — que resumiriam quem é o seu eu futuro ideal —, quais seriam? Por que essas palavras são significativas para você? Depois de encontrar suas palavras, ative

em seu telefone um alarme que dispare várias vezes ao dia, exibindo uma mensagem com elas.

COLETIVO

Os indivíduos de alta performance também têm claras intenções sobre como querem tratar outras pessoas. Têm alta consciência situacional e inteligência social, que os levam a ser líderes e pessoas bem-sucedidas.[7] Em todas as situações importantes, eles sabem quem querem ser e *como querem interagir com os outros*.

Se isso lhe parece senso comum, vamos descobrir se esta é uma prática corriqueira em sua vida:

- Antes de sua última reunião, você pensou em como queria interagir com cada pessoa naquele momento?
- Antes de sua última ligação, você pensou no tom que escolheria usar com a outra pessoa?
- Na última noite com seu parceiro ou seus amigos, você definiu de modo consciente a energia que gostaria de compartilhar?
- Quando estava lidando com seu último conflito, você pensou em seus valores e em como queria se comportar com a outra pessoa enquanto conversava com ela?
- Você pensa ativamente em como ser um ouvinte melhor, em como gerar emoções positivas em conjunto e em como você pode ser um bom modelo a ser seguido?

Perguntas desse tipo podem ajudá-lo a olhar para dentro de si mesmo e avaliar seu nível de intenção.

Descobri que indivíduos de alta performance também costumam se fazer algumas perguntas essenciais antes de interagir com outras pessoas:

- Como posso ser uma boa pessoa ou um líder nesta situação que se aproxima?
- Do que a(s) outra(s) pessoa(s) precisa(m)?
- Que tipo de humor e de tom quero definir?

Eis mais descobertas interessantes. Quando solicitados a escolher palavras que descrevessem suas melhores interações com os outros, indivíduos de alta perfomance responderam na maioria das vezes com palavras como *atencioso, solícito, respeitoso, aberto, honesto, empático, amoroso, cuidadoso, gentil, presente* e *justo*. Quando solicitados a escolher três palavras que melhor definissem como gostariam de ser tratados pelos outros, indivíduos de alto desempenho deram mais valor a serem respeitados e apreciados.

A questão do respeito, especificamente, surge com muita frequência em conversas com indivíduos de alta performance. Eles querem ser respeitados e demonstrar respeito pelos outros. E isso é importante para eles em todas as áreas da vida, inclusive em casa. Um estudo de campo realizado com duzentos casais americanos que foram casados por quarenta anos ou mais — e *continuam* felizes, conforme relatado — descobriu que o respeito estava em primeiro lugar entre os valores e pontos fortes do casal.[8] Os quatro piores comportamentos que levam ao divórcio — criticar em excesso, estar sempre na defensiva, desprezar o outro e se fechar para o outro — muitas vezes parecem tão ofensivos precisamente porque trazem um tom de desvalorização ou desrespeito.[9]

> *O que fica claro em todos os indivíduos de alta performance é que eles* anseiam por interações sociais positivas e se esforçam *consciente e consistentemente para que elas se concretizem.*

É um consenso. As interações desses indivíduos com as outras pessoas não entram no piloto automático. Elas são intencionais, o que melhora o desempenho deles.

Ao olharem para o futuro, é claro que eles também pensaram sobre o panorama geral de sua vida social. Pensaram em como querem ser lembrados — pensaram sobre seu caráter e legado. Profissionais de alta performance estão olhando adiante, além do hoje, da reunião, das tarefas e obrigações mensais. Estão *sempre* se perguntando: "Como quero ser lembrado por aqueles que amo e com quem contribuo?".

Trabalhando com Kate, sempre ficou claro que ela valorizava e amava muito sua família. No entanto, ela sentiu que muitas vezes estava fazendo malabarismos com tantas coisas que acabava não estando tão presente quanto queria. Ela disse certa vez: "Sinto que eles merecem mais de mim, mas não sei se tenho muito mais para oferecer". Você sabe qual é o problema disso? *Quando estamos constantemente fazendo malabarismos e nos sentindo esgotados, não pensamos no futuro.* Estamos apenas tentando sobreviver hoje e, assim, começamos a perder nossa clara intenção de interagir com nossa família e nossa equipe amanhã.

Trata-se de um conflito comum entre os realizadores. Eles querem ser melhores cônjuges e pais, mas se sentem esgotados. O erro deles é o mesmo que Kate estava cometendo. Ela ficava achando que o que ela precisava era de mais *tempo* para ser uma boa mãe ou esposa. *Um dia,* pensou, *vou conseguir ser a mãe que quero ser para meus filhos e a esposa que espero ser.* Mas você e eu sabemos que "um dia" na verdade significa "nunca". Para ajudar Kate a mudar e melhorar seus relacionamentos, eu a fazia imaginar antecipadamente suas interações com as pessoas e depois viver a partir delas a cada dia. Ela não precisou de mais tempo, nem esperar um dia a mais. A questão não era quantidade, mas qualidade. Então pedi a ela que experimentasse esta atividade, que eu recomendo a você também:

a. Anote o nome de cada pessoa de seu núcleo familiar e de sua equipe.
b. Imagine que em vinte anos cada pessoa esteja descrevendo *por que* eles o amam e respeitam. Se cada pessoa pudesse dizer apenas três palavras para resumir as interações que tiveram com você na vida, quais palavras você gostaria que escolhessem?
c. Da próxima vez que estiver com cada uma dessas pessoas, utilize seu tempo com elas como uma oportunidade para demonstrar essas três qualidades. Tenha essas palavras como meta e comece a viver a partir dessas qualidades. Desafie-se a ser essa pessoa *agora.* Isso trará vida de volta aos seus relacionamentos.

Falei para Kate o tempo todo: é quase impossível simplesmente "estar no piloto automático" quando se tem intenções claras e convincentes.

CAPACIDADES

Em seguida, descobrimos que os indivíduos de alta performance têm muita clareza em relação aos conjuntos de capacidades que precisam desenvolver agora para vencer no futuro. Eles não desenham um espaço em branco quando ouvem a pergunta: "Quais são as três capacidades que você vem se esforçando para desenvolver, a fim de ter mais sucesso no próximo ano?".

Quando sou convidado para trabalhar com executivos seniores da *Fortune 500*, faço com que eles abram suas agendas e conversem comigo a respeito dos próximos dias, semanas e meses. Acontece que os executivos com maiores pontuações no IAP tendem a ter mais blocos de tempo já reservados ao aprendizado do que seus pares com pontuações mais baixas. Há uma hora reservada aqui para fazer um treinamento on-line, outra para coaching executivo ali, outra para leitura e outra ainda para um hobby voltado para algum aprimoramento (piano, idiomas, aula de culinária e assim por diante). Idealizaram um currículo para si mesmos e estão dedicados de maneira consciente ao aprendizado das atividades que ele inclui. O que claramente une todos esses blocos de horários é o desejo de desenvolver conjuntos de capacidades específicos. O treinamento on-line é sobre como codificar ou gerenciar melhor as finanças; o coaching executivo é voltado para o desenvolvimento da capacidade de ouvir; a leitura se concentra em uma capacidade específica que vêm tentando dominar, como desenvolver estratégias, ouvir em reuniões ou construir narrativas; o hobby é algo que eles levam a sério — não estão fazendo isso apenas por prazer, mas para desenvolver conscientemente o domínio dessas atividades.

Aqui está a grande diferença: os profissionais de alta performance também estão trabalhando em capacidades que focam no que chamo de *campo de interesse primário* (CIP). Eles não se dedicam a aprender coisas aleatórias. Concentraram-se em suas paixões e criaram atividades ou rotinas para desenvolver capacidades nessas áreas. Se amam a música, se dedicam a descobrir que tipo de música querem aprender e depois a estudam. O CIP deles é *específico*. Não dizem apenas "música" e então tentam aprender tudo a respeito — tocando violão, integrando uma orquestra e cantando em uma banda. Escolhem, digamos, um violão de cinco cordas, encontram um professor especialista no instrumento e reservam tempo para sessões práticas que se concentram mais em *desenvolvimento de sua capacidade* do que em um *estudo casual*. Em outras palavras, eles conhecem suas paixões e estabelecem um tempo para incluir as capacidades que transformarão essas paixões em proficiências. *Isso significa que os profissionais de alta performance conduzem seu aprendizado não como generalistas, mas como especialistas.*

Como agora você já tem alguma familiaridade com meu trabalho, usarei minha carreira como exemplo. Eu tinha acabado de terminar a graduação e comecei como analista de gestão de mudanças para uma empresa global de consultoria. Durante meus primeiros seis meses no emprego, tratei meu trabalho como a maioria de meus colegas: como generalista. Estava tentando aprender tudo sobre a empresa, meus clientes, o mundo. Isso é o que você faz quando é novato.

Mas logo percebi que muitos dos sócios eram especializados em áreas específicas. E, se eu quisesse me destacar em meio a mais de 80 mil funcionários, seria bom desenvolver um conjunto de capacidades logo. Então, escolhi a liderança, que também era meu foco na graduação. Especificamente, eu queria desenvolver a capacidade de saber como construir currículos para líderes e suas equipes. *Liderança era meu CIP; construção de currículos era minha capacidade.* Solicitei ou criei projetos relevantes. Minha carreira decolou.

Quando deixei a vida corporativa para me tornar escritor e instrutor em tempo integral, tomei decisões semelhantes. Fiz meu desenvolvimento pessoal de CIP. Mas também o fizeram milhares de escritores, blogueiros, palestrantes e instrutores. Como eu me destacaria? Percebi que a capacidade que faltava à maioria dessas pessoas não estava relacionada ao CIP em si, mas ao marketing dedicado a ele. Eu estava no mesmo barco. O desenvolvimento pessoal sempre foi uma paixão, e eu já passava a maior parte do meu tempo de leitura estudando psicologia, neurociência, sociologia e economia comportamental. Estava fascinado por esses assuntos. Então eu não precisava de *mais* foco nisso. Precisava focar mais na construção da minha marca. Então fiz uma *enorme* mudança: fiz do *marketing* o meu CIP.

Foi uma decisão grandiosa para mim porque eu não tinha absolutamente nenhum talento, habilidade, ponto forte ou conhecimento sobre marketing. Mas reconheci que essa seria a chave que abriria a porta para o sucesso em minha nova carreira. Então comecei a me aprofundar em meus conjuntos de capacidades. Não me concentrei em todas as capacidades relacionadas a marketing, como um generalista faria, assim como eu não tinha me concentrado em tudo relacionado a liderança em geral no meu trabalho corporativo. Em vez disso, dediquei-me ao marketing por e-mail e à produção de vídeos. Fiz cursos on-line sobre esses assuntos e frequentei seminários. Contratei um coach. Minha agenda estava preenchida pela construção dessas duas capacidades. Durante dezoito meses, concentrei-me quase exclusivamente em aprender e experimentar coisas novas relacionadas ao marketing por e-mail e à produção de vídeos. Especificamente, aprendi a prospectar endereços de e-mail e a enviar para os assinantes boletins informativos semanais vinculados a um vídeo em destaque no meu blog. Também aprendi a colocar todos os meus vídeos na área de membros ativos e a cobrar uma taxa das pessoas para que pudessem acessá-los.

Dezoito meses depois, descobri que havia sido pioneiro na educação on-line. Milhares de pessoas estavam se inscrevendo em meus cursos on-line, alguns dos quais custam mais de mil dólares. Muitas pessoas na minha área pensaram que era algum tipo de mágica ou presumiram que eu fosse algum tipo de gênio da internet. Mas nenhuma das duas opções era verdadeira. Simplesmente eu tinha olhado para o futuro, identificado o que seria necessário para me dar bem nessa área nos próximos anos e, então, realinhei minhas atividades para desenvolver as capacidades de que precisava para ter sucesso. A lição foi simples, mas poderosa:

Olhe para o futuro.
Identifique as capacidades essenciais.
Desenvolva obsessivamente essas capacidades.

Parece fácil, mas, em um mundo em que estamos tão distraídos e reativos, tornou-se uma raridade. Simplesmente nos esquecemos de desenvolver nosso próprio currículo na vida — mesmo aqueles de nós que ocupam níveis mais altos. Lembro-me de que uma vez tive o privilégio de ser convidado para falar com Oprah e a sua equipe executiva. O momento revelador foi essa ideia de que os profissionais de alta performance constroem seus próprios currículos. Lembro-me de ter ficado surpreso por, ao terminar o treinamento, dentre todas as coisas que eu dissera, a equipe ter escolhido postar uma frase minha para resumir nossa sessão: "Se deixar seu crescimento ao acaso, você sempre viverá na terra da mediocridade".

Espero que a conclusão seja clara: não importa o seu nível de desempenho atual, tornar claros quais são o seu CIP e as capacidades que precisa dominar para atingir o próximo nível de sucesso *deve ser uma prioridade*.

Reconectar-se com suas paixões e criar uma estrutura para desenvolver mais capacidades relacionadas a elas são decisivos. Foi apenas uma coisa que Kate fez para superar sua sensação de estar apenas no piloto automático. Passamos um tempo conversando sobre o que seria necessário para vencer em seu CIP nos próximos dez anos, e percebemos que ela poderia aprender novas habilidades relacionadas à sua área de atuação. Depois de se inscrever em alguns cursos e encontrar um mentor no trabalho para ajudá-la a aprender mais, ela me enviou este e-mail:

> Surpreendentemente, em algum momento da minha carreira me tornei tão boa no que estava fazendo que me esqueci do quanto eu realmente adorava aprender. Parei de prestar atenção no que precisava aprender no futuro. Mas hoje terminei um curso on-line e não posso descrever como esse simples ato me deixou realizada. Foi como me formar na escola mais uma vez. Esse tipo de otimismo em relação ao futuro voltou à minha vida porque aprender abre a mente e implora para que ela funcione. Não acredito que para mudar como me sentia bastava escolher aprender novamente.

Você pode seguir o exemplo de Kate. Tente isto:

1. Pense no seu CIP e anote três capacidades que tornam as pessoas bem-sucedidas nessa área.
2. Em relação a cada capacidade, anote o que você fará para desenvolvê-la. Você vai ler, praticar, contratar um coach, ir a um treinamento? Quando? Estabeleça um plano para desenvolver essas capacidades, coloque-as na agenda e seja persistente.
3. Agora pense no seu CIP e anote três capacidades de que você precisará para ter sucesso nessa área daqui a cinco ou dez anos. Em outras palavras, tente imaginar o futuro. De quais novos conjuntos de capacidades você provavelmente precisará? Mantenha essas capacidades no seu radar e comece a desenvolvê-las o quanto antes.

CONTRIBUIÇÃO

Havia muito tempo que Kate não sentia estar fazendo a diferença. Tinha perdido o espírito de contribuição, e por isso começou a simplesmente se sentir no piloto automático no trabalho. Embora nada houvesse mudado, ela começou a perceber seus dias como uma série de tarefas vazias. Especificamente, apesar de ser uma líder fenomenal no trabalho e realmente sentisse o espírito de servir ao liderar suas equipes, ela perdera sua conexão com aqueles que, no fim, eram os mais afetados pelo seu trabalho: seus clientes.

O fato era que Kate não *falava* com nenhum de seus clientes havia anos. Tinha se tornado uma executiva interna em uma grande empresa, longe das linhas de frente — e das pessoas reais que sua empresa servia. Então, ela começou uma prática mensal de visitar seus clientes e ouvi-los de fato, perguntando o que eles queriam de sua empresa no futuro. Logo, seu entusiasmo pelo trabalho voltou com tudo.

O último dos quatro horizontes, depois de *consciência*, *coletivo* e *capacidades*, trata de como os profissionais de alta performance olham para o futuro e consideram sua *contribuição* em relação ao mundo. Em particular, eles se importam profundamente com a diferença que vão fazer para os outros e no futuro em geral, de modo que dão conta das atividades de hoje a fim de oferecer essas contribuições com amor e elegância. Pode parecer uma descrição ampla demais, mas é como os profissionais de alta performance se expressam. Na maioria das vezes, eles falam de como todos os esforços a mais que eles fazem para impressionar as pessoas hoje são de vital importância para deixar um legado duradouro amanhã. É por isso que, para muitos indivíduos de alta performance, os detalhes de como eles tratam os outros ou lidam com seus trabalhos realmente importam. O garçom de alta performance tem toda a preocupação com a mesa ser posta com simetria e precisão, não apenas porque é o seu trabalho, mas porque ele se importa com a experiência geral do cliente e com a percepção pública que o restaurante despertará agora e no futuro. O designer de produto extraordinário tem um imenso cuidado com estilo, ajuste e utilidade, não apenas para garantir boas vendas nesta temporada, mas também para criar fãs devotos e para atender a uma visão de marca mais abrangente. O que une todas essas coisas é o foco futuro na seguinte pergunta: "Como posso servir as pessoas com excelência e contribuir de maneira extraordinária com o mundo?".

O oposto é fácil de detectar.

> *Quando alguém se desconecta do futuro e de como pode contribuir com ele, sua performance é menor.*

Elas não têm nada que os anime em relação ao amanhã, então param de se preocupar com os detalhes hoje. É por isso que é vital que os líderes estimulem sempre suas equipes a conversar sobre o amanhã.

O que proporcionará *mais valor* àqueles a quem você serve? Trata-se de uma pergunta pela qual indivíduos de alta performance são *obcecados*. E não uso a palavra "obcecado" de maneira leve. Em nossas entrevistas, descobrimos que os profissionais de alta performance dedicam um tempo enorme de reflexão a questões relacionadas a servir os outros: como agregar valor, inspirar as pessoas ao redor e fazer a diferença. A atenção deles nessa área poderia ser mais bem descrita como uma busca por relevância, diferenciação e excelência.

Relevância tem a ver com a eliminação de coisas que não importam mais. Profissionais de alta performance não vivem no passado e não mantêm projetos prediletos em primeiro plano. Eles perguntam: "O que importa agora e como posso realizar isso?". A *diferenciação* permite que os profissionais de alta performance olhem para seus setores, sua carreira e, até mesmo, seus relacionamentos, pelo que os torna únicos. Querem se destacar por quem são e agregar mais valor do que os outros. A *excelência* vem de um padrão interno que questiona: "Como posso fazer além do esperado?". Para os indivíduos de alta performance, a pergunta "como posso servir com excelência?" talvez seja a que mais receba atenção.

Em total contraste, os profissionais de baixa performance estão mais focados na *consciência* do que na *colaboração*. Dão mais atenção para "o que quero agora?" do que para "o que aqueles que sirvo querem agora?". Questionam-se: "Como posso conseguir algo com o mínimo de esforço?" em vez de "Como posso servir com excelência?". Os profissionais de baixa performance perguntam: "Por que as pessoas não reconhecem meus pontos fortes únicos?". Enquanto isso, os de alta performance querem saber de si mesmos: "Como posso servir de maneiras únicas?".

No fim deste capítulo, há uma planilha juntando todas as ideias dos quatro horizontes. Por enquanto, deixe-me apresentar uma seção que concluirá cada uma das práticas deste livro, chamada "Estímulos para a performance". Esses estímulos são frases com lacunas a serem preenchidas, que ajudarão você a refletir mais profundamente acerca dos conceitos importantes que está aprendendo. Recomendo que você escreva e complete cada uma dessas frases em um diário.

Seja com a planilha, seja com um diário para formular livremente seus pensamentos, sugiro que se sente e escreva o que quer da vida. Sem metas, sem crescimento. Nenhuma clareza, nenhuma mudança.

Estímulos para a performance

1. Quando penso sobre os Quatro Horizontes — consciência, coletivo, capacidade e colaboração —, a área na qual não depositei tanta intenção quanto deveria é...

2. As áreas nas quais não tenho considerado as pessoas que sirvo e lidero são...

3. Para deixar um legado duradouro, as contribuições que posso começar a proporcionar agora são...

PRÁTICA DOIS
DETERMINE O SENTIMENTO QUE VOCÊ ESTÁ BUSCANDO

Não se pergunte do que o mundo precisa. Pergunte-se o que mantém você vivo, e corra atrás disso. Porque o que o mundo precisa é de pessoas cheias de vida.
Howard Thurman

A segunda prática que vai ajudá-lo a aumentar e manter a clareza é se perguntar regularmente: "Qual o principal sentimento que quero *associar* a esta situação, e qual o principal sentimento quero que essa situação me *traga*?".

A maioria das pessoas é péssima nisso. Os que têm baixa performance, principalmente, negligenciam os tipos de sentimentos que estão vivenciando ou desejam vivenciar. Eles se deparam com determinadas situações e permitem que elas definam a forma como se sentem. Isso explica por que apresentam baixo autoconhecimento e fraco autocontrole.

Indivíduos de alta performance demonstram altíssimo grau de inteligência emocional e o que chamo de "intencionalidade". Em situações que exigem seu desempenho, são capazes de descrever com precisão suas emoções e, o mais importante, podem calibrar o significado dessas emoções e determinar os sentimentos nos quais desejam se amparar.

Deixe-me dar um exemplo. Trabalhei com um velocista olímpico que estava no máximo do seu desempenho durante aquele ano. Mas, em anos anteriores, sua performance havia sido quase sempre errática. Às vezes, vencia uma competição; às vezes, nem passava da etapa classificatória. Quando recebi seu convite, ele vinha de uma série de vitórias que já durava um ano. Em nossa primeira sessão, perguntei: "Se você tivesse que explicar em apenas três palavras por que está ganhando agora, quais seriam?". Ele respondeu: "Sentimento, sentimento, sentimento".

Quando pedi que explicasse melhor, ele disse: "Ficaram muito claros para mim os sentimentos que eu precisava ter na mente e no corpo antes de ir para a pista, enquanto me acomodava nos blocos de partida, no meio de um sprint, e o que queria sentir depois de cruzar a linha de chegada e até mesmo no túnel durante o caminho de volta".

Perguntei se isso significava que ele tinha pleno controle sobre suas emoções e não ficava mais ansioso em relação à sua performance. Ele riu. "Não. Quando estou nos blocos de partida, meu corpo ainda sente a energia e a emoção de tudo isso — naturalmente, ele sabe o que está em jogo, e há uma sensação [um pouco de medo] que está presente, independentemente de qualquer coisa. Mas não me *sinto* ansioso. *Eu determino o sentimento.* Digo a mim mesmo que o que estou sentindo é uma sensação de prontidão, de euforia."[10]

Ouvi muitos profissionais de alta performance descreverem essa mesma prática, de alguma forma. Eles vivenciam seu estado emocional em determinado momento, mas na maioria das vezes escolhem se sobrepor a isso, definindo o que querem sentir.

Vamos parar um instante para diferenciar emoções de sentimentos. Embora os pesquisadores divirjam em suas definições de emoção, muitos concordam que elas são diferentes de sentimentos.[11] Emoções geralmente são instintivas. Um evento desencadeante — que pode ser uma situação externa ou simplesmente nosso cérebro prevendo algo — gera uma resposta emocional como medo, alegria, tristeza, raiva, alívio ou amor. Muitas vezes, a resposta emocional acontece sem muito respaldo da nossa vontade consciente; apenas experimentamos a emoção de maneira súbita, porque nosso cérebro percebeu que algo está acontecendo e associou um significado e uma emoção a isso, guiado sobretudo pela forma como reagimos à mesma situação no passado. Isso não quer dizer que estamos cientes de todas as nossas emoções, nem que não podemos provocar uma emoção conscientemente. Por exemplo, ver seu bebê sorrir para você pode provocar alegria em seu coração, mas você também pode suscitar a alegria simplesmente pensando no mesmo episódio mais tarde, sem o estímulo real. Ainda assim, a grande maioria das emoções que experimentamos é automática e física.

Já a palavra *sentimento* é usada aqui para se referir a um *retrato mental* de uma emoção. Esta afirmação não é muito precisa, mas é útil aos nossos propósitos: pense em uma emoção basicamente como uma reação, enquanto o sentimento é a interpretação.[12] Assim como acontece com o velocista, a emoção do medo pode surgir, mas você não é obrigado a ficar apavorado e fugir. Você pode experimentar a repentina emoção do medo, mas, logo em seguida, escolher se sentir centrado. Sempre que você "se acalma", está escolhendo um sentimento diferente da emoção que poderia ter se manifestado. Antes de adentrar qualquer situação que exija desempenho máximo, os profissionais de alta performance têm em mente como querem se sentir *durante* o processo e no *fim* dele, *independentemente de quais emoções possam surgir ao longo do caminho*. A partir daí, exercem o autocontrole para alcançar esse fim.

Eis aqui mais um exemplo que mostra essa dinâmica em ação. Se estou em uma reunião e as pessoas de repente começam a discutir em tom negativo, é provável que eu viva emoções imediatas como medo, raiva ou tristeza. A reação é bastante previsível: meu coração vai acelerar; minhas mãos ficarão suadas; minha respiração ficará ofegante. Em pouco tempo essas emoções podem evocar sentimentos de medo ou ansiedade. Ciente disso, posso escolher me sentir de outra forma na reunião, *mesmo que* as emoções surjam por instinto. Posso dizer a mim mesmo que as emoções estão apenas me dizendo para prestar atenção, para defender meus pontos de vista ou para sentir empatia pelos outros. Em vez de permitir que a emoção provoque uma sensação de pavor, posso simplesmente aceitar, respirar fundo algumas vezes e optar por me sentir alerta, mas calmo. Posso continuar a respirar fundo, falar em um tom ameno, me acomodar na cadeira, ter um pensamento positivo sobre as pessoas que estão ali, escolher ser uma fonte tranquila de força em meio à tempestade — todas essas escolhas geram um novo sentimento, diferente do que "surgiu" anteriormente.

Minhas emoções automáticas não precisam estar no comando.
Posso definir meus sentimentos.

Com o tempo, ao escolher os sentimentos que quero gerar a partir das minhas emoções, meu cérebro estará mais propenso a se habituar. O medo de repente não parece mais ser tão ruim, porque meu cérebro entendeu que lido bem com aquilo. Minhas antigas referências de como me sinto em consequência das emoções mudaram, e isso pode mudar o poder de fato das emoções automáticas.[13] A emoção do medo ainda pode se desencadear, mas agora o sentimento gerado a partir daí é o que eu criei no passado.

Emoções vêm e vão. São essencialmente imediatas, instintivas e físicas. Mas sentimentos duram, e em geral são resultado de reflexão, sobre a qual você tem controle. Raiva pode ter sido a emoção que surgiu, mas a amargura — um sentimento duradouro — não precisa acompanhá-lo pelo resto da vida.

Fica a impressão de que tudo isso não passa de análise banal, e mais uma vez admito que minhas descrições são imprecisas.[14] (Nenhuma descrição de qualquer função da mente ou do corpo jamais será precisa, porque há sempre variações e nenhum pensamento ou emoção é uma ilha — nossos sentidos e desejos interagem e se sobrepõem através de uma vasta rede neural.) *Mas compartilho isso aqui porque é totalmente óbvio que indivíduos de alta performance estão gerando os* **sentimentos** *que desejam muito mais do que vendo as* **emoções** *se apossarem deles.* Quando atletas de alto rendimento afirmam que planejam "estar com tudo", o que eles querem dizer é que estão tentando usar a atenção consciente para estreitar seu foco. "Estar com tudo" não é uma emoção que simplesmente acontece — os atletas chegam até lá reduzindo as distrações e mergulhando no que estão fazendo. Para atletas de alto nível e indivíduos de alta performance de todas as áreas, o fluxo é um sentimento que eles escolheram. Ele é invocado, não é uma emoção que por sorte aparece bem na hora do pontapé inicial.

É quando deixamos de estar conscientes de nossos sentimentos que nos metemos em confusão. Logo a negatividade ao nosso redor pode começar a provocar emoções negativas, as quais, se não controlarmos seu significado, podem evocar sentimentos negativos de longo prazo, que por sua vez são o prelúdio de uma vida ruim. Contudo, se buscarmos experimentar a vida e todas as suas emoções e mesmo assim nos mantivermos centrados, felizes, fortes e amorosos ao longo dos altos e baixos, então teremos conquistado algo poderoso. Dominamos o poder da "intencionalidade" e, de repente, *sentimos* que a vida é exatamente como desejamos.

Isso é o que Kate estava esquecendo. Ela se perdia a todo instante em um mar de emoções imprevisíveis. Não escolhia se sentir de outro jeito. Não percebia a forma como lidava com as emoções e as experiências, e se tornou meramente reativa. Ela não estava apenas no piloto automático, ela estava sendo tomada pelas *emoções*, portanto não mais *sentia* a vida do jeito que desejava.

Tudo o que tive que fazer foi orientá-la a escolher como queria se sentir dentro de cada situação em que se envolvesse. A vontade e a atividade por si sós trouxeram mais brilho e cor de volta a sua vida.

No dia a dia, comece a se perguntar: "O que quero sentir hoje? Como posso definir o significado deste dia para sentir o que desejo?". Da próxima vez que sair com alguém, pense nos *sentimentos* que deseja criar. Antes de se sentar com seu filho para ajudá-lo no dever de matemática, pergunte: "O que quero sentir quando ajudo meu filho? Que sentimentos quero que ele tenha sobre mim, o dever de casa e a vida dele?". Esse tipo de clareza e objetividade vai mudar a forma como você vive a vida.

> **Estímulos para a performance**
>
> 1. As emoções que tenho experimentado ultimamente são...
>
> 2. As áreas da vida em que não tenho os sentimentos que quero são...
>
> 3. Estre os sentimentos que quero experimentar mais na vida estão...
>
> 4. Da próxima vez que eu vivenciar uma emoção negativa, o que eu vou dizer a mim mesmo é...

PRÁTICA TRÊS

DEFINA O QUE É SIGNIFICATIVO

A infelicidade é não saber o que queremos e nos matarmos para consegui-lo.
Don Herold

Ao prepararem o coração e a mente, indivíduos de alta performance podem fazer quase tudo. Mas nem todas as montanhas valem a escalada. O que diferencia os profissionais de alta performance dos outros é seu olhar crítico para descobrir o que será significativo para sua experiência de vida. Passam a maior parte de seu tempo fazendo coisas que consideram significativas e ficam felizes com isso.

Não é falta de força que nos prende em vidas não vividas. Pelo contrário, é a falta de uma causa decisiva, algo pelo que vale a pena lutar, um propósito ambicioso que incendeia nosso coração e faz nossos pés marcharem adiante. Nosso empenho por uma vida significativa é um dos principais fatores associados ao bem-estar psicológico.[15]

Mas o que queremos dizer com *significado*?

Quando a maioria das pessoas fala sobre ter um "trabalho significativo", elas geralmente discutem (a) o prazer nas tarefas do trabalho, (b) o alinhamento dos valores pessoais com o trabalho e (c) a realização com os resultados do trabalho.

Quando tentam identificar o que é significativo para as pessoas, os pesquisadores geralmente se concentram em qual a importância que você atribui a uma atividade, quanto tempo você gasta com ela, qual seu nível de comprometimento, como está ligado a ela, e se você faria o trabalho apesar da baixa remuneração. Tentam descobrir se você vê o trabalho apenas como um emprego, uma carreira importante ou um chamado.[16] Eles geralmente associam um senso claro de propósito a uma noção geral de significado na vida.[17]

Os profissionais de alta performance entendem significado da mesma maneira? Selecionamos aleatoriamente 1300 indivíduos que marcaram as quinze melhores porcentagens no IAP e fizemos perguntas como:

- Como você sabe quando está fazendo algo significativo?
- No caso, como você se sente?
- Se você tivesse que escolher entre dois bons projetos, como escolheria o que seria mais significativo para você?
- Como você sabe quando está fazendo algo que não traz significado à sua vida?
- No fim de sua vida, como você saberia se viveu uma vida significativa?

Como as perguntas eram abertas, vasculhamos as respostas em busca de padrões. O que se apresentou foi que indivíduos de alta performance tendiam a equacionar quatro fatores com o significado.

Primeiro, uniram *entusiasmo* e significado. Quando forçados a escolher entre dois projetos, por exemplo, muitos mencionaram que fariam aquele que poderia trazer mais entusiasmo. Essas declarações se encaixam com as descobertas da pesquisa de que o entusiasmo por si só predizia a satisfação com a vida, emoções positivas, menos emoções negativas, domínio do ambiente, crescimento pessoal, relações positivas, autoaceitação, propósito na vida, comprometimento, relacionamentos saudáveis, significado e realização.[18] Evidentemente, quem quer uma vida positiva faria bem em reunir o máximo de entusiasmo possível. Foram essas descobertas que me inspiraram a me fazer esta pergunta todas as manhãs no chuveiro: "Com o que posso ficar animado ou entusiasmado hoje?". Essa pergunta simples mudou a maneira como começo cada dia. Tente.

O segundo elo para o significado é a *conexão*. As pessoas que se tornam socialmente isoladas relatam que sua vida perdeu significado.[19] As relações sociais, especialmente com as pessoas mais próximas, são as fontes de significado na vida relatadas com maior frequência.[20]

Como todo mundo, os profissionais de alta performance valorizam os relacionamentos que têm na vida e no trabalho. O que é único em relação a eles, porém, é que a conexão em geral se correlaciona com o significado, especialmente no trabalho. Conexão trata menos de *conforto* do que de *desafio*. Em outras palavras, os profissionais de alta performance sentem que seu trabalho tem mais significado quando estão em um grupo de colegas que os desafia. Em sua vida cotidiana, ademais, valorizam a ideia de estar próximo a pessoas inspiradoras que os estimulam a crescer mais do que, digamos, pessoas que são apenas legais de ter por perto ou das que são geralmente gentis.

Em terceiro lugar, profissionais de alta performance relacionam *satisfação* com significado. Se o que eles estão fazendo proporciona um sentimento de satisfação pessoal, eles sentem que a vida é mais significativa. Tentar extrair das pessoas o que "satisfação" significa é tão difícil quanto descobrir como elas definem "significativo". Mas, para os profissionais de alta performance, há uma clara equação que resulta em satisfação pessoal. Quando os seus esforços correspondem a uma de suas paixões principais, levam ao crescimento pessoal ou profissional e contribuem de forma clara e positiva com os demais, você tende a considerar esses esforços satisfatórios.

Paixão + Crescimento + Contribuição = Satisfação Pessoal

Outros pesquisadores descobriram que segurança, autonomia e equilíbrio também podem ser importantes para a satisfação, especialmente no trabalho.[21]

O quarto aspecto abordado é quando seus esforços levam o profissional de alta performance a sentir que sua vida "faz sentido". Os psicólogos chamam isso de *coerência*.[22] Significa que você, de alguma forma, compreende a história de sua vida — ou de acontecimentos recentes em sua trajetória.

Esse senso de coerência parece ser particularmente importante para os indivíduos de alta performance. Eles querem ter a noção de que suas iniciativas se alinham com algo importante, de que seu trabalho é significativo e de que sua vida está criando um legado e alimentando um propósito maior.

Muitas vezes, o desejo de que as coisas façam sentido é mais importante para um indivíduo de alta performance do que a autonomia e o equilíbrio. Eles deixarão de lado os próprios desejos de controle ou equilíbrio entre trabalho e vida pessoal se sentirem que sua atividade faz sentido e contribui para um todo maior.

Certamente, é necessário que mais pesquisas sejam realizadas sobre como os profissionais de alta performance entendem *significado*. No entanto, a pesquisa que minha equipe e eu conduzimos nos dá um bom começo. Esta simples equação pode ser útil para você:

Entusiasmo + Conexão + Satisfação + Coerência = Significado

Nem todos esses fatores precisam estar em jogo ao mesmo tempo para nos dar um senso de significado. Às vezes, apenas observar seu filho andar pela sala pode fazê-lo. Ou terminar aquele relatório importante. Um agradável encontro à noite ou almoçar com alguém que precise de sua ajuda pode tornar a vida significativa.

O importante é: *Você precisa direcionar pensamentos mais conscientes e consistentes para o que você achará significativo na vida.* É preciso começar explorando suas próprias definições de significado e como aprimorá-lo em sua vida. Ao descobrir a diferença entre trabalho insignificante e o trabalho da sua vida, você dá o primeiro passo no caminho do propósito.

Estímulos para a performance

1. As atividades às quais me dedico atualmente que me trazem mais significado são...

2. As atividades ou projetos aos quais eu deveria parar de me dedicar, porque não estão me trazendo nenhum senso de significado, são...

3. Se eu estivesse para começar novas atividades que me trazem mais significado, as primeiras que eu adicionaria seriam...

JUNTANDO TUDO

> *O significado da vida é aquele que você atribui a ela.*
> Joseph Campbell

Você precisa ter uma visão para si mesmo no futuro. Tem que entender de que maneira quer se sentir e o que será significativo para você. Sem essas práticas, você não tem nada pelo que lutar e sonhar, nenhum entusiasmo no dia a dia para impulsioná-lo e fazê-lo seguir adiante.

Tratamos de bastante coisa neste capítulo. Como juntamos tudo isso para que nossas práticas em busca de clareza sejam fortes e consistentes?

Recomendo para você o mesmo que recomendei para Kate, que sentia que estava apenas vivendo no piloto automático em seu trabalho, seus relacionamentos e sua vida. Você deve lembrar que ela era tão boa que de fato não precisava mais tentar. Esqueceu-se de olhar para o futuro e de ter intenções decisivas, o que a levou a estar ocupada, mas insatisfeita. Isso fez com que ela se sentisse perdida. Para ajudá-la a se reorientar, pedi que ela adotasse um hábito simples de contemplação, que atingiria todas as práticas que você aprendeu neste capítulo. Dei-lhe uma ferramenta chamada Clarity Chart™, um diário de apenas uma página que ela deveria preencher todos os domingos à noite, por doze semanas.

É claro que você não *precisa* preencher a ficha toda semana. (Você não precisa fazer nada que estou sugerindo.) Mas prometo que essa atividade ajudará você, mesmo que suas respostas não mudem muito de uma semana para outra. A clareza da alta performance surge porque colocamos esses conceitos no painel de controle da nossa mente consciente. Talvez você já tenha pensado vez ou outra nos conceitos que abordamos neste capítulo. Nosso objetivo, no entanto, é que você *dirija o foco a esses tópicos da maneira mais consistente que já fez na vida*. Isso é o que o leva a progredir. Com maior foco virá maior clareza, e com maior clareza virão ações mais consistentes e, em última instância, a alta performance.

Clarity Chart™

Consciência	**Coletivo**
Três palavras que descrevem meu eu ideal são... _____ _____ _____ Algumas ideias de como posso incorporar essas palavras à minha vida com mais frequência na próxima semana são...	Três palavras que podem definir como quero tratar outras pessoas são... _____ _____ _____ Algumas pessoas da minha vida com quem eu poderia melhorar minhas interações nesta semana são...
Capacidades	**Colaboração**
As cinco principais capacidades que estou tentando desenvolver na minha vida neste momento são... _____ _____ _____ _____ _____ Posso aprender ou praticar essas capacidades nesta semana pelas seguintes maneiras...	Três maneiras simples que podem me levar a agregar valor àqueles que me rodeiam nesta semana são... _____ _____ _____ Algo que eu poderia fazer nesta semana com foco e excelência verdadeiros para ajudar alguém é...
Concentre-se no sentimento	
Entre os principais sentimentos que quero cultivar em minha vida, meus relacionamentos e meu trabalho nesta semana, estão... O modo como vou gerar esses sentimentos é...	
Defina o que é significativo	
Algo que posso fazer ou criar que me traria mais significado na vida é...	

Hábito de alta performance #2
Gerar energia

O mundo é do proativo.
Ralph Waldo Emerson

| LIBERE A TENSÃO, DEFINA A INTENÇÃO |
| TRAGA ALEGRIA |
| OTIMIZE A SAÚDE |

"Se eu mantiver este ritmo, em algum momento vou ter uma estafa, ou provalmente morrer."

Arjun ri e se mexe desconfortavelmente na cadeira. "Então tudo isso foi por nada."

Parece que mal dormiu nos últimos meses. Está abatido. Seus olhos estão vermelhos, o brilho se foi. Não tem a mesma vivacidade de quando posou para a capa daquela revista de negócios no ano anterior.

Fingi um olhar de surpresa. "Morto, é? Quando você acha que esse 'em algum momento' pode acontecer? Estamos falando da semana que vem? Deste ano? Do ano que vem?"

"Não tenho certeza. Mas não conte a ninguém."

É corajoso da parte dele estar me dizendo isso. Ninguém gosta de admitir que está no limite. Principalmente aqui no Vale do Silício, é uma honra trabalhar sem descanso. Nesta península, há muitos workaholics, jovens e inteligentes, estimulados por cafeína em excesso e pelo sonho-de-se-tornarem--bilionários-em-alguns anos.

Seis horas antes, um amigo me ligou e perguntou se ele poderia marcar uma reunião com Arjun para nos apresentar. Trocamos cortesias, e duas horas depois o jato particular de Arjun chegou para me buscar. Agora estou sentado em uma sala de conferências toda de vidro em seu escritório perto de San

Francisco. São três da manhã e somos os únicos no prédio. Alguns vencedores não baixam a guarda mesmo depois da meia-noite.

Não sei bem por que ele me trouxe até aqui. Ao telefone, ele apenas disse que era urgente e achou que eu poderia ajudar. De todo modo, sempre quis conhecê-lo, então concordei.

"Então, o que está havendo?", pergunto. "Suponho que você não me trouxe aqui para fingir que sou sua mamãe e dizer que você precisa dormir mais."

Ele ri e se ajeita na cadeira. "Não. Não é isso. Sei que preciso de mais descanso."

"E mesmo assim você não descansa?"

"Vou descansar."

Já ouvi isso antes. A velha história de um-dia-vou-cuidar-melhor-de-mim. "No momento só tenho que ser confiante e determinado", todos dizem. "Para construir algo. Para dominar o mundo."

"Bem, isso não é verdade, Arjun. E não tem problema. A verdade é que você não vai parar de funcionar. Vai continuar trabalhando duro em um ritmo insano, assim como tem feito nos últimos quinze anos. Você não vai ficar esgotado. Você vai ficar completa e terrivelmente infeliz. Vai acordar um dia, ainda mais rico e realizado do que é agora, e a vida não vai parecer com o que você gostaria que fosse. Ainda assim você não vai ficar esgotado. Mas você vai tomar uma decisão ruim e abrupta. Vai desistir ou falhar. Vai perceber que a sua mente e o seu corpo não deixaram você na mão; suas escolhas fizeram isso. Mas imagino que você já saiba do que estou falando."

"Sei", diz ele, arregaçando a manga esquerda da camisa. Aponta para uma marca de agulha. "Não se preocupe. Não são drogas. Estou usando aquele coquetel de Myers. Um monte de vitaminas do complexo B e tal. Provavelmente não está ajudando, sabe?"

Não reajo. Já vi tudo aquilo: todas as rápidas soluções, receitas e novidades às quais as pessoas recorrem em uma tentativa desesperada de revitalizar sua vida. Quando querem chegar ao topo, muitas vezes o primeiro lugar para onde as pessoas olham está fora delas mesmas.

"Então, o que *ajudaria*, Arjun? Você é um cara inteligente; provavelmente já conhece as respostas. Então, não me leve a mal, não quero fazer você perder seu tempo. São três da manhã. Por que estou aqui?"

"Quero voltar a me sentir bem. Não quero mais viver essa montanha-russa emocional. Não quero estar cansado. Tem que haver uma maneira de ir longe e ainda ser feliz. As pessoas dizem que é possível. Mas a verdade é que, em quarenta anos, ainda não consegui descobrir como. Mas sei que você pode me ajudar.

"E como você sabe disso?"

Arjun puxou a outra manga da camisa. Levanta o punho e me mostra uma pulseira de couro, gravada com uma citação minha. Cutuca a pulseira com o dedo. "Quero isso de novo, cara."

"Onde você conseguiu isso?"

"Minha esposa. É constrangedor, mas vou lhe contar. Estamos com problemas. Ela foi ao seu evento e agora é uma pessoa diferente. Disse que comprou para mim porque eu precisava disso. Porque *nós* precisávamos disso."

"Ela tinha razão?"

Ele suspira e fica de pé ao meu lado, olhando para seus escritórios. "Não posso nos fazer... Não posso fazer todo mundo aqui crescer quando me sinto tão pequeno. Minha energia está diminuindo. A equipe pode sentir isso. Não estou feliz e não quero mais me sentir assim."

A inscrição na pulseira de couro continha as palavras TRAGA ALEGRIA.

FUNDAMENTOS DA ENERGIA

> *Energia é prazer eterno.*
> William Blake

Como você já poderia esperar, é preciso muita energia para ter sucesso a longo prazo. Indivíduos de alta performance possuem a tríade mágica da Energia com "E" maiúsculo — aquela do tipo holístico, que inclui uma vibração mental, física e emocional positiva e duradoura. É a força fundamental que os ajuda a ter um melhor desempenho em muitas áreas de sua vida. É por isso que os indivíduos de alta performance têm muito mais paixão, vigor e motivação. Se você tiver acesso à Energia com "E" maiúsculo armazenada em seu interior, o mundo é seu.

Em nossa pesquisa sobre alta performance, medimos a energia pedindo às pessoas que se classifiquem em uma escala de 1 a 5 de acordo com afirmações como:

- Tenho força mental para estar presente e focado ao longo do dia.
- Tenho a energia física de que preciso para atingir meus objetivos todos os dias.
- Em geral, me sinto alegre e otimista.

Também reduzimos a pontuação a partir de declarações como:

- Minha mente parece lenta e nebulosa.
- Estou fisicamente exausto com muita frequência.
- Sinto muita energia e emoções negativas.

Você notará que a energia não é apenas *física*, que é como a maioria das pessoas a concebe. O estado de alerta mental também é importante. O mesmo acontece com a emoção positiva. Na verdade, todos os três se relacionam com a alta performance. Então, quando eu usar a palavra *energia* neste livro, tenha em mente que ela significa todo o espectro do esplendor mental, emocional e físico.

O título de nossa pesquisa sobre esse tópico pode lhe parecer óbvio: a baixa energia se correlaciona com as pontuações gerais mais baixas de alta performance. Mas os detalhes das descobertas devem chamar sua atenção:

Quanto *menor* a sua pontuação em relação à energia...

- menor a sua felicidade geral,
- menor o seu entusiasmo por enfrentar desafios,
- menor a sua percepção do seu próprio sucesso em detrimento do sucesso dos seus pares,
- menor a sua confiança diante da adversidade,
- menor o grau de influência que você terá sobre os demais, e
- menor a probabilidade de você comer bem ou se exercitar.

Portanto, a energia baixa não apenas prejudica sua capacidade de atingir uma alta performance como um todo, mas permeia todos os aspectos de sua vida. Você se sente menos feliz. Não aceita os grandes desafios. Sente como se todo mundo estivesse ultrapassando você. Sua confiança se esvai. Você come pior e ganha peso. Tem dificuldade para fazer com que as pessoas acreditem em você, comprem de você, sigam você, apoiem você.

Mas, evidentemente, o oposto também se aplica. Aumente sua energia e você vai aprimorar *todos* esses elementos.

E tem mais. A energia também está relacionada de maneira positiva às conquistas educacionais, à criatividade e à assertividade. Isso tende a significar que, quanto mais energia o indivíduo tem, maior sua probabilidade de buscar níveis mais elevados de educação, de ter ideias criativas no trabalho, de defender seus pontos de vista e de agir de acordo com seus sonhos. É por isso que as organizações e instituições acadêmicas de todo o mundo devem levar *muito a sério* o investimento no aumento da energia de seus funcionários e alunos.

Em relação a cargos, os CEOs e os executivos seniores têm os níveis mais altos de energia — significativamente mais altos dos que daqueles que exercem outras funções, como gerentes, funcionários iniciantes, estudantes/estagiários e cuidadores. Isso se aplica até quando filtramos pela idade. Em uma descoberta impressionante, os CEOs e executivos seniores têm energia equivalente à dos atletas profissionais. Acontece que, para chegar ao cargo de CEO, você precisa se preocupar com a sua energia tanto quanto um quarterback da NFL, porque atingir esse feito exige praticamente o mesmo nível de energia.

Conclusão: quanto mais energia, maior a probabilidade de ser feliz e de chegar ao topo de seu campo de interesse primário.

Além disso, o casamento também é bom para a sua energia, assim como é bom para a sua longevidade. Nossas pesquisas mostram que as pessoas casadas têm mais energia do que suas semelhantes que nunca se casaram.[1] Então vá em frente e diga a qualquer amigo medroso que a crença de que o casamento deixa você entediado, cansado ou mal-humorado não se sustenta.

Por fim, a energia está relacionada de modo significativo à produtividade.[2] Se você alguma vez quiser fazer mais, não é necessário comprar um novo aplicativo ou organizar melhor seus documentos. Melhorar seu nível de energia é mais eficaz do que escrever melhor um e-mail.

Minha experiência pessoal como coach de pessoas extraordinárias valida os dados, e por aí vai. Muitas vezes, vejo as pessoas esquecerem de se concentrar em suas energias conforme constroem sua carreira, e então o desastre acontece. Vi a baixa energia destruir casamentos, transformar pessoas gentis em criaturas estressadas e drenar o ganho financeiro de anos de várias empresas, apenas alguns meses após o esgotamento sofrido pelo CEO.

Quase todas as pesquisas modernas em saúde confirmam a importância de nosso bem-estar, que é o termo usado com frequência para descrever um senso de energia mais holístico. Infelizmente, não temos muito cuidado com o nosso bem-estar. Mais de um terço dos americanos é obeso, o que custa ao país mais de US$ 147 bilhões por ano em despesas médicas.[3] Apenas cerca de 20% da população dos Estados Unidos faz o mínimo recomendado pelos Centros de Controle e Prevenção de Doenças (Centers for Disease Control and Prevention, ou CDC) de atividades aeróbica e de fortalecimento muscular.[4] Outros estudos revelam que 42% dos adultos afirmam que não estão fazendo o suficiente para lidar com o estresse, 20% dizem que nunca fazem atividades para aliviar ou controlar o estresse, e um em cada cinco alega não ter ninguém com quem contar para receber apoio emocional.[5]

Um em cada três trabalhadores americanos sofre de estresse crônico no trabalho, e menos da metade afirma que suas empresas apoiam o bem-estar dos funcionários.[6] Isso acontece ainda que as empresas que promovem o bem-estar de seus funcionários sejam mais produtivas, tenham custos mais baixos com saúde, mantenham seus funcionários por mais tempo e os vejam tomar melhores decisões.[7]

O estresse é o maior aniquilador de energia e bem-estar. Retarda a produção de novas células cerebrais, reduz as taxas de serotonina e dopamina (que são essenciais para o humor) e aciona a amígdala ao mesmo tempo que diminui a função do hipocampo — tornando você uma pessoa esgotada e com a memória reduzida.[8]

Poderíamos dedicar vários livros ao tema do bem-estar e não passaríamos da superfície. Mas quero me concentrar nas medidas de energia descritas no início deste capítulo e ver como elas se relacionam com a alta performance individual.

A boa notícia é que você pode aumentar drasticamente sua energia e sua performance gerais com apenas algumas práticas simples. Sua energia não é um estado mental, físico ou emocional fixo. Vale repetir: assim como uma usina, você não "tem" energia. Uma usina elétrica transforma e transmite energia. No mesmo sentido, você não "tem" felicidade. Em vez disso, você transforma seus pensamentos em sentimentos que são ou não são felizes. Você não precisa "ter" tristeza; você pode transformá-la em outra coisa.

Isso significa que você não precisa "esperar" por alegria, motivação, amor, entusiasmo ou qualquer outra emoção positiva. Você pode optar por gerá-los, sob demanda, sempre que quiser, através do poder do hábito.

Como em qualquer outra área da sua vida ou em qualquer outro conjunto de capacidades, isso pode ser melhorado. Aqui estão as três grandes práticas que vi indivíduos de alta performance alavancarem para manter sua vantagem e sua energia.

PRÁTICA UM
LIBERE A TENSÃO, DEFINA A INTENÇÃO

> *A excelência humana é um estado de espírito.*
> Sócrates

Em uma década como coach de profissionais de alta performance, descobri que a maneira mais fácil, rápida e eficaz de ajudá-los a aumentar sua energia é ensinando-os a *dominar as transições*.

Todos os dias, as pessoas perdem uma enorme quantidade de foco, vontade e energia emocional gerenciando mal as transições. Perdem também o benefício de uma maior resistência mental e física ao longo do dia.

O que quero dizer com transições? Bem, toda manhã, quando acorda e começa seu dia, você experimenta uma transição do repouso para a ativação. O início do seu dia é uma transição.

O momento em que você deixa as crianças na escola e começa seu deslocamento diário para o trabalho — isso é uma transição da hora de se dedicar à família para a hora de dirigir. Ao terminar seu trajeto até o trabalho, você abre a porta do carro e entra no escritório: temos aqui uma transição de um momento solitário para a hora de lidar com outras pessoas.

No trabalho, quando você termina de preparar uma apresentação e vai verificar sua caixa de e-mail, isso é uma transição. Você está indo do modo criativo para o modo automático. Quando uma reunião termina e você volta para sua mesa, se senta em sua cadeira e já entra em uma videoconferência, isso é uma transição. O dia de trabalho termina, você volta para o carro e segue para a academia. Mais duas transições. Volta para casa depois de um longo dia, entra em casa e se torna mãe ou pai. Transição.

Você entendeu a ideia. Nossos dias compreendem uma série de transições.

Essas transições são imensamente valiosas — um poderoso espaço de liberdade entre as atividades. E é nesse espaço que você descobrirá seu maior restaurador e amplificador de energia.

Pense em todas as transições que você experimenta durante o dia. Tire um tempo para escrever algumas delas aqui:

_____
_____
_____
_____
_____
_____
_____
_____
_____

Agora, deixe-me fazer algumas perguntas sobre todas essas transições:

- Você já carregou alguma energia negativa de uma atividade para outra?
- Você já se sentiu esgotado, mas ainda assim começou a atividade seguinte sem intervalo, mesmo sabendo que deveria parar para respirar?
- Você perde uma sensação de presença e apreço em relação à vida e aos outros conforme o dia passa?

A maioria das pessoas responde sim às três perguntas.

Estou convencido de que, se conseguirmos que você mude a maneira como passa de uma atividade para outra, podemos revitalizar sua vida. Então, está pronto para uma experiência?

De agora em diante, ao passar de uma atividade importante para outra, tente o seguinte:

1. Feche os olhos por um ou dois minutos.
2. Repita mentalmente a palavra *liberação* várias vezes. Ao fazê-lo, dê um comando para que seu corpo libere toda a tensão nos ombros, no pescoço, no rosto e na mandíbula. Libere a tensão nas costas e nas pernas, na mente e no espírito. Se isso for difícil, concentre-se em cada parte do seu corpo, respire fundo e repita a palavra *liberação* em sua mente. Isso não precisa demorar muito — apenas um ou dois minutos repetindo a palavra *liberação*.
3. Quando você sentir que liberou alguma tensão — e não precisa ser *toda* a tensão em sua vida! —, vá para o próximo passo: DEFINA A INTENÇÃO. Isso significa pensar sobre o que você quer sentir e conquistar na próxima atividade que está prestes a enfrentar quando abrir os olhos. Pergunte-se: "Que energia quero trazer para esta próxima atividade? Como posso executar essa próxima atividade com excelência? Como posso aproveitar o processo?". Não precisam ser exatamente essas as perguntas, mas esse é o tipo de pergunta que estimulará sua mente a estar mais presente em sua próxima atividade.

Essa iniciativa simples, praticada de maneira deliberada ao longo do dia, pode ajudá-lo a gerenciar melhor o estresse e a estar mais presente. É incrivelmente poderosa.

Não acredita? Tente. *Agora mesmo*. Você sabe o que fazer. Coloque este livro de lado por apenas sessenta segundos. Respire fundo durante esse período. Libere a tensão do corpo. Então pergunte a si mesmo: "Que energia quero sentir quando voltar a ler? Como posso apreender melhor as informações? Como posso aproveitar ainda mais essa leitura?". Quem sabe? Você pode se sentir mais presente enquanto lê, sublinhar mais trechos e ir até o seu lugar favorito para ler ou pegar um café para que você aprecie ainda mais a leitura. Viu como funciona?

Agora que você sabe como essa prática funciona, pode imaginar dezenas de transições nas quais aplicá-la. Imagine que você está prestes a acabar de responder a alguns e-mails. Sua próxima atividade é começar a preparar uma apresentação. Na transição entre as duas atividades, afaste-se um pouco da sua mesa e feche os olhos por uns dois minutos. Repita a palavra *liberação* até sentir a tensão ir embora e você encontrar um momento de paz. Em seguida, defina uma intenção em relação a como deseja se sentir preparando sua apresentação e a como deseja que ela fique no fim. Fácil.

Faço essa atividade de LIBERE A TENSÃO, DEFINA A INTENÇÃO antes e depois dos treinos na academia, antes de pegar o telefone para ligar para alguém, antes de escrever um e-mail para a minha equipe, antes de gravar um vídeo, antes de sair do carro e ir almoçar com amigos, antes de entrar em um palco diante de 20 mil pessoas. Isso me salvou muitas vezes da ansiedade e de um desempenho ruim: antes de entrar em uma sala e ser entrevistado pela Oprah, antes de me sentar para jantar com um presidente dos Estados Unidos, antes de pedir minha esposa em casamento. Tudo o que posso dizer é que dou *graças a Deus por essa prática!*

Você também pode encontrar e gerar energia e vida novas entre uma atividade e outra. Lembre-se, apenas dê uma pausa, feche os olhos e LIBERE A TENSÃO, DEFINA A INTENÇÃO.

Se quiser passar para outro nível de domínio, experimente uma prática de vinte minutos chamada de Técnica de Meditação de Liberação (Release Meditation Technique — RMT). Treinei mais de dois milhões de pessoas com a RMT, e por todo o mundo conheço alunos que, em meio aos novos hábitos adotados, a consideram um dos que mais mudou sua vida. Apenas feche os olhos, sente-se com as costas eretas e, respirando fundo, deixe a tensão desaparecer do seu corpo enquanto repete a palavra *liberação* para si mesmo. Conforme os pensamentos inevitavelmente surjam em sua mente, não tente afugentá-los nem refletir sobre eles — basta deixá-los ir e voltar ao mantra de "liberação". O objetivo da meditação é liberar a tensão física e mental. É bastante útil fazer com que uma voz o guie através dessa prática com uma música de fundo, por isso basta entrar no YouTube e digitar meu nome e "Técnica da Meditação de Liberação".

Independentemente de como você decide fazer uma pausa, meditar ou lidar com o estresse, a ideia é criar um hábito e mantê-lo. A maioria das práticas de meditação pode levar, de forma significativa, a menos estresse e ansiedade, aumentando sua atenção, sua presença, sua criatividade e seu bem-estar.[9] Os neurocientistas fazem descobertas recorrentes de que pessoas com maior experiência em meditação mostram maior conectividade nas redes de atenção do cérebro, bem como entre regiões de concentração e regiões mediais frontais, que são essenciais para habilidades cognitivas, tais como manter a atenção e desvincular-se da distração.[10] Os efeitos positivos não se dão apenas durante a meditação, mas continuam a ser evidentes também no dia a dia.[11] Um estudo identificou os efeitos positivos (como a redução da ansiedade) de apenas alguns meses de meditação durarem mais de três anos.[12]

Você se lembra de Arjun, o talentoso fundador de uma empresa de tecnologia que mencionei no início deste capítulo? Ele queria evitar o esgotamento e experimentar mais alegria na vida. Então, naquela madrugada, pouco antes de encerrarmos nossa conversa, por volta das 4h30, e de seu motorista me levar de volta ao aeroporto, ensinei a ele essa prática. Apenas dois dias depois, recebi este e-mail:

> E aí, cara,
>
> Quero agradecer mais uma vez por ter vindo até aqui. Agradeço muito pela nossa conversa e pelo seu tempo, principalmente por ter sido tão em cima da hora. Estou ansioso para trabalhar com você. Também quero compartilhar uma breve vitória com você. Hoje à noite, quando estacionei na garagem de casa, experimentei a técnica de liberação que você me ensinou. Apenas me sentei no carro por alguns minutos, antes de entrar em casa. Fechei os olhos e apenas repeti a palavra "liberação" para mim mesmo. Acredito que tenha feito isso por cinco minutos no máximo. Então perguntei a mim mesmo: "Como posso entrar em casa deixando o trabalho e os negócios do lado de fora? Como cumprimentaria minha esposa se eu fosse o melhor marido do mundo? Como agiria com a minha filha hoje à noite se percebesse como é precioso esse momento da sua vida? Como eu apareceria se estivesse tão energizado quanto o meu eu ideal?". Não me lembro de todos os meus pensamentos, mas defini a intenção de entrar em casa, amar minha esposa e dar a ela toda a minha energia. Entrei como um novo homem, como se tivesse ganhado na loteria da vida. Você deveria ter me preparado para o que aconteceu depois, porque [minha esposa] por um momento pensou que eu estava louco. Mas então ela percebeu que era só eu de novo. Minha filha também percebeu.

Tivemos apenas a noite mais maravilhosa de todas, nem sei como descrever. Mas você me deu minha família de volta. Elas estão se preparando para dormir agora. Não consegui esperar para lhe mandar uma mensagem de agradecimento. Pela primeira vez em muito tempo, quero que você saiba que me senti como se estivesse vivo novamente. [Minha esposa] disse que você fala sobre pessoas se rendendo ao poder da intenção. Conte comigo como mais um exemplo. Obrigado.

Estímulos para a performance

1. As coisas que me provocam mais tensão durante o dia são...

2. Uma das formas de liberar essa tensão ao longo do dia é...

3. Se eu sentisse mais energia a cada dia, estaria mais propenso a...

4. Quando eu restabelecer minha energia a cada dia com essa prática, eu gostaria de começar minha próxima atividade me sentindo...

PRÁTICA DOIS
TRAGA ALEGRIA

> *As pessoas são felizes quando decidem ser.*
> Abraham Lincoln

Nossa pesquisa mostrou que a alegria desempenha um enorme papel no que torna profissionais de alta performance bem-sucedidos. Você deve se lembrar que a alegria é uma das três emoções positivas que definem a experiência da alta performance. (Confiança e comprometimento total no momento — muitas vezes descritos como presença, fluxo ou atenção plena — são os outros dois.)

É por isso que sugiro que, se você decidir definir uma intenção que eleve sua energia e mude sua vida mais do que qualquer outra, escolha *trazer mais alegria* para sua vida diária. A alegria não vai apenas fazer de você um indivíduo de alta performance, mas também vai estimular quase todas as outras emoções humanas positivas que desejamos na vida. Não conheço nenhuma emoção mais importante que o amor, embora eu também acredite que o amor sem alegria pode parecer vazio.

A emoção positiva, em geral, é um dos maiores indicadores de uma boa vida — alta energia e alto desempenho. Pessoas com emoções mais positivas têm casamentos mais satisfatórios, ganham mais dinheiro e têm uma saúde melhor.[13] Quando a emoção positiva está presente, alunos se saem melhor em avaliações,[14] gerentes tomam decisões melhores e são mais eficazes com suas equipes,[15] médicos fazem melhores diagnósticos,[16] e as pessoas são mais gentis e mais prestativas em relação às demais.[17] Neurocientistas descobriram, inclusive, que as emoções positivas estimulam o crescimento de novas células (plasticidade neuronal), enquanto as emoções negativas causam a sua degradação.[18]

Os dados do Indicador de Alta Performance mostram que aqueles que obtêm melhores pontuações gerais e alegam ter mais sucesso — durante um período maior que o de seus pares — também relatam ser mais alegres e otimistas. Experimentam também menos energia e emoção negativas.

Durante as entrevistas, fica claro que os profissionais de alta performance ficam contentes ao falar sobre os ofícios, as carreiras e os relacionamentos a que se dedicam na vida. Nem sempre gostam de todo o árduo trabalho exigido para que se tornem muito bons, mas estão gratos e também empolgados com o que fazem e com as oportunidades em geral. O fato é que a alegria, acima de tudo, é o que lhes dá a Energia com "E" maiúsculo. Se você se sente alegre, sua mente, seu corpo e sua realidade emocional seguirão o mesmo caminho.

Você já ouviu dizer que se fazer presente é 80% do sucesso? Bem, se quiser ter uma alta performance, faça-se presente *e traga alegria*.

Isso tudo soa maravilhoso, mas e se lhe *faltar* a emoção positiva? O que acontece quando a vida *não é* alegre? E se as pessoas que estão ao seu redor forem negativas?

Bem, então é melhor você mudar isso. A emoção positiva é um pré-requisito para o desempenho de ponta. *E uma experiência emocional duradoura depende apenas de você mesmo.* Lembre-se da lição do último capítulo: você pode escolher seus sentimentos (as interpretações que temos sobre as emoções que sentimos), e quanto mais fizer isso, mais você redesenha a maneira como experimenta as emoções. Você é responsável por como se sente. Talvez esse seja um dos maiores dons humanos.

Isso não significa que os profissionais de alta performance sejam *sempre* felizes, perfeitos e incríveis. Assim como todo mundo, eles vivenciam emoções negativas. A diferença é que lidam melhor com elas e, talvez ainda mais importante, direcionam conscientemente seus pensamentos e comportamentos para gerar emoções positivas. Mais uma vez, os indivíduos de alta performance *orientam* seus pensamentos em direção a estados positivos. Assim como atletas fazem coisas específicas para darem o melhor de si, indivíduos de alta performance conscientemente cultivam a alegria.

Para entender como eles fazem isso, pedi a um grupo de pessoas selecionadas aleatoriamente, dentre as que tiveram uma pontuação alta no IAP, que descrevessem como elas geravam emoções e sentimentos positivos em geral. O que especificamente trazia (e o que não trazia) alegria para a vida dessas pessoas? E que hábitos, se houvesse algum, elas deliberadamente se obrigaram a praticar para permanecer em estados alegres por mais tempo? O que se revelou a partir de suas respostas é que os indivíduos de alta performance costumam seguir hábitos semelhantes todos os dias. Eles tendem a...

1. ... preestabelecer as emoções que querem experimentar, antes de momentos-chave (ou de seus dias em geral). Eles refletem sobre a maneira como querem se sentir e fazem perguntas a si mesmos, ou exercitam a visualização, que gera esses sentimentos. (Isso se alinha bem com o "foco no sentimento" do capítulo anterior.)
2. ... antecipar resultados positivos de suas ações. São otimistas e acreditam claramente que suas ações serão recompensadas.
3. ... imaginar possíveis situações estressantes e como seu eu ideal poderia lidar com elas de maneira agradável. Antecipam resultados positivos, na mesma medida em que são realistas quanto a enfrentar obstáculos, e se preparam para dificuldades.
4. ... fazer o possível para inserir reconhecimento, surpresa, admiração e desafio em seus dias.
5. ... direcionar as interações sociais a emoções e experiências positivas. São o que um dos entrevistados chamou de "propagadores de bondade conscientes".

6. ... refletir regularmente sobre tudo que desperta sua gratidão.

Se você fizesse essas seis coisas consciente e consistentemente, também se sentiria muito feliz. Sei disso, porque foi o que aconteceu comigo.

Retomando as rédeas da minha vida

Em 2011, de férias no deserto com amigos, destruí um quadriciclo enquanto corria pela praia, a cerca de 65 quilômetros por hora. Quebrei o pulso, desloquei o quadril, quebrei algumas costelas, e um tempo depois fui diagnosticado com síndrome pós-concussão, causada pelo traumatismo cranioencefálico. Escrevi sobre essa experiência na introdução do meu livro *O poder da energia*, por isso não vou entrar em muitos detalhes aqui. O que vou compartilhar é que foi uma época terrível da minha vida. O trauma prejudicou minha concentração, meu controle emocional, minha capacidade de raciocínio abstrato, minha memória e meu equilíbrio físico. Durante semanas, fui vítima de uma condição que apenas me levava a seguir ao sabor da corrente e a deixar minhas emoções me dominarem. Não estava lidando bem com as frustrações do dia a dia porque — preciso ser sincero — acho que não estava tentando o suficiente. Estava tão focado em me recuperar dos ferimentos físicos que negligenciei a necessidade de recondicionar minha própria mente, que também havia sido comprometida pela lesão cerebral. Isso fez com que eu me sentisse frustrado por qualquer motivo com a minha equipe, fosse grosseiro com minha esposa, deixasse de pensar no futuro e, em geral, estivesse de mau humor.

Então, um dia, depois de ler algumas de nossas descobertas sobre profissionais de alta performance, percebi que não estava mantendo meus hábitos matinais. Também sabia que se eu não criasse novos gatilhos mentais para ajudar a ativar emoções e experiências mais positivas na vida, meu problema cerebral me tomaria e meu comportamento-padrão passaria a ser apenas reação e tristeza. Com a pesquisa sobre as seis coisas que os indivíduos de alta performance faziam para trazer alegria à sua vida, comecei uma nova rotina matinal e novos gatilhos.

Todas as manhãs no chuveiro, eu me fazia três perguntas para preparar minha mente para um dia positivo:

- Com o que posso me animar hoje?
- O que ou quem pode me atrapalhar ou me estressar, e como posso reagir de maneira positiva a partir do meu eu ideal?
- Quem posso surpreender hoje com um agradecimento, um presente ou um momento de reconhecimento?

Escolhi a primeira pergunta especificamente porque inúmeros profissionais de alta performance compartilharam que gostavam tanto da antecipação de determinado momento quanto do momento em si. Neurocientistas descobriram o mesmo: a antecipação pode ser tão poderosa na liberação de hormônios como a dopamina, que traz felicidade, quanto o fato alegre em si.[19]

É claro que algumas vezes eu ficava no chuveiro sem conseguir pensar em nada com o que me animar. Então eu me perguntava: "Bem, o que você *poderia* fazer — ou até mesmo inventar — para se entusiasmar hoje?".

Escolhi a segunda pergunta para poder seguir a prática, típica dos profissionais de alta performance, de imaginar possíveis situações estressantes e a maneira como seu eu ideal poderia lidar com elas. Costumo fazer essa pergunta em voz alta, do ponto de vista de uma segunda pessoa, e depois respondê-la em voz alta. Ou seja, fico lá no chuveiro e digo: "Brendon, o que pode estressá-lo hoje, meu amigo, e como seu eu ideal se comportaria se isso aparecesse?". Ou "Brendon, quando X acontece, penso em Y e então faço Z". Eu poderia até me imaginar lidando com a situação, e descrever como estaria me sentindo: "Lá está o Brendon naquela reunião, sentindo-se um pouco nervoso. Seu coração está batendo rápido demais, porque ele está se esquecendo de respirar e está focado apenas em si mesmo. Precisa relaxar agora, estar presente e se concentrar em fazer perguntas às pessoas e estar disponível".

Pode parecer bizarro: eu, de pé no chuveiro, pensando em situações estressantes todas as manhãs e falando sozinho. Mas pensar nos obstáculos e falar consigo mesmo na segunda pessoa pode ser muito mais contundente do que falar em primeira pessoa.[20] Isso lhe dá alguma perspectiva. Chamo isso de prática de *autocoaching*, porque você está basicamente se distanciando de si mesmo e se treinando, como treinaria um amigo sobre as maneiras de lidar com uma circunstância difícil. Vários profissionais de alta performance fazem isso.

Esse processo é semelhante ao que os psicólogos chamam de "desfusão cognitiva", uma prática de tentar externalizar e se distanciar das emoções ou situações difíceis. Por exemplo, uma pessoa que está lidando com a ansiedade poderia ser ensinada a dar um nome à sua ansiedade. Assim, o problema deixa de ser a própria ansiedade e passa a ser um vilão externo. Isso permite que o paciente se divorcie do problema. Agora eles são capazes de ver que a questão externa vem bater à porta e eles podem escolher abrir ou não.

Incluí a terceira pergunta porque queria garantir que todos os dias eu pudesse antecipar os resultados positivos de minhas ações. Eu sabia que pensar em maneiras de surpreender os outros com reconhecimento realmente me proporcionaria uma dose dupla de bondade: eu receberia uma onda de gratidão só por poder pensar nessas pessoas, e outra quando compartilhasse minha gratidão com elas. Fazer essa pergunta também me ajuda a preencher meu dia com mais reconhecimento, surpresa, admiração ou desafio.

Ao estar consciente dessas três perguntas no início da manhã, eu começava o dia entusiasmado, pronto para enfrentar os desafios como o eu ideal, e animado para envolver as pessoas com o reconhecimento.

Essa simples prática matinal pode criar antecipação, esperança, curiosidade e otimismo — todas as emoções positivas que comprovadamente levam à felicidade e a resultados positivos na saúde, como taxas mais baixas de cortisol, menos estresse e maior longevidade.[21]

Novos gatilhos mentais

Todo profissional de alta performance que já entrevistei fala sobre como controlam seus pensamentos e os direcionam para estados mentais positivos. Não esperam a alegria pousar neles; eles a *trazem para si*.

Então, enquanto me recuperava da lesão cerebral, decidi desenvolver uma série de gatilhos que me lembrariam de orientar minhas interações sociais em direção a emoções e experiências positivas.

1. O primeiro gatilho foi o que chamo de "gatilho de notificação". Programei meu celular para disparar uma mensagem com a frase TRAGA ALEGRIA. Ajustei o alarme para disparar três vezes ao longo do dia, e escrevi: TRAGA ALEGRIA!. Poderia estar em uma reunião, em uma ligação ou escrevendo um e-mail, e de repente meu telefone vibraria — enquanto o

alarme estivesse disparando, a tela mostraria essas palavras. (Como você aprendeu no capítulo sobre Clareza, também coloquei outras palavras e frases no meu telefone para me lembrar de quem quero ser e como quero interagir com os outros.) Quando seu telefone vibra, você olha para ele, certo? Então lá estava eu no meio do meu dia, às vezes seguindo no piloto automático, tentando me recuperar do acidente, e *bam!*, meu telefone disparava. Isso me lembrava de *trazer alegria* para o momento. Há anos esse lembrete vem condicionando minha mente consciente e inconsciente a trazer sentimentos positivos para a minha vida cotidiana.

2. O segundo gatilho que defini foi o que chamo de "gatilho de entrada". Toda vez que entro por uma porta, digo a mim mesmo: "Vou encontrar o que há de bom nesta sala. Estou entrando neste espaço como um homem feliz e pronto para servir". Essa prática me ajuda a estar presente, a procurar o que as pessoas têm de bom e a preparar minha mente para ajudar os outros. Que frase ou expressão positiva você poderia dizer a si mesmo toda vez que transpuser uma porta?

3. O terceiro que configurei foi um "gatilho de espera". Sempre que estou esperando na fila para comprar algo, pergunto a mim mesmo: "Em uma escala de 1 a 10, estou me sentindo presente e entusiasmado agora?". Ao me fazer essa pergunta, estou checando meu estado emocional, dando uma nota para ele e decidindo se ele é suficiente para como quero me sentir e como quero viver minha vida. Muitas vezes, quando me sinto no nível 5 ou abaixo, minha mente desperta e diz: "Ei, cara, você tem sorte de estar vivo. Aumente sua energia e aproveite a vida!". Às vezes, a culpa de saber que você não está se sentindo tão animado quanto deveria pode ser uma boa força motivadora para virar o jogo.

4. O quarto que defini foi um "gatilho de toque". Sempre que sou apresentado a alguém, essa pessoa recebe um abraço. Não porque eu seja naturalmente uma pessoa de abraços — não sou. Comecei esse gatilho porque li muitas pesquisas sobre como o toque é vital para o bem-estar e a felicidade.[22]

5. O quinto gatilho que criei foi o "gatilho da dádiva". Sempre que algo de positivo acontece ao meu redor, digo: "Que dádiva!". Fiz isso porque muitos profissionais de alta performance alegaram ter uma sensação de reverência ou sacralidade na vida cotidiana. Às vezes, isso é fruto

da espiritualidade — sentem alegria porque se sentem abençoados por Deus. Às vezes, é resultado de um estado de respeito e admiração em relação a como o mundo pode ser bonito. Em outras ocasiões, eles falam sobre as dádivas com gratidão e culpa — sentem que tiveram oportunidades demais e, portanto, têm uma profunda responsabilidade de *merecer essas bênçãos* retribuindo-as. De qualquer forma, essas pessoas veem sua vida e suas bênçãos como uma dádiva. (Alguns cientistas até consideram nossa habilidade de atribuir um sentido de sacralidade a nossas atividades diárias e interações uma outra forma de inteligência humana — especificamente, uma inteligência espiritual.[23]) Então, se um acordo for fechado ou alguém receber boas notícias a respeito de um ente querido, ou qualquer coisa positiva e inesperada acontecer, você vai me ouvir dizer: "Que dádiva!".

6. O sexto foi um "gatilho de estresse". Minha lesão cerebral fazia com que eu me sentisse sempre apressado, quase em pânico. E então um dia decidi que pressa e estresse não fariam mais parte da minha vida. O estresse é criado por nós mesmos, então decidi parar de fabricá-lo. Sempre acreditei que podemos escolher pela calma e alegria em nosso interior, mesmo em meio ao caos, então fiz exatamente isso. Sempre que as coisas pareciam fugir do controle, eu me levantava, respirava fundo dez vezes e me perguntava: "Qual é a coisa positiva em que posso me concentrar e qual a próxima ação correta e íntegra que devo iniciar agora?". Com o tempo, essa prática tirou o poder dos sentimentos de estresse e pressa causados pela minha lesão.

Para complementar os gatilhos, passei a trabalhar todas as noites em um diário, no qual escrevia três coisas que me fizeram sentir bem durante o dia. Então passava um tempo de olhos fechados para de fato *revivê-las*. Coloco-me de volta na situação em que estive. Vejo o que vi, ouço o que ouvi, sinto o que senti. Muitas vezes, durante a reflexão, agradeço o momento com ainda mais cuidado e foco do que quando ele aconteceu. Rio mais forte. Sinto meu coração bater mais rápido. Choro mais. Tenho uma sensação ainda maior de admiração, contentamento, gratidão, significado ou apreço pela vida.

Comecei também a fazer a mesma coisa todos os domingos à noite. Olho para as anotações sobre gratidão da semana que passou e as revivo com a mesma conexão emocional. Se eu puder fechar os olhos por cinco minutos e, por todo esse tempo, pensar com facilidade em uma lista cada vez maior de coisas pelas quais sou grato, então sei que estava prestando atenção durante a semana.

Naturalmente, a gratidão é a avó de todas as emoções positivas. Também tem sido o foco de grande parte do movimento da psicologia positiva — porque *funciona*. Talvez não haja melhor maneira de aumentar a felicidade contínua do que começar uma prática de gratidão.[24]

> *A gratidão é a moldura dourada através da qual vemos o sentido da vida.*

Juntas, todas essas coisas me ajudaram a manter a alegria na linha de frente da minha mente e da minha vida conforme eu me recuperava da minha lesão cerebral.

Conheci muitos profissionais de alta performance que iniciaram rotinas e gatilhos semelhantes para se recuperar de problemas de saúde. Quando mostrei essas técnicas para Arjun, o titã da tecnologia do início deste capítulo, descobrimos que ele nunca havia criado *nenhum* gatilho consciente em sua vida que ativasse emoções positivas. Ele era, em suas palavras, "geralmente equilibrado e bom em apenas reagir à vida com indiferença". Mas ele descobriu que apenas *reagir* bem ainda correspondia a ter uma vida limitada. Se você não colocar intenção e fixar lembretes para *gerar* alegria em sua vida, não vai experimentar toda a gama de entusiasmo da existência. Com apenas três ou quatro novos gatilhos em sua vida, Arjun mudou por completo. Ele tinha dois gatilhos favoritos. O primeiro era sempre se levantar quando estivesse estressado e sozinho, respirar fundo dez vezes e se perguntar: "Como meu eu ideal lidaria com essa situação?". Em seu outro gatilho, sempre que a esposa chamasse seu nome, ele diria a si mesmo: "Você está neste planeta para essa mulher. Traga alegria para a vida dela".

A intenção dele de elevar a energia em prol das pessoas ao seu redor é algo que espero que você imite. Se você está sempre apressado, ansioso, estressado ou ocupado, então que energia está ensinando os outros a adotar? Se você não trouxer mais atenção plena e alegria para a sua vida pelo simples aprimoramento pessoal, faça isso por aqueles que estão ao seu redor e que, de alguma maneira, poderiam acabar contagiados por sentimentos negativos dos quais você não cuidou.

Profissionais de alta performance cultivam a alegria a partir da maneira como pensam, das coisas em que estão focados, da maneira como se dá seu comprometimento e de como isso se reflete em seus dias. É uma escolha. Eles direcionam suas vontades e seus comportamentos para gerar alegria. Isso os anima, mas também contribui para a vida dos outros. E agora é hora de despertar e ressurgir no mundo com um espírito renovado.

Estímulos para a performance

1. Três perguntas que eu poderia me fazer todas as manhãs para estimular emoções positivas para o restante do dia são...

2. Alguns novos gatilhos que eu poderia definir para mim incluem (veja meus exemplos de gatilhos de notificação, de entrada e de espera)...

3. Uma nova rotina que eu poderia começar para repetir os momentos positivos dos meus dias é...

PRÁTICA TRÊS
OTIMIZE A SAÚDE

> *Você pode não se sentir extraordinariamente forte, mas se for um adulto mediano terá na sua modesta estrutura não menos que 7×10^{18} joules de energia potencial — o suficiente para explodir com a força de trinta bombas de hidrogênio muito grandes, supondo que você soubesse como liberá-la e realmente quisesse provar alguma coisa.*
> Bill Bryson

Antes de começar a escrever este capítulo, levantei-me do computador, fui até a cozinha, bebi um copo de água, desci as escadas, me desafiei a um tiro de três minutos em minha bicicleta ergométrica e me alonguei por dois minutos utilizando práticas de *Vinyasa flow yoga*. Então voltei para o meu escritório, sentei-me, fechei os olhos e fiz a minha prática de LIBERAR A TENSÃO, DEFINIR A INTENÇÃO. Se você estivesse nos bastidores de meus seminários, me veria seguindo uma rotina semelhante: energizando meu corpo e preparando minha mente para servir. Aprendi a ter essa disciplina depois de perceber que os profissionais de alta performance estavam sempre melhorando sua energia com movimentos físicos e padrões respiratórios. Notei que eles se alimentavam de maneira mais saudável e se exercitavam mais do que o público em geral, então comecei a fazer o mesmo.

Não foi sempre assim. Com vinte e tantos anos, minha condição física era péssima. Estava trabalhando de doze a dezesseis horas por dia como consultor. A maior parte do meu trabalho era ficar sentado na frente de um computador e preparar apresentações e currículos. Todo esse tempo sentado trazia de volta dores nas costas derivadas de lesões antigas, e a dor impedia que eu me exercitasse tanto quanto gostaria. Logo, caí em uma armadilha que muitos de nós conhecem bem: parei de cuidar de mim mesmo. Dormia pouco, comia mal e raramente me exercitava. Percebi que minha performance no trabalho e na minha vida em geral estava sendo prejudicada por causa disso, mas era difícil interromper o ciclo, porque eu vivia tentando me convencer de como seria difícil me tornar uma pessoa saudável.

Quando as pessoas não são saudáveis, não é porque elas não sabem como ser saudáveis. Todos nós sabemos o que fazer para aumentar nossa energia física, porque isso já é senso comum: *Atividade física* — exercite-se mais. *Nutrição* — coma alimentos mais saudáveis. *Sono* — tente dormir de sete a oito horas. Não há o que discutir em relação a isso, certo?

Infelizmente, muitas pessoas ainda discutem a respeito. Dizem muitas coisas sem sentido que justificam seu mau comportamento nessas áreas. Com muita frequência, os realizadores creditam a baixa energia à sua estrutura física ou às demandas de tempo da sua área de atuação, à cultura da empresa ou às suas obrigações pessoais.

Comigo foi igual. Eu disse coisas bem-intencionadas, mas mal pensadas, como as seguintes:

Todo mundo na minha área trabalha duro, então tenho que abrir mão de alguma coisa, de algum lugar.

E do que abri mão? De cuidar da minha saúde. É claro que, quando falei "minha área", eu estava confundindo suas regras com as dos cinco fanáticos com quem eu estava trabalhando, que também negligenciavam a saúde e suas famílias. Felizmente, naquele momento da minha vida, eu trabalhava para uma empresa global e notei que muitas pessoas no mesmo nível que eu eram saudáveis. Era óbvio que algumas pessoas haviam descoberto como estar fisicamente saudáveis fazendo o mesmo trabalho que eu. Na verdade, notei que muitas pessoas, algumas inclusive acima de mim na hierarquia, cuidavam melhor de si mesmas, aproveitando mais a vida e obtendo resultados ainda melhores do que os meus.

Bem, me tornei bem-sucedido dormindo apenas cinco horas por dia, então o sono não é determinante para mim.

Falei isso, ignorando totalmente o próximo pensamento lógico: imagine como meu nível de sucesso seria *maior* com apenas mais duas horas de sono. Dormir pouco não estava relacionado ao meu êxito profissional. Não foi isso que me colocou em vantagem. Mas eu era jovem e burro. Comecei a pesquisar maneiras de tirar vantagem do meu sono para dormir menos. Felizmente, não pude negar os cinquenta anos de pesquisa sobre o sono com a qual esbarrei, que afirmava que a duração adequada do sono (cerca de sete a oito horas para quase todos os adultos) gera resultados cognitivos mais elevados, menos estresse, maior satisfação com a vida, melhor saúde, mais produtividade, mais lucratividade e menos conflitos. A literatura era clara ao afirmar que um sono de má qualidade está associado a distúrbios psiquiátricos, obesidade, doença coronariana, acidente vascular cerebral — e a lista continua.[25]

Vou voltar a me concentrar na minha saúde e na minha felicidade daqui a noventa dias. Estou ocupado agora.

A pessoa que diz isso tende a estar em um ciclo eterno de cansaço — dizem noventa dias, mas na verdade já se passaram *anos*, e continuarão a passar antes de descansarem e se sentirem humanos novamente. Isso também aconteceu comigo em determinado ponto. Aprendi que o que fazemos na vida cotidiana — sim, até nos dias de correria — costuma se transformar em hábitos difíceis de abandonar.

Eu nasci assim.

Eu costumava criar argumentos biológicos ou genéticos sobre como me sentia fisicamente, por conta de um defeito de nascença na coluna e devido aos acidentes que sofri. Mas esse raciocínio também não se sustentou muito bem. Não há dúvida de que o histórico familiar ou que fatores genéticos específicos causem ou possam causar doenças — históricos familiares de câncer, doenças cardiovasculares, diabetes, doenças autoimunes e doenças psiquiátricas são especialmente influentes. Mas você não precisa passar muito tempo olhando fotos de antes e depois no Instagram para entender que podemos transformar drasticamente nossa saúde. Temos um extraordinário grau de controle sobre nossa saúde geral e de longo prazo. Nossos hábitos e ambientes diários podem ou não ativar predisposições genéticas.[26] E, não importa a área de estudo, a inatividade física sempre se prova como um dos principais culpados de todos os resultados negativos na nossa saúde.

Não tenho tempo para X.

Nessa desculpa, "X" geralmente se refere a atividades físicas, alimentação/compras saudáveis ou meditação. Mas aprendi que nenhuma dessas coisas necessariamente *custa* tempo. Na verdade, muitas vezes elas fazem com que você ganhe tempo, tornando-o mais produtivo e lhe dando mais energia. Se você está mais esperto, mais ligado e mais capaz de produzir coisas importantes, *porque* você tirou um tempo para se exercitar e comer de forma mais saudável, o treino ou a dieta saudável não foram um déficit.

Compartilho essas coisas porque sei que não sou a única vítima de pensamentos ruins como esse. Você já deu essas desculpas para si mesmo? Que outras histórias você se conta para permitir que suas más escolhas em relação à saúde continuem? É uma pergunta difícil, eu sei, mas vale a pena considerar. Na verdade, vamos avaliar sua saúde física agora. Quão fisicamente saudável você se classificaria em uma escala de 1 a 10? Considere 1 como se estivesse praticamente morto, enquanto 10 significa que você quase sempre se sente energizado e forte. Qual é o seu número?

Se você não acha que é um 7 ou mais, talvez esta seja a seção mais importante do livro. Você pode obter ganhos imediatos e extraordinários em energia mental e emocional simplesmente cuidando melhor do seu corpo físico. E você precisa fazer isso. O que você vê no mundo depende do seu estado de espírito e da sua energia física. Dessa forma, tudo parece pior quando você está se sentindo pior. E melhor quando você está melhor. Queremos você no seu melhor.

Fique em forma agora

Se estiver sendo sincero, você sabe que a pesquisa é conclusiva: *você precisa se exercitar*. Muito. Principalmente se você se importa com o seu desempenho mental. Exercícios aumentam a produção do fator neurotrófico derivado do cérebro (BDNF). O BDNF faz com que novos neurônios cresçam em seu hipocampo e em outras áreas do cérebro, trazendo maior plasticidade e capacidade de aprender mais rápido, de lembrar mais e de melhorar o funcionamento geral do cérebro.[27] Esse é um ponto importante que muita gente desconhece: exercícios melhoram a aprendizagem. Exercícios também diminuem o estresse, que acaba com a performance mental.[28] O estresse realmente diminui o BDNF e a função cognitiva geral, e exercícios são sua melhor arma para eliminar grande parte desse estresse.

Como aumenta sua energia, o exercício também permite que você execute tarefas gerais com mais rapidez e eficiência. Aumenta a sua memória de trabalho, melhora o seu humor, aumenta o seu tempo de atenção e o deixa mais alerta. Todos esses fatores aumentam o seu desempenho.[29]

Portanto, se as exigências do seu trabalho ou da sua vida exigirem que você aprenda rápido, lide com o estresse, esteja atento, preste atenção, lembre-se de coisas importantes e mantenha o bom humor, então você precisa levar os exercícios mais a sério.

Se você se importa com suas contribuições para o mundo, vai se importar com você mesmo. Isso não significa que você tenha que se matar em uma esteira — quase todos esses efeitos positivos foram encontrados apenas com exercícios moderados. Ou seja, exercitar-se apenas algumas vezes por semana. Isso significa retomar um bom plano de treino. É comprovado que apenas *seis semanas* de exercícios aumentam a produção e a receptividade da dopamina no cérebro, o que melhora o humor e a performance mental. Também aumenta a produção de norepinefrina, que ajuda a cometer menos erros em tarefas mentalmente desafiadoras.[30] Lembre-se de que a energia é física, emocional e mental — e o exercício melhora cada uma dessas categorias.

Uma descoberta impressionante de nossa pesquisa com mais de 20 mil indivíduos de alta performance é que os 5% dos que apresentam desempenho mais alto estão 40% mais propensos a se exercitar pelo menos três dias por semana do que os outros 95%. Evidentemente, se você quer chegar ao topo do ranking de sucesso na vida, é hora de levar exercícios a sério.

Se você tem filhos, deve levar isso ainda mais a sério. É essencial que você inspire seus filhos a serem saudáveis. Crianças saudáveis têm maior capacidade de prestar atenção do que as que não se exercitam, e exercícios fazem uma diferença significativa em seu QI e em seu desempenho acadêmico a longo prazo.[31]

E, se *você* não é mais uma criança — você está em um segmento demográfico mais velho —, então exercício é *tudo*. Está comprovado que os exercícios físicos são tão eficazes para a depressão quanto os medicamentos (embora não devam ser considerados um substituto). Pessoas que se exercitam mais sofrem menos depressão, provavelmente por causa dos efeitos do aumento da dopamina no cérebro.[32] Exercícios também ajudam a aumentar a produção de serotonina e melhoram o sono, o que, por sua vez, produz mais serotonina.[33] (Caso você não saiba, a maioria dos antidepressivos é formulada para atingir a liberação e a recaptação da serotonina, razão pela qual muitos pesquisadores recomendam que pacientes depressivos se exercitem, estejam ou não fazendo uso de medicamentos.)³⁴ Exercícios também diminuem a dor (quase como o efeito do THC/cannabis) e reduzem a ansiedade — questões fundamentais para adultos em processo de envelhecimento.³⁵

Tenho certeza de que todos nós podemos admitir que há uma sensação de estresse cada vez maior nos dias de hoje. Está no ar. A melhor maneira de lidar com essa ameaça é experimentar mais emoções positivas (trazendo intencionalmente mais alegria para nossa vida) e liberando a tensão por meio de exercícios. Prometo a você que, se fizer da atividade física uma parte vital da sua vida, muitas outras coisas vão se encaixar como se fosse mágica.

Depois de organizar suas rotinas de treino, comece a melhorar sua dieta. Nos Estados Unidos, 60% dos adultos estão acima do peso ou obesos, e não podemos culpar a diminuição da prática de atividades físicas. Muito disso tem a ver com o consumo excessivo de alimentos.³⁶ As pessoas simplesmente comem demais, e isso provoca efeitos terríveis na saúde e leva a uma péssima performance. Pesquisadores descobriram que comer em excesso é muito próximo de um vício e pode ser um efeito de como o cérebro de algumas pessoas opera. Ainda assim, os pesquisadores também concluíram que comer em excesso é apenas o resultado de decisões ruins — escolher de maneira consciente uma satisfação de curto prazo em detrimento da saúde de longo prazo.³⁷

Se existe uma regra na qual os profissionais de saúde insistem sistematicamente, mais do que em qualquer outra, é a de que você deve estar ciente de quando está comendo não para se alimentar, mas apenas para se satisfazer quando está de mau humor. Tenha cuidado com o uso das refeições como uma maneira de engolir as emoções negativas. Se você se sentir mal, *movimente-se*. Saia para uma caminhada e mude seu estado emocional *antes* de comer. Nem sempre é fácil, eu sei. Mas vale a pena o esforço, porque, se você puder mudar como se sente antes de comer, provavelmente escolherá refeições mais saudáveis. E isso é fundamental. Acontece que o que comemos pode influenciar tanto nossa saúde e nossa produtividade quanto as atividades físicas. "Coma bem, sinta-se bem, tenha uma boa performance" é um truísmo. E não apenas para nós como indivíduos. O acesso a uma boa alimentação tem efeitos positivos importantes sobre o desempenho macroeconômico de países inteiros.³⁸ Para as crianças, principalmente, a performance cognitiva e o sucesso na escola estão diretamente ligados a uma alimentação adequada.³⁹

Você provavelmente já sabe que precisa comer de maneira mais saudável, então eu lhe digo: *comece* a fazer isso. Também recomendo que você consulte um nutricionista que possa ajudá-lo a descobrir se é alérgico a algum alimento — algo que regularmente drena a energia — e a formular a melhor dieta para atender às necessidades relacionadas à sua performance.

Por onde começar

Depois de atuar como coach de muitas pessoas com o intuito de aumentar sua energia, aprendi que, se você vai começar a melhorar sua saúde do zero, é preciso iniciar o processo com um programa de exercícios regulares, principalmente se você já estiver saudável. Quando se exercitam, as pessoas tendem a começar a se preocupar mais com a dieta e o sono.

Por outro lado, descobri que, para aqueles que não estão bem de saúde, começar com bons hábitos alimentares os ajudou a começar a se exercitar. Isso ocorre porque é mais fácil perder peso mudando a dieta do que indo à academia três vezes por semana. Ir à academia é uma novidade; comer, não. Mudar o que as pessoas comem é mais fácil do que fazê-las adotar um hábito totalmente novo, a prática regular de exercícios.

Como sempre, consulte seu médico antes de fazer qualquer alteração em seu condicionamento físico ou em outras rotinas de saúde. Saiba apenas que, se você estiver lidando com um médico confiável, ele vai recomendar boas rotinas de sono, alimentação e exercícios. Se estiver lidando com um profissional de saúde que não faz perguntas detalhadas sobre suas rotinas de saúde e não recomenda a manutenção de um padrão de dieta, exercícios e sono relacionado a suas metas de saúde atuais e futuras, sugiro que procure outras opiniões.

Também recomendo que você dê uma olhada ao redor e crie um bom ambiente para si mesmo, no qual as pessoas se preocupam com a saúde. Se você está trabalhando em uma empresa que não promove a prática de exercícios e todas as formas de bem-estar — segurança, saúde, felicidade e senso de realização —, tenha cuidado. Empresas que não se importam com o bem-estar de seus funcionários não têm uma performance tão boa quanto a dos concorrentes.[40] Ainda assim, menos da metade dos americanos que trabalham afirma que suas empresas apoiam o bem-estar dos funcionários, e uma em cada três pessoas alega sofrer de estresse crônico no trabalho. Apenas 41% dizem que o empregador ajuda os trabalhadores a desenvolver e manter um estilo de vida saudável.[41] Evidentemente, cabe a cada um de nós, como indivíduos, assumir o controle de nosso bem-estar e de nossa saúde, porque ninguém mais o fará.

Quando trabalho com executivos, sou bastante rígido: se a empresa à qual você serve a semana inteira não promove o bem-estar, ou você mesmo toma a iniciativa de colocar o bem-estar nos seus planos, ou começa a procurar por um novo lugar para trabalhar. Isto é, se você se preocupa em trabalhar com profissionais de alta performance e em se tornar um deles.

Nos meus seminários, desafio as pessoas a usar os próximos doze meses para chegarem à sua melhor forma. É surpreendente como muitas pessoas nunca se comprometeram de fato com isso. Se você estiver disposto, aqui estão algumas coisas que você pode fazer para começar:

- Comece a fazer o que você *já sabe* que deveria fazer para otimizar sua saúde. Você já sabe que deve começar a se exercitar mais, comer mais frutas e verduras ou dormir melhor. Se você for sincero, provavelmente sabe exatamente o que fazer. Agora é apenas uma questão de comprometimento e hábito.
- Você precisa saber todas as informações disponíveis sobre a saúde do seu corpo. Visite seu clínico geral e solicite um diagnóstico completo. Diga-lhe que deseja ficar o mais saudável possível nos próximos doze meses e que quer realizar todos os exames que ele considera razoáveis para ajudar a avaliar sua saúde. Seu médico o ajudará a descobrir seu índice de massa corporal, suas taxas de colesterol e de triglicerídeos, além de seus fatores de risco, por meio de vários exames. Não faça apenas um exame de rotina — peça o diagnóstico mais completo possível. Se você vai gastar muito em alguma coisa neste ano, gaste com a saúde. Recomendo que você vá além do checkup habitual e encontre também um local que faça um exame laboratorial completo, radiografias de tórax, vacinação, exames de imagem para câncer e exames de imagem do cérebro.
- Além de uma avaliação completa pelo seu clínico, sugiro que você procure o melhor médico de medicina esportiva em sua cidade. Encontre alguém que trabalhe com atletas profissionais. Médicos do esporte geralmente têm uma abordagem totalmente diferente quando o assunto é otimizar a saúde.

- Se você não sabe o que fazer em relação à sua alimentação, encontre o melhor nutricionista da cidade para ajudá-lo a elaborar um planejamento alimentar personalizado. Certifique-se de testar alergias alimentares e de sair do consultório sabendo perfeitamente o que deve comer, o quanto e quando. Uma visita a um bom nutricionista pode mudar sua vida para sempre.
- Comece a se condicionar para dormir oito horas por noite. Digo "condicionamento" porque a maioria das pessoas não consegue dormir uma noite inteira — não por razões biológicas, mas por falta de condicionamento para dormir. Tente o seguinte: não olhe para nenhuma tela uma hora antes de dormir; baixe a temperatura de sua casa para 20°C à noite; desligue todas as fontes de luz e de som do quarto. Se você acordar no meio da noite, não se levante nem verifique seu telefone. Condicione seu corpo a apenas ficar ali. Comece a ensinar seu corpo que ele tem que ficar na cama por oito horas, não importa o que aconteça. Para outros truques para pegar no sono, leia *A revolução do sono*, da minha grande amiga Arianna Huffington.
- Contrate um personal trainer. Se o preparo físico ideal se tornou uma meta primordial em sua vida, sob nenhuma circunstância você deve tentar otimizar sua saúde física sem um personal trainer. Sim, você pode assistir a vídeos de exercícios em casa, mas prestar contas a um treinador vai ajudá-lo mais. Se simplesmente não puder pagar por isso, encontre um amigo que esteja em excelente forma física e pergunte se pode começar a treinar com ele. Não deixe seu ego entrar no caminho — só porque você não consegue acompanhá-lo não significa que você não pode *chegar* lá. Entre em uma rotina regular de exercícios e a transforme em uma oportunidade de socializar.
- Se quiser um plano simples para iniciantes e seu médico aprovar, recomendo que você comece com o treinos "dois por dois". São dois treinos de exercícios de levantamento de peso de vinte minutos por semana e dois treinos de exercícios aeróbicos de vinte minutos por semana. Em todas as sessões, dedique cerca de 75% do seu esforço total — isto é, seja mais intenso do que descuidado durante os treinos. São apenas quatro sessões de exercício intenso por semana. Nos outros três dias, uma boa ideia é fazer entre vinte e 45 minutos de caminhada acelerada. Mais uma

vez, consulte seu médico para ver se essa é uma rotina adequada para você. E se dedique. Não se meta nesse programa de 75% de esforço se for totalmente sedentário. Caso contrário, você pode se machucar ou ficar tão dolorido que vai achar que exercícios físicos não são para você. E isso seria uma péssima conclusão.

- Por fim, *alongue-se* mais, muito mais. Apenas de cinco a dez minutos de alongamento leve ou de ioga todas as manhãs e noites ajudarão você a ganhar mais flexibilidade e mobilidade. Isso vai relaxar seu corpo e assim você não carregará tanta tensão.

Estímulos para a performance

1. Quero estar fisicamente o mais saudável possível nesta fase da vida porque...

2. Se eu fosse entrar na melhor forma da minha vida, as três primeiras coisas que eu pararia de fazer seriam...

3. Entre as coisas que eu começaria a fazer estariam...

4. Um cronograma semanal que eu poderia usar para ficar mais saudável e que efetivamente seria capaz de seguir contaria com...

COMPROMETA-SE

É necessário um grande esforço para conter a degradação e restaurar o vigor.
Horácio

A energia é fundamental para a alta performance. Todos os outros hábitos podem estar sendo mantidos em sua vida, mas sem dominar este você não se *sentirá* bem. Ninguém quer se sentir mentalmente confuso, afogado em emoções negativas ou fisicamente exausto. Felizmente, porém, esses estados geralmente são resultado de más decisões, e não de uma genética problemática. Se quiser, você pode otimizar seu quociente de energia global. E talvez esse seja o nosso dever máximo, uma vez que a nossa vitalidade determina, em última análise, como trabalhamos, amamos, nos movemos, reverenciamos, nos relacionamos e lideramos.

Faça da melhora de sua energia um compromisso. Comece a tirar mais momentos durante o dia para liberar a tensão do corpo e da mente. Escolha trazer alegria para sua experiência cotidiana. E decida agora mesmo que daqui a doze meses você estará na melhor forma de sua vida. Eu sei, é um objetivo difícil para definir. Mas, se essa fosse a única decisão que você já tomou a partir de um livro como este, o esforço por si só mudaria sua vida. Se eu recebesse um e-mail seu daqui a um ano que dissesse "Brendon, não fiz nada que você recomendou, exceto ter uma saúde melhor", bem, isso me traria uma enorme alegria.

Hábito de alta performance #3
Encontrar a necessidade

Somente aquele que se dedica a uma causa com toda a sua força e alma pode ser um verdadeiro mestre. Por essa razão, o domínio exige tudo da pessoa.
Albert Einstein

SAIBA QUEM PRECISA DA SUA MELHOR PERFORMANCE

AFIRME O PORQUÊ

MELHORE A QUALIDADE DO SEU TIME

"O que mais eu poderia fazer?"

Os três fuzileiros sentados em volta de Isaac acenam enquanto uma garçonete serve café novamente.

Pergunto: "Você não teve escolha?".

Ele ri. "Bem, sempre há escolha. Naquela época, eu tinha três opções: Cagar nas calças. Fugir. Ou ser um fuzileiro naval."

Rio mais do que qualquer um na mesa. Os outros caras estão acostumados com esse tipo de coisa.

Pergunto a ele: "O que você disse para si mesmo enquanto corria em direção à explosão?".

Isaac estava em uma patrulha terrestre quando um dos veículos de sua tropa foi atingido por uma bomba de fabricação caseira. A explosão o derrubou do veículo e ele apagou. Quando recobrou os sentidos, viu o veículo em chamas, envolvido por uma espiral de fumaça e sendo atingido por tiros. Foi quando ele começou a correr até lá.

"Você só pensa que não quer que nenhum dos seus homens morra. Isso é tudo o que realmente passa pela cabeça: seus homens."

Isaac olha pela janela do café e ninguém fala. Por um momento, todo mundo parece perdido em suas próprias histórias.

"Às vezes", continua Isaac, "tudo o que você é está em jogo em um segundo.

Durou apenas alguns minutos. Lembrando depois, parece que foi um filme de duas horas. É como se toda a sua vida e tudo o que você representa satisfizessem as necessidades de um instante."

Olha para a cadeira de rodas. "Isso não acabou como imaginei. Sou inútil agora. Acabou."

Isaac talvez nunca volte a andar. É um herói por ter dado a cobertura que ajudou a salvar uma pessoa da explosão. Foi baleado assim que eles puseram o sobrevivente ferido, um de seus melhores amigos, em segurança.

Um dos outros fuzileiros zomba. "Não acabou, cara. Você vai se recuperar. Você vai ficar bem."

Isaac se irrita. "Você não está vendo o meu estado? Não tem o que fazer. Não tenho condições de servir meu país. Qual é o sentido?"

Seus amigos olham para mim.

"Você está certo", digo. "Não tem sentido — a menos que você escolha criar um. Ou o sentido da sua dor é dizer ao mundo: 'Foi assim que escolhi lidar com isso: desistindo'. Ou o sentido é mostrar a si mesmo, aos seus companheiros fuzileiros e ao mundo que nada vai parar você ou o seu espírito de servir."

Minhas palavras soam vazias. Isaac apenas cruza os braços. "Ainda não vejo o sentido."

Um de seus amigos se inclina em sua direção. "E não vai ver nunca. Se você não tem um motivo para existir, cara, acabou. Mas a questão é que você escolhe o motivo. Você não tem que melhorar. Ou você escolhe que tem que melhorar. Fica a seu critério. A primeira opção é péssima e torna a sua vida miserável para sempre. A outra tira você da cama."

Isaac murmura: "Por que tentar?". Então fica quieto. É aquele silêncio do qual ninguém quer fazer parte, observando alguém no limite, sem saber se deve desistir ou viver.

Depois de um tempo, fica claro que ele não acha que precisa fazer uma escolha naquele momento. Dá para ver que isso está frustrando seus amigos. A indecisão não é algo com o qual fuzileiros navais lidam bem. Finalmente, um deles aproxima o rosto a poucos centímetros do de Isaac e olha para ele com uma intensidade que apenas um militar é capaz de evocar.

"Porque, Isaac, você não tem nenhuma outra escolha, droga. Porque você vai ficar obcecado pela sua recuperação da mesma maneira que treinou infantaria:

como um fuzileiro naval. Porque sua família está contando com você! Porque estamos aqui para você, mas não aceitamos desculpas. Porque o destino de um guerreiro é maior que suas feridas."

Compartilho esta história para ilustrar uma verdade pouco inspiradora: você não precisa fazer nada. Não precisa se mostrar para a vida, para o trabalho, para sua família. Não precisa sair da cama em um dia difícil, nem se preocupar em ser o melhor que pode ser. Não precisa se esforçar para ter uma vida extraordinária. E, no entanto, algumas pessoas sentem que precisam. Por quê?

A resposta é uma frase que explica um dos mais poderosos catalisadores da motivação e da excelência humanas: *a necessidade da performance*.

Isaac vai ficar melhor fisicamente? Em muitos aspectos, depende apenas dele. Os médicos disseram que ele pode andar de novo — se ele trabalhar duro para isso. Eles não prometeram nada, mas existe uma possibilidade. Ele vai se sentir melhor emocionalmente? Mais uma vez, depende dele. Ele tem muito apoio das pessoas à sua volta. Mas muitos que precisam de apoio se recusam a aceitá-lo quando lhes oferecem a mão. A única diferença é se a pessoa decide que é *necessário* melhorar. Sem necessidade, não há ação compatível.

A necessidade é o impulso emocional que faz da ótima performance uma *obrigação*, em vez de uma preferência. Ao contrário dos desejos mais fracos, que fazem com que você *queira* fazer algo, a necessidade *exige* que você aja. Ao sentir necessidade, você não fica por aí desejando ou esperando. Você faz as coisas. Porque você tem que fazê-las. Não há muita escolha; seu coração, sua alma e as necessidades do momento estão lhe dizendo para agir. Simplesmente parece certo fazer alguma coisa. E, se não fizesse, você se sentiria mal consigo mesmo. Você se sentiria como se não estivesse agindo de acordo com seus padrões, cumprindo suas obrigações, realizando seus deveres ou seguindo seu destino. A necessidade inspira uma sensação de motivação mais elevada do que o habitual, porque envolve a identidade pessoal, criando um senso de urgência para agir.

Essas coisas de "coração e alma" e "destino" podem soar meio místicas, mas muitas vezes é como os profissionais de alta performance descrevem a motivação por trás de muitas de suas ações. Por exemplo, em minhas entrevistas, quase sempre pergunto aos profissionais de alta performance *por que* eles trabalham tanto e como eles se mantêm tão concentrados, tão comprometidos. Suas respostas geralmente são mais ou menos assim:

- Sou simplesmente assim.
- Não consigo me imaginar fazendo diferente.
- Fui feito para agir dessa maneira.

Há também um senso de obrigação e de urgência:

- As pessoas precisam de mim agora; elas estão contando comigo.
- Não posso perder esta oportunidade.
- Se eu não fizer isso agora, vou me arrepender para sempre.

Falam coisas parecidas com o que Isaac disse: "É como se toda a sua vida e tudo o que você representa satisfizessem as necessidades de um instante".

Quando sua necessidade é grande, você concorda plenamente com a seguinte afirmação:

"Sinto uma profunda motivação emocional e o compromisso com o sucesso, e isso me força a trabalhar duro, a ser disciplinado e a me esforçar."

Pessoas que relatam forte concordância com afirmações como essa obtêm uma pontuação maior no IAP em quase todas as categorias. Relatam também maior confiança, felicidade e sucesso durante períodos mais longos do que os colegas. Quando esse impulso emocional da necessidade não existe, nenhuma tática, ferramenta ou estratégia pode ajudá-los.

Se aprendi alguma coisa com minha pesquisa e uma década de intervenções ajudando a desenvolver profissionais de alta performance é que você não pode se tornar extraordinário sem a sensação de que é absolutamente necessário se destacar. Você deve se comprometer mais emocionalmente com o que estiver fazendo e chegar ao ponto no qual o sucesso (ou qualquer outro resultado que estiver buscando) não seja apenas uma preferência ocasional, mas uma necessidade profunda da sua alma. Este capítulo é sobre *como* fazer isso.

FUNDAMENTOS DA NECESSIDADE

> *A necessidade é senhora e guia da natureza. A necessidade é tema e inventora da natureza, seu freio e sua lei eterna.*
> Leonardo da Vinci

Estes são os fatores na necessidade de performance (que chamo de as Quatro Forças da Necessidade): identidade, obsessão, dever e urgência. As duas primeiras são essencialmente internas. As outras duas são externas em grande medida. Cada uma é uma força motriz de motivação, mas juntas, como é de esperar, elas fazem aumentar seu desempenho.

As nuances da necessidade nem sempre são óbvias, por isso vamos tomar algum tempo com sua descrição antes de passarmos para a prescrição. Seja paciente, porque aposto que você identificará algumas áreas significativas da sua vida nas quais uma necessidade maior pode virar o jogo.

NECESSIDADE DE PERFORMANCE

FORÇAS INTERNAS

> *Seja lá o que tenha tentado fazer na vida, tentei, com todo o meu coração, fazê-lo bem; seja lá a que tenha me dedicado, dediquei-me completamente.*
> Charles Dickens

Você já percebeu que se sente culpado quando não está vivendo seus valores ou sendo a melhor versão de si mesmo? Talvez você acredite que é uma pessoa honesta, mas tenha a sensação de que mente com muita frequência. Define metas, mas não segue adiante. Por outro lado, você já percebeu como se sente bem quando está sendo uma pessoa boa, que segue o que diz e deseja? Esses sentimentos de frustração ou felicidade com o seu desempenho são o que quero dizer com *forças internas*.

Nós humanos temos muitas forças internas que moldam o nosso comportamento: seus valores, expectativas, sonhos, objetivos, além da necessidade de segurança, pertencimento, harmonia e crescimento, para citar apenas alguns. Pense nessas forças internas como um sistema de orientação interna que incentiva você a ser "quem você é" e a crescer em direção ao seu eu ideal. São forças que continuamente moldam e remoldam sua identidade e seus comportamentos durante toda a sua vida.

Descobrimos que duas forças internas específicas — padrões pessoais de excelência e obsessão por um assunto — são particularmente poderosas para determinar sua capacidade de obter sucesso a longo prazo.

Altos padrões pessoais e compromisso com a excelência

> *A qualidade da vida de uma pessoa é diretamente proporcional ao seu compromisso com a excelência, independentemente do campo de atuação escolhido.*
> Vince Lombardi

Não é necessário dizer que os profissionais de alta performance se mantêm em um padrão elevado. Para ser mais específico, eles se importam profundamente com o bom desempenho em qualquer tarefa ou atividade que considerem importantes para sua identidade. Isso é verdade, tenham ou não escolhido tal tarefa. Isso também é verdade, gostem ou não da tarefa. É a identidade deles — nem sempre a escolha ou o prazer da tarefa — que os leva a fazer bem.[1] Por exemplo, um atleta pode não gostar de um exercício específico que o treinador passou, mas o realiza porque se vê como um atleta de elite disposto a tentar qualquer coisa para melhorar. Pesquisadores corporativos também descobriram que as pessoas não têm uma boa performance apenas porque estão realizando tarefas com as quais estão satisfeitas, mas porque estão definindo metas desafiadoras que significam algo para elas na esfera pessoal.[2] A satisfação não é a causa de uma ótima performance; é o seu efeito. Quando realizamos aquilo que se alinha com a nossa futura identidade, estamos mais destinados e propensos a fazer um ótimo trabalho.

Naturalmente, todos nós queremos fazer um bom trabalho em coisas que são importantes para nós.

> *Mas os profissionais de alta performance se importam*
> *ainda mais com a excelência e, assim, se esforçam*
> *mais em suas atividades do que os demais.*

Como sabemos que eles se importam mais? Porque eles relatam que monitoram suas metas de comportamento e desempenho com mais frequência. Os profissionais de alta performance não apenas sabem que têm critérios elevados e querem se destacar; eles também verificam várias vezes ao longo do dia se estão vivendo de acordo com esses critérios. É esse monitoramento que os ajuda a progredir. Ao realizar centenas de avaliações de performance, descobri que aqueles que apresentam um nível mais baixo, por outro lado, costumam ser menos autoconscientes e, às vezes, alheios a seus comportamentos e resultados.

Essas descobertas estão alinhadas com o que os pesquisadores descobriram sobre metas e consciência de si mesmo. Por exemplo, as pessoas que estabelecem metas e se monitoram regularmente têm quase *duas vezes e meia* mais chances de atingi-las.[3] Também desenvolvem planos mais precisos e se sentem mais motivadas a dar continuidade a eles.[4] Em uma revisão de 138 estudos abrangendo mais de 19 mil participantes, os pesquisadores descobriram que monitorar o progresso é tão importante para o cumprimento de metas quanto estabelecer um objetivo claro em primeiro lugar.[5] Se não monitorar seu progresso, é provável que você tampouco defina uma meta ou espere viver de acordo com os próprios critérios. Isso se aplica a quase todos os aspectos de nossa vida, até mesmo os mais banais. Suponha que você se imagina sendo uma pessoa saudável e que quer perder alguns quilos. Se não definir uma meta e acompanhar seu progresso, é quase certo que falhará. Uma meta-análise descobriu que o monitoramento das próprias atividades estava entre os meios mais eficazes para melhorar os resultados da perda de peso.[6]

Então, como isso se relaciona com a alta performance? Você precisa de alguma prática para verificar se está cumprindo os próprios critérios pessoais. Pode ser algo bem fácil, como registrar suas atividades em um diário toda noite e considerar a seguinte linha de questionamento: "Realizei tudo com excelência hoje? Fiz jus a meus valores e minhas expectativas para dar o meu melhor e fazer um bom trabalho?".

Perguntar a si mesmo esse tipo de coisa diariamente pode trazer à tona verdades difíceis. Ninguém é perfeito, e, inevitavelmente, haverá dias em que você não terá orgulho de sua performance. Mas isso faz parte do trato. Se não monitorar as próprias atividades, você será menos consistente e avançará com mais lentidão. E, se você se automonitorar, ainda assim talvez se sinta frustrado de vez em quando. É assim que acontece.

Indivíduos de alta performance certamente são duros com eles mesmos se não perceberem crescimento ou excelência no que estão fazendo. Mas isso *não* significa que estejam infelizes ou se tornando vítimas de um estresse neurótico, que sentem a todo momento que estão falhando. Lembre-se dos dados: os profissionais de alta performance são mais felizes do que seus colegas, percebem que sofrem menos de estresse do que eles e acham que estão fazendo mais diferença e sendo bem recompensados por esses esforços. Sentem-se assim porque têm a impressão de que estão no caminho certo. *E sentem que estão no caminho certo porque frequentemente se monitoram.*

Em todas as discussões que tive com profissionais de alta performance, descobri que eles estão mais do que dispostos a encarar suas falhas e a lidar com seus pontos fracos. Não fogem do assunto. Não fingem ser perfeitos. Eles, de fato, *querem* conversar sobre como melhorar, porque no fundo sua identidade e seu prazer na vida estão ligados ao crescimento.

Então, como podem os profissionais de alta performance se olhar no espelho com tanta frequência e não desanimar? Talvez seja simplesmente porque a autoavaliação é algo com que se acostumaram. Estão confortáveis com isso. Não temem observar a si mesmos, suas falhas e todo o resto, porque fazem isso com muita frequência. Quanto mais você faz alguma coisa, menos ela o incomoda.

Ainda assim, os profissionais de alta performance podem ser duros consigo mesmos quando falham, porque a excelência é muito importante para sua *identidade*. Quando sua identidade diz "sou alguém que faz as coisas e as realiza com excelência", ou "sou uma pessoa bem-sucedida que se interessa pelos detalhes e pelo desfecho das coisas", você se importa quando as coisas se desviam do caminho. Para os profissionais de alta performance, essas declarações não são apenas afirmações, mas parte integrante de quem são. Isso significa que existe uma verdadeira pressão interna para agir corretamente e que essa pressão pode ser difícil de domar ou de desligar.

E, claro, se os profissionais de alta performance não tomarem cuidado, esses critérios elevados podem sair pela culatra. Podemos nos tornar críticos *demais* em relação a nós mesmos, e logo a autoavaliação se transforma em um processo doloroso e gratuito. Quando isso acontece, ou paramos de nos perguntar se estamos fazendo as coisas com excelência (porque a resposta é muito dolorosa) ou continuamos nos perguntando e nos enganando. A preocupação excessiva em cometer erros aumenta a ansiedade e diminui a performance.[7] Quando um astro do golfe trava de repente no 18º buraco, não é porque lhe falta a necessidade de se sair bem. É porque ele permitiu que a necessidade gerasse um nível debilitante de expectativa e pressão.

Ainda assim, travar é algo surpreendentemente raro para os profissionais de alta performance porque, mais uma vez, eles estão bastante acostumados a lidar com a necessidade elevada.[8]

É importante considerar nossas descobertas em relação aos indivíduos de baixa performance. Eles alegam que se monitoram apenas 30% a 50% da quantidade de vezes por semana quando comparados aos colegas de alta performance. E raramente concordam plenamente com afirmações como "tenho uma identidade que prospera ao buscar a excelência, e meus comportamentos diários demonstram isso". Talvez uma identidade de excelência seja arriscada demais. Se você se sente mal regularmente por ter uma performance insatisfatória, é natural que prefira evitar a autoavaliação. Mas isso se torna a maior das ironias para os indivíduos com baixo desempenho: se eles não se monitorarem, suas performances não melhorarão. E, no entanto, se se monitorarem mais, terão que lidar com inevitáveis decepções e autojulgamentos.

> *O objetivo de todos os profissionais que têm baixa performance deve ser estabelecer novos critérios, monitorar-se com frequência e aprender a sentir-se à vontade para avaliar de maneira firme e inflexível a própria performance.*

Não finjo que é uma tarefa fácil. Evitar emoções negativas é um impulso humano profundamente enraizado. Não estou cego para o fato de que sentir necessidade intensa nem sempre são flores. Esforçar-se para dar o máximo de si em qualquer área da vida pode torná-lo verdadeiramente vulnerável. É assustador exigir muito de si mesmo e ir além dos limites de suas capacidades. Pode ser que você não faça um bom trabalho. Pode ser que você falhe. Se você não se esforçar, pode sentir frustração, culpa, constrangimento, tristeza, vergonha. Sentir que você *tem* que fazer algo nem sempre é confortável.

Mas suponho que esse seja o compromisso máximo que os profissionais de alta performance assumem. Sentem que *devem* fazer algo com excelência, e se falharem e tiverem que suportar emoções negativas, que assim seja. Eles também valorizam muito as vantagens proporcionadas pela alta performance, que vêm da necessidade de se libertar. A recompensa vale o potencial desconforto.

Não tenha medo desse conceito de necessidade. Muitas pessoas desconfiam da ideia quando são apresentadas a ela. Temem que não sejam suficientes ou que não consigam lidar com as dificuldades das verdadeiras exigências. Mas necessidade não significa apenas que algo "ruim" aconteceu e que agora você "tem que" reagir. Isso não quer dizer que a demanda é uma carga negativa a ser suportada.

É por isso que frequentemente digo aos indivíduos de baixa performance:

> *Às vezes, a maneira mais rápida de voltar para o jogo é esperar algo de você mesmo de novo.*

Vá em frente e ligue sua identidade à realização de um bom trabalho. E lembre-se de definir metas desafiadoras. Décadas de pesquisa envolvendo mais de 40 mil participantes mostraram que as pessoas que estabelecem objetivos difíceis e específicos superam as que definem objetivos vagos e não desafiadores.[9]

Veja-se como uma pessoa que ama desafios e persegue grandes sonhos. Você é mais forte do que pensa, e o futuro guarda boas coisas para você. É claro, você pode falhar e talvez seja desconfortável. Mas qual é a alternativa? Recuar? Chegar ao fim da vida e sentir que não deu tudo de si? Caminhar com segurança pela vida dentro da sua pequena bolha, entediado ou complacente? Não deixe que esse seja o seu destino.

Indivíduos de alta performance precisam ter sucesso a longo prazo porque têm a coragem de esperar algo grande de si mesmos. Dizem-se repetidamente que *devem* fazer alguma coisa, e fazê-la bem, porque essa ação ou realização estaria em sintonia com sua identidade ideal.

Os sonhos de indivíduos de alta performance de viver vidas extraordinárias não são meros desejos e esperanças. Eles fazem de seus sonhos uma *necessidade*. Suas futuras identidades estão vinculadas a isso, e esperam que isso aconteça. E assim eles fazem.

Obsessão em compreender e dominar um assunto

> *Para ter sucesso a longo prazo como coach ou em qualquer posição de liderança, você tem que ser obcecado de alguma forma.*
> Pat Riley

Se um critério interno de excelência faz com que uma performance sólida seja necessária, a força interna da *curiosidade* a torna agradável.

Como é de esperar, os profissionais de alta performance são pessoas profundamente curiosas. De fato, a curiosidade delas em entender e dominar seu principal campo de interesse é uma das marcas de seu sucesso. Isso é unânime entre esses indivíduos. Eles sentem um grande impulso interno para se concentrarem em suas áreas de interesse a longo prazo e estruturarem uma profunda competência. Psicólogos diriam que têm elevada motivação intrínseca — fazem as coisas porque essas coisas são interessantes, agradáveis e satisfatórias em nível pessoal.[10] Indivíduos de alta performance não precisam de recompensa ou estímulo de outras pessoas para fazerem algo, porque acham que o ato de fazê-lo é por si só gratificante.

Essa paixão profunda e de longo prazo por uma disciplina ou assunto específicos foi observada em quase todas as pesquisas modernas sobre sucesso. Quando as pessoas falam de "garra" [*grit*], elas falam sobre uma combinação de *paixão e perseverança*. Se você já ouviu falar de "prática deliberada" — muitas vezes confundida com "a lei das dez mil horas" —, você sabe que importa quanto tempo você treina e se concentra em alguma coisa. As descobertas são simples. Pessoas que atingem um altíssimo nível em qualquer coisa se concentram mais e por mais tempo em seus ofícios.[11]

Porém, descobri que os profissionais de alta performance precisam ter algo mais do que apenas paixão. Paixão é algo que todos podem entender. É aceitável. Dizem-nos para sermos apaixonados, vivermos com paixão, amarmos com paixão. Paixão é a expectativa, a primeira porta para o sucesso. Mas, se você pode ficar muito envolvido emocionalmente e extremamente focado a longo prazo, mesmo quando a motivação e a paixão sobem e descem em ondas de interesse, mesmo quando os outros o criticam (e você sabe que eles podem estar certos), mesmo quando você *fracassa* várias vezes, mesmo quando é forçado a ir bem além de sua zona de conforto para continuar subindo, mesmo quando recompensa e reconhecimento se distanciam demais, mesmo quando todo mundo já teria desistido ou seguido adiante, mesmo quando todos os sinais dizem que você deveria desistir — isso é um passo além da garra, em direção ao terreno que muitos podem chamar de uma obsessão irresponsável. Ela faz fronteira com imprudência. Abordei esse assunto em *The Motivation Manifesto*:

> Nosso desafio é que fomos condicionados a acreditar no oposto dessas coisas — que ações ousadas ou progresso rápido são, de alguma maneira, perigosos ou imprudentes. Mas certo grau de insanidade e imprudência é necessário para avançar ou inovar em qualquer coisa, para dar contribuições novas, impressionantes ou significativas. Que grande coisa foi realizada sem um pouco de imprudência? A imprudência foi necessária para que o extraordinário aconte-

cesse: atravessar os oceanos, acabar com a escravidão, levar o homem ao espaço, construir arranha-céus, decodificar o genoma, iniciar novos negócios e inovar indústrias inteiras. É imprudente tentar algo que nunca foi feito, mover-se contra as convenções, começar antes que todas as condições sejam boas e os preparativos estejam perfeitamente concluídos. Mas as pessoas ousadas sabem que, para vencer, alguém precisa *começar*. Também entendem profundamente que um grau de risco é inevitável e *necessário*, se houver alguma recompensa real. Sim, qualquer mergulho no desconhecido é imprudente — mas é aí que está o tesouro.

Estou divagando? Não — foi sobre isso que os profissionais de alta performance de todo o mundo falaram comigo.

> *Quando você é apaixonado pelo que faz, as pessoas entendem. Quando você está obcecado, elas acham que você está louco. Essa é a diferença.*

É essa obsessão quase imprudente por dominar algo que nos faz sentir a obrigação de elevar a performance.

Em qualquer campo de atuação, os que não têm obsessão costumam ser fáceis de identificar: os leitores semi-interessados, os amantes semiapaixonados, os líderes semicomprometidos. Em geral, podem lhes faltar interesse, paixão ou desejo intensos. Mas não necessariamente. Às vezes, eles têm *muitos* interesses, paixões e desejos. Mas o que lhes falta é *um único item*, a obsessão permanente e insaciável. Poucos minutos após conhecer alguém, você percebe se essa pessoa tem uma obsessão. Se tem, ela é curiosa, comprometida, empolgada para aprender e falar sobre algo específico e profundamente importante para ela. Diz coisas como "amo demais fazer o que faço, sou meio obcecado". Ou "vivo, como e respiro isso; não consigo me imaginar fazendo outra coisa — isso é o que eu sou". Fala de forma entusiasmada e articulada sobre uma busca por excelência ou domínio em seu campo de atuação, e registra as horas de estudo, prática e preparação para atingir esses fins. Suas obsessões infiltram-se em sua rotina por meio de um verdadeiro empenho profissional.

O momento de perceber que algo transcendeu a paixão e se tornou uma obsessão é quando você sabe que isso se uniu à sua *identidade*.

> *Há uma mudança de um desejo de sentir um estado específico de emoção — paixão — para uma busca por ser determinado tipo de pessoa. Passa a fazer parte de você, algo que você valoriza mais profundamente do que outras coisas. Torna-se necessário para você.*

Assim como algumas pessoas temem estabelecer padrões elevados, muitas temem se tornar obcecadas. Preferem interesses ocasionais e sentimentos passageiros. É mais fácil viver com paixões que não têm nada a ver com quem você é.

Vale a pena lembrar: os profissionais de alta performance conseguem lidar com esse tipo de pressão interna. Não se importam de mergulhar até o fundo em suas paixões. Obsessão não é algo para se temer. Pelo contrário. É quase como uma medalha de honra. Quando estão obcecadas por algo, as pessoas gostam tanto de fazê-lo que não sentem a necessidade de pedir desculpas aos outros por causa disso. Perdem horas trabalhando em uma tarefa ou aprimorando uma capacidade. E amam o que fazem.

Existem obsessões que não são "saudáveis"? Suponho que isso depende de como se definem as coisas. Se você fica tão fascinado por algo que se torna viciado ou pensa nisso de maneira compulsiva, então sim. Isso não é exatamente saudável. Se você define uma obsessão como uma "preocupação perturbadora e persistente", como o dicionário Merriam-Webster faz em uma das acepções da palavra, então sim, levá-la ao grau de "perturbadora" provavelmente não é saudável. Mas o dicionário também define *obsessão* das seguintes formas:

- um estado no qual alguém pensa em alguém ou em algo constante ou frequentemente, sobretudo de uma forma que não é normal
- alguém ou algo em que uma pessoa pensa constante ou frequentemente
- uma atividade na qual alguém está muito interessado ou que passa muito tempo executando
- um forte interesse ou preocupação que persiste de modo anormal em relação a alguém ou a algo

Não considero nenhuma dessas acepções particularmente doentias. Então, mais uma vez, depende da definição que você escolher. O que sei sobre os profissionais de alta performance é que eles realmente passam uma quantidade enorme de tempo pensando sobre sua(s) obsessão(ões) e trabalhando nela(s). Isso é "anormal"? De jeito nenhum.

Mas normal nem sempre é saudável.

Sejamos honestos: no mundo distraído de hoje, o tempo normal gasto em quase tudo é de dois minutos. Portanto, se uma quantidade anormal de foco "não for saudável", os profissionais de alta performance são culpados, de fato. Mas, pelas minhas observações, não considero profissionais de alta performance não saudáveis — e passo mais tempo observando-os do que qualquer um. Se você está se perguntando se tem uma obsessão que não seja saudável, é bem fácil descobrir: quando sua obsessão começa a controlar você, em vez de você a controlar, quando começa a destruir a sua vida e os seus relacionamentos e a causar infelicidade por toda parte, então você tem um problema.

Mas isso não é um problema que os profissionais de alta performance têm. Caso contrário, por definição, eles não teriam alta performance. Os dados confirmam isso.[12] Os profissionais de alta performance são felizes. São confiantes. Comem porções saudáveis de alimentos também saudáveis e se exercitam. Lidam com o estresse melhor do que os colegas. Amam desafios e percebem que estão fazendo a diferença. Em outras palavras, é possível dizer que eles estão no controle.

É por isso que incentivo as pessoas a continuar experimentando até encontrarem algo que lhes desperte um interesse incomum. Assim, se isso se alinha com seus valores pessoais e sua identidade, mergulhe com tudo. Torne-se uma pessoa curiosa. Permita-se mergulhar profundamente em algo e *vá fundo*. Deixe que aquela parte de você que quer ficar obcecada por algo e dominá-lo desperte para a vida.

Quando altos padrões pessoais encontram altas obsessões, surge uma alta necessidade. O mesmo acontece com a alta performance. E isso é apenas o jogo *interno* da necessidade. É com as forças externas que as coisas realmente ficam interessantes.

Antes de passarmos para as forças externas, dedique algum tempo à reflexão das seguintes afirmações:

- Entre os valores que são importantes para eu viver estão...
- Uma situação recente na qual não vivi de acordo com meus valores foi...
- A razão pela qual, naquele momento, não achei necessário viver de acordo com meus valores é...
- Uma situação recente na qual me orgulhava de viver de acordo com meus valores ou de ser determinado tipo de pessoa foi...
- A razão pela qual senti que era necessário ser essa determinada pessoa foi...
- Os assuntos pelos quais me encontro obcecado incluem...
- Um tópico em que não tenho estado obcecado o suficiente, de uma maneira saudável, é...

FORÇAS EXTERNAS

Você nunca sabe quão forte é até que ser forte seja sua única escolha.
Bob Marley

Uma força externa de necessidade é qualquer fator que venha de fora e o leve a ter uma boa performance. Alguns psicólogos podem simplesmente descrever isso como *pressão*.[13] Contudo, raramente uso o termo *pressão*, porque ele carrega muitas conotações negativas. Na maioria das vezes, os profissionais de alta performance não sentem que pressões indesejadas e permanentes incitam sua busca por alcançar excelência. Como todos nós, eles têm obrigações e prazos, mas a diferença é que eles *escolhem essas obrigações* de forma consciente e, portanto, não as veem como uma pressão negativa da qual precisam dar conta. Não são pressionados pela performance, são impulsionados.

Eu não entendia isso corretamente. Em um de nossos estudos-piloto para o Indicador de Alta Performance, pedimos que as pessoas pontuassem se concordavam plenamente com esta afirmação: "Sinto uma demanda externa — de colegas, família, chefe, mentor ou cultura — que me exige sucesso em níveis elevados". Para minha surpresa no início, essa afirmação não se encaixava com a alta performance.[14] Ao perguntar aos profissionais de alta performance sobre esse resultado, aprendi que isso acontece porque essas demandas não partem de outras pessoas. Se eles *de fato* sentem uma pressão por parte de outras pessoas, de um modo que os torna melhores, provavelmente isso apenas reforça escolhas ou comportamentos com os quais eles já se comprometeram. Outra maneira de dizer isso é que os profissionais de alta performance não enxergam necessariamente as forças externas como *coisas negativas* ou como *razões causais* de seu desempenho.

Isso significa que os profissionais de alta performance não estão funcionando a partir do que os psicólogos chamam de reatância, que são atos motivados pela vontade de reagir ou agir contra um insulto ou uma ameaça. A necessidade de ação na vida, para indivíduos de alta performance, não se origina do desejo de lutar contra o "sistema" ou quem quer que os esteja colocando para baixo. Indivíduos de alta performance não são determinados porque estão se rebelando ou se sentindo ameaçados. Esse tipo de motivação "negativa" certamente existe, mas sozinha quase nunca dura muito tempo ou resulta em muitas conquistas.

Mais frequentemente, os profissionais de alta performance veem as forças externas "positivas" como razões causais para o aumento de suas performances. Querem agir bem para servir a um propósito que considerem significativo — atender a um propósito importante serve como um tipo positivo de pressão. Mesmo as obrigações e os prazos difíceis de cumprir — dos quais muitas pessoas não gostam — são vistos como potencializadores da performance.

Com isso em mente, existem duas forças externas positivas principais que exercem o tipo de motivação ou pressão que melhora a performance.

Dever social, obrigação e propósito

> *O dever nos faz executar bem as coisas, mas o amor*
> *nos faz executá-las com excelência.*
> Phillips Brooks

Profissionais de alta performance geralmente sentem a necessidade de ter um bom desempenho diante de um sentimento de dever em relação a alguém ou a algo além de si mesmos. Alguém está contando com eles, ou eles estão tentando dar conta de uma promessa ou responsabilidade.

Defino *dever* de forma ampla, porque é assim que fazem os profissionais de alta performance. Às vezes, quando falam de dever, querem dizer que devem algo a outras pessoas ou que são responsáveis pela performance delas (tendo alguém solicitado ou não aquilo pelo que eles se sentem obrigados a fazer). Às vezes, os indivíduos de alta performance encaram o dever como uma obrigação de atender às expectativas ou necessidades do outro. Às vezes, encaram o dever como obediência a normas ou valores de um grupo ou a um senso moral sobre o que é certo e errado.[15]

Os deveres que potencializam a performance podem ser mais bem explicados pela premissa de que muitas vezes faremos mais pelos outros do que por nós próprios. Vamos levantar no meio da noite para acalmar uma criança, mesmo sabendo que precisamos dormir. Em nossa mente, é apenas *mais necessário* fazer isso por outra pessoa. Esse tipo de necessidade costuma ser o impulso mais forte. Então, se você alguma vez sentir que não está se saindo bem, comece a se perguntar: "Quem mais precisa de mim agora?".

Se você adicionar a isso responsabilidade — quando as pessoas sabem que você é responsável por ajudá-las —, a necessidade se torna ainda mais forte. Um número enorme de pesquisas mostra que as pessoas tendem a manter a motivação, fazer mais esforços e alcançar uma alta performance quando são responsabilizadas por seus resultados, avaliadas com mais frequência e têm a oportunidade de demonstrar sua expertise ou de serem respeitadas por aqueles a que servem.[16] Em outras palavras, se você deve a alguém se sair bem, e sente que vai demonstrar sua expertise ao fazer isso, então você sentirá maior necessidade de levar sua performance a níveis mais altos. Por exemplo, quando somos mais avaliados e responsabilizados pelo desempenho da equipe, trabalhamos mais e melhor.[17]

Tudo isso parece muito bom, mas todos nós sabemos que muitas vezes um senso de dever em relação aos outros pode *parecer* algo negativo a curto prazo. Poucos pais estão ansiosos para acordar no meio da noite e trocar uma fralda. Fazer isso é mais uma obrigação do que uma expressão de amor generoso. Os pais vão reclamar dessa obrigação? Claro. Mas, a longo prazo, a adesão ao cumprimento dessa obrigação "positiva" ajuda a fazer com que eles se sintam bons pais, o que, ao menos em parte, os motiva a cumpri-la.

Em outras palavras, as demandas externas que sentimos para cumprir nossas obrigações na vida podem parecer ruins a curto prazo, mas levam a resultados contundentes em nossa performance mais tarde.

É difícil para aqueles que têm baixa performance ver que obrigações nem sempre são algo negativo, e é por isso que descobrimos que eles reclamam mais de suas responsabilidades no trabalho do que os colegas de alta performance. Algumas obrigações podem naturalmente parecer dignas de reclamação. Um senso de obrigação em relação à família, por exemplo, pode levá-lo a morar perto de seus pais ou a enviar-lhes dinheiro. Esse tipo de dever familiar talvez pareça asfixiante para muitos, mas cumprir esses deveres também acaba se relacionando ao bem-estar.[18]

No trabalho, a sensação de "fazer a coisa certa" também gera emoções e performances positivas. Pesquisadores corporativos descobriram que os funcionários mais comprometidos, principalmente em momentos de mudança, acham que seria "errado" sair de uma empresa se a ausência deles prejudicasse o futuro dela.[19] Geralmente dobram seus esforços para ajudar os chefes, mesmo que isso exija mais horas de trabalho. O dever para com a missão substitui seu conforto de curto prazo.

Como entendem a necessidade de cumprir suas obrigações, os profissionais de alta performance raramente se queixam das tarefas e dos deveres que devem executar para ter sucesso. Reconhecem que cumprir seu papel e servir às necessidades dos outros é parte do processo. Será uma coisa positiva amanhã, mesmo que seja algo doloroso agora. São essas descobertas que me inspiraram a ver minhas obrigações na vida de forma diferente. Aprendi a ajustar meu comportamento às coisas que preciso fazer, a reclamar menos e a perceber que a maior parte do que "tenho" a fazer é, na verdade, um privilégio.

Aprendi que, quando temos a oportunidade de servir, não nos queixamos do esforço envolvido.

Quem sente o ímpeto de servir aos outros mantém uma performance sólida por mais tempo. Essa é uma das razões, por exemplo, que explicam por que os membros das forças armadas são muitas vezes tão extraordinários. Eles têm um senso de dever para algo além de si mesmos — seu país e seus companheiros de luta.

É também por isso que a maioria dos profissionais de alta performance menciona "propósito" como algo que motiva seus maiores desempenhos. O senso de dever ou de obrigação em relação a uma visão, a uma missão ou a um chamado superiores os impulsiona através das dificuldades da conquista.

Na verdade, quando falo com profissionais de alta performance, eles costumam dizer que "não têm escolha", a não ser serem bons naquilo que fazem. Não falam como se isso fosse uma falta de liberdade, como se um líder autocrático os estivesse forçando a fazer alguma coisa. O que querem dizer é que sentem que é necessário fazer algo porque foram *chamados* a isso. Sentem que receberam uma dádiva ou oportunidade únicas. Muitas vezes, têm a impressão de que sua performance agora afetará seu futuro e, talvez, o futuro de muitas pessoas, de maneiras profundas.

Esse senso de dever em relação a um chamado superior é quase universal quando falamos com os 15% dos profissionais de mais alta performance. Não é raro ouvi-los falar sobre legado, destino, tempo divino, Deus, ou uma responsabilidade moral com as gerações futuras como principais motivadores para sua performance. Eles dizem que precisam ter um bom desempenho porque sabem que são necessários.

Prazos reais

> *Sem um senso de urgência, o desejo perde seu valor.*
> Jim Rohn

Por que atletas se exercitam ainda mais nas semanas anteriores ao momento de entrar no ringue ou no campo? Por que vendedores apresentam uma performance melhor no fim do trimestre? Por que pais que ficam em casa relatam estar mais bem organizados antes do início do ano letivo? Porque nada motiva tanto a ação quanto um prazo apertado.

Prazos reais são uma ferramenta subestimada no gerenciamento da performance. Preferimos falar sobre metas e cronogramas, definindo datas "agradáveis" para atingir essas metas. Mas a alta performance acontece apenas quando há prazos reais.

O que é um prazo "real"? É uma data que importa porque, ao não ser cumprida, trará consequências negativas de fato, e, sendo real, os benefícios serão aproveitados.

Todos nós temos prazos na vida. A diferença que importa aqui é que os profissionais de alta performance parecem estar caminhando regularmente em direção a prazos reais que eles acham importantes de serem cumpridos. Sabem as datas nas quais as coisas devem ser feitas e as verdadeiras consequências e recompensas associadas a essas datas. Mas, em igual importância, os profissionais de alta performance não estão procurando cumprir prazos *falsos*.

Um *prazo falso* é geralmente uma atividade mal concebida, com um prazo que trata da *preferência* de alguém, não de uma necessidade verdadeira com consequências reais caso não seja cumprido. É o que um dos meus clientes, um boina-verde, considera uma "simulação de incêndio em uma piscina".

Aqui está como essa diferença entre prazos reais e falsos se desenrola na minha vida. Sempre que alguém me manda um e-mail com uma solicitação, com ou sem um prazo a ser atendido, respondo assim:

Obrigado pela sua solicitação. Você pode me dar a data do "prazo real"? Isso significa a data em que o mundo vai explodir, sua carreira será destruída, ou um efeito dominó que levará ao seu e ao meu fim definitivos realmente terá início. Qualquer data antes disso é uma preferência sua, e, com todo respeito, no momento em que você me enviou esta solicitação, tenho outras cem solicitações prioritárias na frente. Então, para melhor atendê-lo, tenho que colocá-lo em ordem de classificação com os prazos reais. Você poderia, por favor, me avisar qual é esse prazo fatal e, especificamente, justificá-lo? A partir daí, decidirei a prioridade e a ajustarei de maneira apropriada junto a você, e, como sempre, servirei com excelência. Obrigado!
— Brendon

Envio esse e-mail porque sei com que rapidez posso solapar minha alta performance ao atender a demandas de outras pessoas que não são verdadeiras. Satisfaço as pessoas. Eu me distraio facilmente. Hábitos como esclarecer prazos reais são a chave para que eu e todos os grandes indivíduos de alta performance que conheço sejamos tão eficazes.

Uma pesquisa recente com 1100 profissionais de alta performance revelou que seus equivalentes de baixa performance são levados a urgências ou prazos falsos com frequência *três vezes e meia* maior do que eles.[20] Os profissionais de alta performance estão mais focados em fazer o que realmente importa *quando* importa.

Mas isso não se dá simplesmente porque os profissionais de alta performance são sobre-humanos e sempre focados nos próprios prazos. Na verdade, para a maioria deles, os prazos reais na direção dos profissionais de alta performance foram impostos *por outras pessoas*, por forças externas. Atletas olímpicos não escolhem quando os jogos serão realizados, e CEOs não definem as demandas trimestrais impostas a eles pelo mercado.

Se dependesse só de mim, provavelmente nunca teria terminado este livro. Mas eu sabia que em algum momento, se eu não o entregasse, minha família se revoltaria, meus amigos me sequestrariam e meu editor me abandonaria. Claro, perdi alguns prazos falsos, que eu mesmo tinha definido. Mas, uma vez que se estabeleceu um prazo real, quando minha editora prometeu o livro aos varejistas, e minha esposa esperava o momento das férias, *bum!*, a taxa de palavras por hora aumentou exponencialmente.

Isso não quer dizer que os profissionais de alta performance sejam levados a cumprir um prazo apenas pelas consequências negativas de perdê-lo. Na verdade, a maioria deseja cumprir seus prazos porque está animada para ver seus trabalhos no mundo, bem como para passar ao próximo projeto ou oportunidade que eles mesmos escolheram. Eu estava ansioso para terminar este livro não apenas porque temia as repercussões negativas de estar atrasado; também estava animado para terminar para que eu pudesse colocar o livro em suas mãos, direcionar mais atenção para minha família e alcançar mais alunos com esta mensagem.

Esse exemplo ilustra outro aspecto dos prazos reais: o de que eles são, em essência, prazos *sociais*. Os profissionais de alta performance são levados a fazer as coisas porque reconhecem que sua pontualidade afeta outras pessoas.

> *A realidade é que, ao escolher cuidar dos outros e fazer uma grande diferença no mundo, a quantidade de prazos que chegam até você aumentará.*

Algumas pessoas podem supor que a pressão exercida pelo tempo torna as pessoas infelizes. Mas isso não foi o que observei nem o que outras pesquisas estão descobrindo. Um estudo recente descobriu que, por terem um prazo, não apenas as pessoas focavam mais a fim de completar a atividade, mas também achavam mais fácil "abrir mão dessa atividade" e dedicar mais atenção à *próxima*.[21] Ou seja, os prazos nos ajudam a lidar com o desfecho de uma atividade, para que possamos dar total atenção àquilo em que precisamos estar trabalhando *agora*.

MANTENDO A CHAMA ACESA

Identidade. Obsessão. Dever. Prazos. Como você pode imaginar, qualquer *uma* dessas forças pode fazer com que a pessoa dê seu melhor. Mas quando as demandas internas e externas se misturam, você passa a ter mais necessidade, e um vento ainda mais forte soprando a seu favor.

Vou reiterar que isso se trata de um assunto delicado. Muitas pessoas realmente não gostam da necessidade — elas odeiam sentir qualquer tipo de pressão. Não querem pressão interna porque pode lhes causar ansiedade. E não querem pressão externa porque pode lhes trazer ansiedade *e* fracasso real. Ainda assim, os dados são claros: profissionais de alta performance *gostam* da necessidade. Na verdade, precisam disso. Quando ela acaba, a chama deles se apaga.

Para ter um exemplo de como isso pode acontecer, imagine que está trabalhando com alguém que esteja entre os 2% melhores profissionais de alta performance. Eles dizem para você: "Sinto que não estou tão consistente ou disciplinado como costumava ser". Qual seria o seu próximo passo com eles? Você aplicaria um teste de personalidade, faria uma avaliação de pontos fortes ou os enviaria para um retiro no mato?

Com certeza eu não faria isso. Teria uma conversa franca com eles sobre necessidade. Descobriria uma época em que eles se sentiam consistentes e exploraria as Quatro Forças da Necessidade com eles para ver o que os levou a uma performance tão impressionante no passado. Em seguida, percorreria as Quatro Forças novamente, buscando fazer com que o profissional de alta performance se conectasse de maneira mais profunda à sua sede de conquista em razão de sua identidade, suas obsessões e seus sensos de dever de urgência. Se eles não tivessem algo pelo que ser obcecados ou comprometidos, ou não corressem o risco de perder ou desperdiçar alguma coisa, eu teria que fazê-los *encontrar* algo pelo que se importar profundamente. Não iria deixá-los em paz até que tudo sobre as Quatro Forças estivesse bem claro.

Foi exatamente isso que fiz com Isaac, o soldado que lutava contra a sensação de que não era mais útil. Consegui que ele imaginasse seu futuro de uma nova maneira, se reconectasse com algumas das obsessões do passado, antes das lesões, e se comprometesse a melhorar sua saúde física e mental pela sua família e, assim, pudesse voltar ao trabalho. Não foi fácil, mas em algum momento Isaac se reconectou consigo mesmo e novamente encontrou o entusiasmo pela vida.

Resumindo: mudamos e melhoramos ao longo do tempo apenas quando *temos* que fazê-lo. Quando as forças internas e externas sobre nós são fortes o suficiente, fazemos acontecer. Nós escalamos. E quando fica difícil demais, nós nos lembramos da nossa causa. Quando estamos com medo e lutando contra as dificuldades e a escuridão, lembramos que estamos aqui para defender a luz e sustentamos uma performance positiva a longo prazo. Aqui estão três práticas que podem desencadear um maior senso de necessidade.

PRÁTICA UM
SAIBA QUEM PRECISA DA SUA MELHOR PERFORMANCE

> *Não só devemos ser bons, mas também devemos ser bons para alguma coisa.*
> Henry David Thoreau

Para ajudá-lo a explorar as demandas internas e externas por necessidade, experimente esta prática simples. Defina um "gatilho da mesa de trabalho" para você. De agora em diante, sempre que você se sentar à sua mesa — essa é a ação desencadeadora —, pergunte-se:

Quem neste momento mais precisa da minha melhor performance?

Você se senta na cadeira; então se faz a pergunta e a responde. Pronto. Amo essa prática por vários motivos:

- É simples e qualquer um pode fazer.
- O gatilho é baseado em algo que você faz com frequência: sentar-se na cadeira de trabalho. Tanto faz se ela fica na mesa da cozinha ou em um escritório de um arranha-céu com uma bela visão panorâmica, aposto que você passa um bom tempo sentado nela.
- A questão força você a fazer uma rápida verificação da sua intuição. A simples menção à sua melhor performance exige uma revisão interna: qual *é* a minha melhor performance? Eu a vinha aprimorando até agora? Como seria minha melhor performance daqui a uma hora?
- A questão também o obriga a pensar em outra pessoa. Seja por dever, obrigação ou propósito, essas pessoas acabaram no seu radar, e agora você pode trabalhar para uma pessoa ou um grupo de fora. Quando temos alguém de fora por quem agir, tendemos a apresentar uma melhor performance.
- Finalmente, gosto do trecho "neste momento mais precisa". É focado no imediato, e, além disso, a palavra "mais" o faz examinar suas prioridades e — sim, você adivinhou — seus prazos reais.

Comecei a ensinar essa prática para meus clientes porque nunca conheci um profissional de alta performance que não refletisse *sistematicamente* se estava dando o melhor de si — e não apenas para eles mesmos, mas para os outros. Passaram a avaliar suas performances em intervalos regulares. Ao fornecer-lhe um gatilho da mesa de trabalho, estou ajudando você a trazer essa capacidade a seus hábitos conscientes. Também estou ajudando você a entrar no espírito de servir, porque é isso que os grandes profissionais fazem. Eles são gratos pela vida, então são generosos com os outros.

As pessoas muitas vezes me pedem para esclarecer o que significa estar na sua melhor performance e *como* chegar lá. Estar na sua melhor performance significa estar se esforçando ao máximo, com foco total na única tarefa em questão. Para atingi-la, é preciso alimentar as demandas internas e externas da necessidade. Para ser mais específico, você assume a identidade de um indivíduo de alta performance e estabelece situações que exijam imersão total. Em outras palavras, você chega à sua melhor performance pelas portas da identidade e da imersão.

No jogo da vida, você escolhe sua identidade — quem deseja ser e como vai se colocar no mundo. Essa escolha afetará drasticamente a sua performance. Considere a diferença entre essas identidades:

Entusiastas têm um interesse passageiro no jogo da vida. Olham para muitas coisas e tentam muitas coisas. Mas nunca mergulham de fato em algo com total envolvimento ou comprometimento.

Novatos também têm interesse, mas pelo menos têm a intenção de desenvolver algum conhecimento em determinada área. Aprofundam-se mais do que os entusiastas, mas o problema deles é que não lidam bem com o desestímulo. Novatos param diante de obstáculos porque não têm muito de suas identidades nas lutas que travam.

Amadores têm mais que interesse. Têm paixão. Mergulham fundo e realmente se envolvem em um assunto e querem melhorar. Passam por mais obstáculos do que os novatos, mas tendem a permanecer em um nível não qualificado, a menos que recebam feedback ou reconhecimento rápidos e positivos. Em outras palavras, precisam de muita validação externa para continuar.

Jogadores têm paixão, mas também maior comprometimento e qualificação. Com grande foco, aprendem a dominar determinada área do jogo. Destacam-se e se sentem felizes, contanto que consigam sua oportunidade e recebam uma compensação. Se o jogo mudar ou as regras mudarem, no entanto, ficarão logo amargurados. Jogadores precisam desesperadamente de regras e rotinas. Não gostam de interferências ou de feedback negativo. Precisam de um alto grau de justiça se vão participar de algo — se alguém da equipe recebe mais pelo trabalho, eles surtam e desistem. Estão comprometidos em se tornar um sucesso na posição que ocupam, mas raramente atingem um nível holístico de sucesso em outras áreas do jogo (ou da vida). Para eles, trata-se de um jogo a ser ganho e não há muito além disso.

Profissionais de alta performance são como jogadores, mas com necessidade, habilidade e espírito de equipe maiores, em todos os aspectos. Estão no jogo com força total. Jogam em alto nível, independentemente de reconhecimento ou recompensa, porque o jogo por si só é gratificante e também parte do modo como veem sua serventia ao mundo. Sua identidade está ligada ao jogo, mas também à equipe e àqueles a quem servem. Não querem dominar apenas uma área do jogo; querem ser conhecidos pelo jogo em si. E, no entanto, ao contrário dos jogadores, não se importam em compartilhar a luz dos holofotes. Têm um grau tão elevado de excelência pessoal e dever em relação à equipe que se tornam a pessoa a quem recorrer em todos os jogos. Destacam-se porque não apenas apresentam uma performance individual fora do comum, mas também tornam cada pessoa melhor por intermédio de sua influência.

Essas são as descrições mais informais que fiz neste livro, mas as compartilho com frequência para ajudar as pessoas a perceberem que têm uma escolha. Se quiser estar na sua melhor performance, você não pode ser um entusiasta, um novato, um amador ou um jogador. Você deve escolher e tentar de maneira consciente se tornar um profissional de alta performance. Se você apresentar a sua melhor performance regularmente, é preciso descrever essa identidade para você mesmo e entrar nela — todos os dias.

Além de escolher uma identidade de alta performance, você precisa mergulhar totalmente em atividades que o forcem a ir mais longe. Você não pode apenas ficar pensando que é bom. Precisa se colocar em situações que lhe *façam* bem. Felizmente, a pesquisa descreveu exatamente o que o ajudará a encontrar essas experiências desafiadoras e envolventes. Esse conceito popular na psicologia positiva é conhecido como *fluxo*. De acordo com Mihay Csikszentmihalyi, o fluxo acontece quando vários desses elementos estão em cena:

1. Você tem metas claras e desafiadoras, ainda que atingíveis.
2. Alta concentração e atenção plena são necessárias.
3. O que você está fazendo é intrinsecamente gratificante.
4. Você perde um pouco a autoconsciência e se sente tranquilo.
5. O tempo para — você se sente tão focado no presente que perde a noção do tempo.
6. Você está recebendo feedback imediato sobre sua performance.
7. Há um equilíbrio entre o seu nível de capacidade e o desafio apresentado. Você sabe que o que está fazendo é factível, ainda que difícil.
8. Você tem um senso de controle pessoal sobre a situação e o seu resultado.
9. Você deixa de pensar em suas necessidades físicas.
10. Você tem a capacidade de se concentrar completamente na atividade em questão.[22]

Você pode usar essa lista de condições para aumentar as chances de levar sua melhor performance para aqueles a quem espera servir. Talvez essa última parte, sobre servir aos outros, seja o que torna o fluxo ainda mais poderoso. É por isso que peço que você enquadre essa prática como uma oportunidade de levar sua melhor performance *para outra pessoa*. Olhe para além do seu desempenho individual ou de seus sentimentos e conecte-se com um motivo para ser o seu melhor para os outros. Encontre alguma pessoa ou coisa pela qual valha a pena lutar. Se puder alimentar a necessidade de ser o melhor possível com o intuito de ajudar os outros, você alcançará uma alta performance mais rapidamente e a manterá por mais tempo.

Estímulos para a performance

1. As pessoas que precisam de mim na minha melhor performance neste momento são...

2. Entre as razões pelas quais cada uma dessas pessoas precisa de mim estão...

3. As razões pelas quais quero me tornar um indivíduo de alta performance para cada uma delas são...

4. Sei que estou na minha melhor performance quando penso, sinto ou me comporto...

5. As coisas que me tiram da minha melhor performance são...

6. Posso lidar de forma mais eficaz com essas coisas ao...

7. Entre os lembretes que eu poderia criar para mim mesmo de modo a ser o meu melhor para as pessoas da minha vida estariam...

PRÁTICA DOIS
AFIRME O PORQUÊ

> *No momento em que alguém se compromete em definitivo,*
> *a providência divina também se move.*
> Goethe

Profissionais de alta performance não mantêm suas metas, ou o porquê por trás delas, *secretas* ou *silenciosas*. Eles afirmam seus objetivos com confiança, para si mesmos e para os outros. Se há uma prática de necessidade que mais parece separar os profissionais de alta performance dos de baixa performance é essa. Profissionais de baixa performance muitas vezes não entendem exatamente seus porquês, e não usam afirmações nem falam sobre seus porquês.

Afirmar é declarar ou sustentar de modo firme algo como válido ou comprovado. É dizer com *confiança* que aquilo é verdadeiro ou que acontecerá. É assim que os profissionais de alta performance falam sobre seus objetivos e seus porquês. Não parecem em dúvida, pois confiam nos motivos pelos quais estão trabalhando tão arduamente e têm orgulho de falar sobre seus propósitos. Na verdade, descobri que os profissionais de alta performance adoram falar sobre por que fazem quase qualquer coisa. Atletas de elite, por exemplo, sentem grande alegria ao descreverem seus treinos e, principalmente, *por que* escolheram um exercício específico naquele dia. Passarão muito tempo não só contando por que estão fazendo a série de exercícios — "Estou fazendo três séries de agachamentos a 75% hoje, porque me senti despreparado" — como descrevendo-a e explicando como executá-la.

Quando comecei a trabalhar com profissionais de alta performance, muitas vezes me perguntava se eram apenas pessoas extrovertidas que gostavam de falar da boca para fora ou se elas tinham algum tipo de carisma que fazia com que seus motivos para agir soassem mais atraentes do que os motivos de outras pessoas. Eu estava errado em ambas as suposições. A personalidade não está relacionada à alta performance. A probabilidade de um introvertido ser um profissional de alta performance é a mesma de um extrovertido.[23]

Aprendi também que, embora sejam exuberantes ao compartilhar seus porquês com os outros, os profissionais de alta performance raramente declaram que sua *abordagem* está sempre correta. Sim, eles confiam em seus propósitos, mas, nas entrevistas, fica claro que a *maioria* questiona se a abordagem deles é a melhor. Muitas vezes, é por estarem abertos a processos melhores que identificam novas maneiras de progredir. Ou seja, os profissionais de alta performance têm confiança de seus porquês, mas estão abertos em relação ao *como*.

É ao afirmarem seus porquês com outras pessoas que os profissionais de alta performance não apenas se sentem mais confiantes, mas também criam consequências e obrigações sociais. Se eu lhe digo que estou tentando alcançar um objetivo e por que ele é tão importante para mim, e se falo isso como se fosse dar certo, declarando que *farei dar certo*, então meu ego passa a estar em risco. Existem riscos sociais. Prometi que algo aconteceria, então caso não aconteça não terei cumprido minha promessa. Não mantive minha palavra. Corro o risco de parecer um idiota ou alguém com pouca integridade, e não quero estar em nenhuma dessas situações.

Tudo isso me leva a sugerir que você afirme seus porquês, para si mesmo e para os outros, de forma mais consistente.

Quando lhe digo para fazer isso, quero dizer literalmente falar com você mesmo usando afirmações. Aqui está um exemplo pessoal. Cerca de onze anos atrás, decidi que queria alcançar mais pessoas com meu trabalho em motivação e desenvolvimento pessoal e profissional. Na época, o YouTube, o marketing de vídeos on-line e a educação on-line estavam todos engatinhando, mas ganhando força. Então decidi começar a filmar vídeos e a criar cursos on-line. A quesão é que eu era péssimo na frente da câmera. Não conseguia lembrar três frases nem se você me pagasse por isso, e não sabia como ser eu mesmo, ou o que fazer com as mãos, quando as luzes se acendiam. Eu era uma porcaria.

Mas eu tinha uma vantagem. Sabia sobre essa prática de afirmar o porquê para mim e para os outros. Então, antes de começar a filmar, dizia a mim mesmo algo mais ou menos assim: "Brendon, você está fazendo isso porque é importante. Lembre-se de seus alunos. Você pode inspirá-los e ajudá-los a alcançar seus objetivos. Esse é o seu propósito. Faça bem para eles. Você vai adorar isso e ajudar muitas pessoas".

Quando eu dizia isso, não estava tentando ganhar confiaça na minha capacidade de ser ótimo diante da câmera. Essa definitivamente não era a questão.

Eu estava falando com confiança sobre *por que* queria me sair bem diante da câmera naquele dia. E foi esse lembrete do porquê que criou a necessidade de performance.

Além disso, observe que falei comigo mesmo na segunda pessoa e que a afirmação se baseou mais em recompensas intrínsecas (ajudar pessoas, gostar do processo) do que em recompensas extrínsecas (terminar o vídeo, ganhar dinheiro vendendo o curso, ganhar prêmios ou receber feedback positivo). Isso é algo que você pode querer copiar porque nem todas as afirmações são criadas da mesma forma — afirmações intrínsecas são mais fortes.[24]

Se alguma coisa aqui soa sentimental demais, então você realmente precisa passar mais tempo com profissionais de alta performance, porque eles de fato dizem e fazem esse tipo de coisa. Conversam sozinhos — em voz alta — e lembram a si mesmos do que é realmente importante. Esteja no túnel do vestiário antes da entrada de atletas olímpicos na competição e os verá falando com eles mesmos. Estão afirmando seus porquês, ainda que não os nomeiem dessa maneira. Ouça um renomado palestrante nos bastidores. Não estão apenas ensaiando suas falas — estão se conectando com o *porquê* de estarem ali. Pesquisadores também encontraram isso em ambientes terapêuticos. A estratégia mais comumente citada por pessoas com transtornos de ansiedade que encontraram coragem para superar seus sintomas é se lembrarem do valor dos objetivos dos quais estão em busca.[25]

Para melhorar no vídeo, também afirmei o meu porquê para muitas pessoas que me conheciam. Comecei a contar aos amigos e familiares que ia gravar um curso na internet, e por que isso era importante para mim. Declarei que lhes daria acesso ao meu curso na semana seguinte e pedi que me mandassem um feedback na mesma semana. Muitos, claro, riram ou fizeram alguma brincadeira. Mas eu não precisava deles para me afirmar; precisava me afirmar publicamente para poder criar uma situação na qual eu deveria honrar minha palavra. Assim que fiz a promessa, minha necessidade humana de congruência me motivou ainda mais a ter uma performance boa e a ser pontual. Criei a expectativa externa de que faria algo e cumpri. Se não tivesse feito isso, os mais de um milhão de alunos que completaram minha série de vídeos e cursos nunca teriam se beneficiado deles. Afirmar o porquê sempre foi meu segredo para ser produtivo.

Quando verbalizamos algo, isso se torna mais real e importante para nós. Torna-se mais necessário vivermos em alinhamento com essa verdade. Então, da próxima vez que quiser aumentar sua necessidade de performance, declare — para si mesmo e para os outros — o que você quer e por que quer.

Estímulos para a performance

1. Três coisas nas quais gostaria de me tornar extraordinário são...

2. Meus porquês de me tornar excelente em cada uma dessas áreas são...

3. Entre as pessoas para quem contarei esses objetivos e os porquês por trás deles estão...

4. As coisas que posso dizer em voz alta para mim mesmo para afirmar esses porquês — minhas afirmações — são...

5. Algumas maneiras de me lembrar desses objetivos e porquês importantes são...

PRÁTICA TRÊS
MELHORE A QUALIDADE DO SEU TIME

> *Encontre um grupo de pessoas que o desafiem e inspirem,*
> *passe muito tempo com elas e isso mudará sua vida.*
> Amy Poehler

Quando sou contratado para treinar alguém para atingir uma alta performance, um dos ganhos imediatos mais fáceis de alcançar é fazer com que eles passem mais tempo com as pessoas mais positivas e bem-sucedidas em sua rede de apoio. Sua rede de apoio abrange as pessoas que estão constantemente mais próximas a você em casa, no trabalho e em sua comunidade. São as pessoas que você vê ou com quem mais conversa. Digo aos meus clientes que o trabalho deles é começar a passar mais tempo com os melhores do seu grupo de colegas e menos com os membros mais negativos. Essa é uma vitória fácil. Mas não é tudo.

Se você realmente quer aumentar sua performance em qualquer área da vida, fique perto de algumas pessoas *novas* que esperam e valorizam a alta performance. Expanda seu grupo de colegas para incluir pessoas com mais expertise ou sucesso do que você, e passe mais tempo com elas. Então, não se trata apenas de aumentar o tempo com seu time atual de colegas positivos ou bem-sucedidos, mas também de incluir pessoas nele.

Você provavelmente sabe que deve fazer isso porque já ouviu falar que o grupo de amigos é uma fonte de força. Mas pode ser que não se dê conta de quão poderosamente seu meio social afeta você.

Durante a última década, pesquisadores fizeram descobertas fascinantes sobre um fenômeno chamado *clustering* (agrupamento). Descobriram que comportamentos, atitudes e condições de saúde tendem a se formar em *clusters* (grupos) sociais. As pessoas ao seu redor afetam o quanto você dorme, a comida que você come e o quanto de dinheiro você gasta ou economiza.[26] Essa dinâmica, apelidada de "contágio social", demonstrou ter tanto malefícios quanto benefícios.

No lado negativo, os pesquisadores descobriram que maus comportamentos e condições como tabagismo, obesidade, solidão, depressão, divórcio e uso de drogas tendem a crescer em *clusters* sociais.[27] Se seus amigos fumam, você provavelmente vai fumar também. Quanto mais amigos seus estão acima do peso ou se divorciam, maiores as chances de você chegar lá também.

Do mesmo modo, fatores positivos como a felicidade e a sociabilidade também parecem se espalhar dentro dos grupos sociais.[28] Por exemplo, se você tem um amigo que é feliz na vida, suas chances de sentir-se feliz aumentam em 25%. Pesquisadores verificaram que a expertise e a performance de elite na música, no futebol, na arte, no beisebol, no tênis e em outros campos acontecem em *clusters*.[29]

Geralmente, esse efeito de "contágio" é relevante em até três graus de afastamento. Isso significa que não são apenas seus amigos e familiares que podem afetá-lo. Pesquisas mostram que os amigos de seus amigos exercem influência sobre você. Bem como os amigos dos amigos de seus amigos. Com cada grau de afastamento, o efeito de seu meio se torna menor, com efeitos não significativos além de três graus de afastamento.³⁰ Por isso é tão importante selecionar com cuidado quem está em seu círculo social.

É claro que nem sempre podemos determinar quem está em nosso círculo, principalmente quando somos jovens, e é por isso que muitas pessoas têm comportamentos prejudiciais hoje em dia — elas tiveram más influências. Aqueles que crescem em lares com disfunções domésticas mais sérias (como divórcio, uso de drogas, doença mental, negligência ou abuso) têm um risco maior de resultados futuros negativos relacionados à saúde mental e física.³¹ Essas crianças também sofrem significativos desdobramentos cognitivos e emocionais do abuso que vivenciaram (por exemplo, córtex pré-frontal menor [a área do cérebro responsável pela tomada de decisões], hipocampo menor [o centro da memória do cérebro] e reações de estresse hiperativo).³² Crianças que crescem na pobreza também enfrentam níveis significativamente mais altos de crime, violência, prisão, falta de supervisão dos pais, uso de drogas e abuso sexual e físico.³³

Todas essas evidências podem parecer avassaladoras para pessoas sem a sorte de terem ganhado na loteria social. Isso pode fazer com que se perguntem: "Então estou condenado a viver no mesmo nível de meus semelhantes?".

A resposta é um inequívoco e retumbante *não*. Acontece que a alta performance *não* está ligada à sua cultura ou ao seu meio social. Isso porque a alta performance, como você se lembra, tem a ver com pensar a longo prazo. E, com o tempo, você pode livrar sua vida de influências negativas e direcionar seus hábitos mentais e seu meio social para a alta performance. Isso não é só coisa de quem nasceu em berço de ouro. Pesquisas mostraram de forma consistente que as pessoas podem superar a formação e a influência culturais se tiverem as crenças e estratégias corretas. Simplesmente seguir a crença de que é possível melhorar com esforço, por exemplo, ajudou jovens em bairros desfavorecidos a abandonarem péssimos resultados, para estarem entre os melhores de suas turmas, aula após aula.³⁴

Um estudo recente com mais de 168 mil alunos de uma escola entre quinze e dezesseis anos nos ajuda a validar essa premissa. Os pesquisadores coletaram dados relacionados ao desempenho acadêmico dos alunos, ao seu status socioeconômico e ao que pensavam sobre sua capacidade de melhorar com esforço.³⁵ Como seria de esperar, os estudantes de estratos socioeconômicos mais altos tiveram performance significativamente melhor do que os de famílias de baixa renda. Essa relação, no entanto, foi compensada entre os que acreditavam que poderiam melhorar por meio do esforço. Na verdade, os estudantes que estavam entre os 10% mais pobres acreditavam em sua capacidade de melhorar a performance, bem como aqueles que estavam entre os 20% mais ricos e que acreditavam que suas habilidades eram imutáveis. Isso significa que a desigualdade econômica — e todos os fatores negativos que frequentemente se relacionam com o status econômico mais baixo, como maior nível de estresse, escolas e alimentação piores — foram em grande medida excluídos entre as crianças que *acreditavam que poderiam melhorar com o esforço*.

Pesquisas científicas mostram de forma consistente que certas pessoas mantêm a força mesmo quando o meio ou os costumes ao redor estão abaixo do ideal.[36] A diferença é como elas *pensam*. Isso significa que, com ou sem apoio social, você pode usar seus pensamentos para melhorar sua mente, seu humor, sua memória, suas reações, sua felicidade e sua performance.[37]

Nenhum de nós está preso ao nosso passado ou ambiente. Temos um tremendo controle pessoal sobre os fatores que melhoram nossa vida e nosso desempenho. Compartilho isso porque muitas pessoas acham que não podem ganhar sem o grupo de amigos ideal. Então, antes que eu lhe diga para melhorar seu grupo de amigos, não pense nem por um segundo que você não pode melhorar sua vida por conta própria. O apoio social apenas torna o desenvolvimento pessoal e o sucesso na vida em geral *mais fáceis*, mais rápidos e mais agradáveis.

Por todas essas razões, os profissionais de alta performance passam mais tempo com pessoas positivas do que com pessoas negativas.

> *São mais estratégicos e consistentes ao procurar trabalhar com outras pessoas de um nível igual ou superior de competência, experiência ou sucesso.*

Eles buscam atividades em rede ou afiliações junto a pessoas mais bem-sucedidas. No trabalho, comunicam-se mais com pessoas que são mais experientes e que, muitas vezes, estão "acima" deles no organograma. Na vida pessoal, se voluntariam mais, passam menos tempo em relacionamentos negativos ou conflituosos e pedem ajuda de colegas mais bem-sucedidos do que as outras pessoas.[38]

Isso não significa que os profissionais de alta performance tenham se livrado de *todas* as pessoas negativas ou desafiadoras em sua vida. Sabe-se lá por quê, existe esse mito de que, para ser feliz ou ter sucesso, é preciso "se livrar" de todas as pessoas negativas em sua vida. Ouvimos coisas como: "Se alguém não apoia seu sonho, tire-o da sua vida, ele não é seu amigo". "Sua esposa não o motiva nem atende a todas as suas necessidades? Peça o divórcio!" "As crianças da escola não gostam do seu filho? Mude-o de escola!".

São conselhos rasos. Aprender a conviver com pessoas diferentes e desafiadoras é apenas parte do processo de se tornar um adulto maduro e flexível. "Limar as pessoas" de sua vida só porque elas não são um raio de sol claro e brilhante durante todo o dia, todos os dias, só resultará em você, sozinho em uma ilha, conversando com os cocos.

Todo mundo tem dias ruins. Todo mundo sofre na vida. E nem todo mundo precisa colocar você para cima a cada passo do caminho. Precisamos aceitar isso e não abandonar todos que não estão de bom humor o tempo todo.

Sua família, seus amigos e seus colegas de trabalho terão muitos dias ruins, e muito do comportamento deles em relação a você não tem *nada* a ver com *você*. Eles estão em seu próprio mundo passando por dificuldades. A maioria das pessoas terá a vida afetada por uma doença mental. A maioria de seus amigos vem e vai em sua vida. Essa ideia de apenas varrer as pessoas de nossa vida não é madura nem razoável. Às vezes o amor é compaixão e paciência.

CONSTRUA O QUE VOCÊ PRECISA

> *Faça um esforço consciente para se cercar de pessoas positivas, espiritualmente gratificantes e edificantes — pessoas que acreditam em você, o encorajam a ir atrás de seus sonhos e aplaudem suas vitórias.*
> Jack Canfield

Ainda assim, você não precisa passar um tempo enorme com pessoas negativas ou dar toda a atenção do mundo a elas. Pessoas direcionadas a um propósito não têm muito tempo para drama. Então, aqui está o meu conselho: em vez de "livrar-se" de todas as pessoas negativas em sua vida (principalmente se forem familiares, amigos, colegas leais ou aqueles que são apenas carentes), passe mais tempo (a) saindo com seus amigos positivos e bem-sucedidos e (b) *formando um novo grupo de amigos positivos.*

Você pode dedicar seu tempo ao drama e ao conflito de dizer às pessoas que elas não são o que você quer ou precisa na vida, ou você pode usar o mesmo tempo para *construir um novo círculo*. Derrubar relacionamentos ou construir novos? Eu me concentraria em construir.

Também quero abordar a desculpa que ouço o tempo todo, principalmente de pessoas mais jovens, de que "não tenho acesso a pessoas bem-sucedidas". Isso é quase sempre uma crença pessoal inexplorada, não uma realidade. De fato, em um mundo globalmente conectado, é um argumento bem fraco dizer que não tem acesso a alguém, a algum lugar, com quem possa aprender, colaborar ou trabalhar, ou cujos passos possa seguir para progredir em sua vida. A verdadeira questão não é se elas existem; é se você está disposto a fazer o esforço necessário para encontrá-las, contatá-las, persegui-las, ou trabalhar duro a fim de subir alto bastante para alcançar a órbita delas.

Como fazer isso? Aqui está a minha lista para ajudar alguém a se aproximar de um grupo de pessoas mais bem-sucedidas:

1. *Faça mais um amigo incrível.*

Para fazer uma diferença, você não precisa de dezenas de novos amigos. Você precisa de uma pessoa positiva a mais que extraia o melhor de você. Então, descubra seu amigo mais positivo e bem-sucedido e peça a ele que leve um ou dois amigos na próxima vez que saírem juntos. Em seguida, comece a sair com eles um pouco mais, apenas meia hora a mais por semana. Uma pessoa positiva a mais leva você um passo adiante em direção a uma boa vida.

2. *Faça um trabalho voluntário.*

Esse é sempre meu primeiro passo no trabalho com pessoas que se sentem cercadas por pessoas negativas. Voluntários são espirituosos, pessoas positivas. São generosos. De qualquer modo, é desejável ter contato com esse espírito de servir para se desenvolver pessoal e espiritualmente. Além disso, é bom ter voluntários por perto porque eles tendem a ser pessoas mais instruídas e bem-sucedidas. Pessoas com níveis mais altos de instrução têm maior probabilidade de ser voluntárias do que aquelas com níveis mais baixos. Nos Estados Unidos, quase 40% das pessoas com mais de 25 anos que têm diploma de bacharel ou superior fazem algum trabalho voluntário. Isso se compara com 26,5% daqueles com formação superior incompleta, 15,6% dos formados do ensino médio e apenas 8,1% daqueles com formação abaixo do ensino médio.[39] Muitas vezes as pessoas que fazem parte de organizações sem fins lucrativos, principalmente ocupando a diretoria e os comitês, são as mais ricas de uma comunidade.

Mas trabalhar como voluntário não é apenas estar próximo a pessoas mais ricas ou instruídas. É servir aos outros e desenvolver o tipo de empatia e espírito generoso necessários para lidar com todos os seus relacionamentos na vida. Se você tem por perto uma pessoa negativa que não para de perturbá-lo, a perspectiva que se passa a ter em relação ao mundo por meio do trabalho voluntário pode ajudá-lo a relaxar.

Para encontrar ótimas oportunidades de trabalho voluntário em sua cidade, comece perguntando aos amigos. Você ficaria surpreso com quantos já trabalharam como voluntários. Além disso, pesquise na internet o nome da sua cidade e a expressão "trabalho voluntário" e você encontrará muitas opções. E faça isso nesta semana. Quando você encontra mais pessoas que se esforçam para fazer uma grande diferença no mundo, isso faz uma grande diferença no seu também.

3. Pratique esportes.

Participe de alguma competição no clube do seu bairro. Visite o clube de squash. Passe a ser membro da associação de golfe. Vá ao parque e participe de alguma atividade que estiver sendo realizada naquele momento. Estar em situações competitivas ensina você a prestar mais atenção ao próprio desempenho, e, conforme aprendemos, a autoavaliação aumenta a performance. Competições podem trazer o que há de melhor em nós quando encaramos o processo de competir como uma busca por excelência, por melhores desempenhos e pela capacidade de contribuir com a equipe. Só será uma performance "ruim" ou inadequada quando tudo o que importa para você é sair bem classificado, obter resultados ou acabar com a concorrência.[40]

4. Procure orientação.

Digo aos profissionais de alta performance que tenham um ou dois mentores ao longo da vida: pessoas mais velhas, mais sábias, bastante respeitadas e bem-sucedidas. Quero que liguem para eles uma vez por mês. Também quero que tenham um novo "mentor especialista" a cada três anos. Isso significa ter alguém com a expertise necessária para te ajudar a ter sucesso na sua área. Você também deve ligar para essa pessoa todo mês. Esses dois mentores, um para a vida e outro para determinada especialização, lhe darão uma perspectiva extraordinária. Para encontrar mentores, comece mais uma vez pelos amigos e familiares. Pergunte-se: "Das pessoas que conheço, quem tem grande sabedoria e influência, com quem posso aprender?". Você pode encontrar um mentor no trabalho ou seguindo uma das ações anteriores — por exemplo, trabalhando como voluntário ou praticando esportes. Você também pode digitar meu nome e "como encontrar um mentor" no YouTube e assistir ao meu vídeo para encontrar mais ideias.

5. Faça por merecer.

Quer estar perto de pessoas mais bem-sucedidas? Então, faça por merecer seu convite para aquela festa, tornando-se excepcional naquilo que faz. Trabalhe duro. Pratique os hábitos de alta performance. Nunca desista, agregue uma enorme quantidade de valor e continue no caminho da maestria. Quando você se tornar extremamente habilidoso e bem-sucedido no que faz, as portas se abrirão e você conhecerá pessoas cada vez mais extraordinárias.

Imagine como a sua vida seria melhor se você tivesse pessoas melhores em sua rede social. E não, não me refiro aos seus amigos no Facebook. Estou falando de pessoas reais com pulsações reais, com quem você se encontra, fala, trabalha, sai, se exercita, se diverte de verdade. Escolha cercar-se de pessoas que trazem alegria e crescimento para a sua vida e que são seguras o suficiente para serem verdadeiras e sólidas, quer você esteja bem ou mal.

Melhore a qualidade do seu time e dos seus padrões. Você se tornará uma pessoa mais extraordinária por ter mais pessoas extraordinárias ao redor.

Estímulos para a performance

1. As pessoas mais positivas na minha vida com as quais eu deveria sair mais são...

2. Para aumentar a quantidade de indivíduos de alta performance na minha rede de amigos, eu deveria...

3. Algumas rotinas ou encontros que eu poderia criar para reunir as pessoas positivas e as que me apoiam incluem...

NENHUMA OUTRA ESCOLHA

> *Primeiro diga a si mesmo o que você seria; depois faça o que você tem que fazer.*
> Epiteto

Todos nós conhecemos alguém que não foi a criança mais inteligente da turma, que parecia estar despreparada para a vida, com mais pontos fracos do que fortes, e que, de alguma forma, acabou surpreendendo todo mundo com seu sucesso. Questionadas sobre como superaram outras pessoas que eram mais privilegiadas ou qualificadas, costumam dizer: "Eu estava com fome. Eu *tinha* que ter sucesso. Não havia outra escolha". Tinham necessidade. Por outro lado, quantas pessoas sem essa mentalidade nunca alcançam seus plenos poderes. Nenhuma necessidade, nenhuma motivação, nada do seu potencial se tornando realidade.

Como acontece com todos os hábitos de alta performance, elevar seu nível de necessidade é uma questão deliberada. Você deve pensar constantemente:

"Associei as atividades importantes do meu dia à minha identidade e ao meu senso de obrigação? Por que perseguir esse sonho é tão importante para mim? Por que *devo* fazer isso? Quando devo fazer isso? Como posso estar perto de mais pessoas que me incentivam e me ajudam a servir em um nível mais elevado?". Essas perguntas, frequentemente repassadas, podem ser os estímulos para um nível inteiramente novo de comprometimento e motivação.

Você é tão forte e extraordinário quanto se dá razão para ser. Então, defina o que você precisa, meu amigo. Torne essas coisas realidade. Sinta-as dentro de você. Porque o mundo precisa que você se mostre agora.

Parte dois

Hábitos sociais

HÁBITOS DE ALTA PERFORMANCE

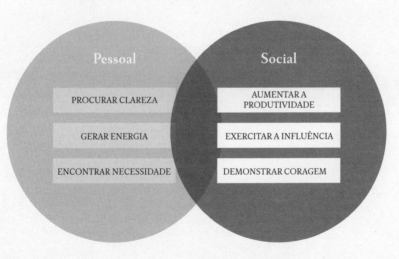

Hábito de alta performance #4
Aumentar a produtividade

Não pense em produzir arte, apenas produza. Deixe que todas as outras pessoas decidam se ela é boa ou ruim, se a amam ou odeiam. Enquanto estão decidindo, produza ainda mais arte.
Andy Warhol

AUMENTE OS RESULTADOS QUE IMPORTAM

PLANEJE SEUS CINCO PASSOS

TORNE-SE EXCEPCIONALMENTE BOM EM SUAS PRINCIPAIS CAPACIDADES

"Apenas não está acontecendo rápido o suficiente."

Athena, uma administradora escolar, diz isso com um tom de derrota na voz.

Estamos em seu escritório, discutindo seus objetivos e a produtividade em sua carreira. Fichários grossos estão espremidos nas prateleiras atrás dela. Há uma janela minúscula ao lado de sua mesa. Nenhuma fotografia enfeita as paredes brancas, que parecem amareladas em razão do tempo. Não posso deixar de sentir que este escritório — ou melhor, o prédio inteiro da administração — foi construído na década de 1970 e nunca mais recebeu uma pintura. Athena trabalha nesta sala há catorze anos.

"Nunca estive tão ocupada em toda a minha carreira. Há muita urgência agora porque estão prestes a fechar duas escolas minhas. Mal saio deste escritório, nem mesmo para almoçar." Aponta para duas caixas de comida no parapeito da janela. "Tenho reuniões o dia todo com professores, diretores, pais e líderes comunitários. No meio disso tudo, tento encaixar os e-mails. Fico acordada até tarde todas as noites revisando propostas. Tenho trabalhado sem parar há uns quatro anos. Sinto que não estou progredindo o suficiente, mesmo emendando uma coisa na outra."

Decido fazer uma pergunta que apavora profissionais classe A quando o assunto é produtividade: "Você está feliz?".

Athena fecha a cara. "Não quero parecer infeliz, Brendon. Não é como se eu estivesse dizendo que a vida é horrível ou que a minha carreira é uma droga. Não sou tão eficaz quanto quero ser, ou quanto todo mundo precisa que eu seja. É por isso que solicitamos sua presença aqui — para focar em ser mais eficaz."

Descobri que, quando estamos falando com pessoas muito ocupadas, elas geralmente abandonam rapidamente o assunto "felicidade".

"O.k. Então, Athena, você está efetivamente feliz?"

Ela ri. "Na medida do possível, eu acho. Não é como se todo dia fosse um sonho, mas amo o que estou fazendo. Acho só que *deve* haver um jeito melhor."

"Um jeito melhor de quê?"

"Do que me matar trabalhando tanto assim para aparentemente chegar a lugar nenhum. Quero me aposentar depois de vinte anos de trabalho. Mas isso é só daqui a seis anos. Não sei nem sei se aguento mais dois nesse ritmo. E, mesmo se eu aguentar, estou com medo de me aposentar, olhar para trás e pensar: *Qual foi o propósito de tudo isso? O que concretizei de fato?*"

"Na sua opinião, qual é o propósito de tudo isso?"

"Ah, as escolas, com certeza. Isso é claro para mim. É por isso que dei início a essa carreira. Sei que, se conseguir tornar as escolas da minha comunidade saudáveis, posso fazer com que gerações de crianças tenham uma vida melhor."

"O.k., parece uma missão maravilhosa. Você diz que pode acabar se perguntando sobre o que de fato realizou. O que você espera que seja?"

"Espero ter realizado mais alguns projetos grandes dos quais essas escolas podem se beneficiar nas próximas gerações. Mas não consigo imaginar como chegar lá — já estou me esforçando *demais* só para mantê-los. Estou dedicando muito tempo a isso, mas não tenho avançado tão rápido quanto imaginava. Não estou fazendo a diferença que estava esperando, porque meus projetos andam muito devagar. O equilíbrio entre minha vida pessoal e profissional é uma bagunça. Só sinto que estou sempre me esforçando o tempo todo, tentando conciliar muitas coisas ao mesmo tempo. Estou sempre tendo que reinventar a roda em todos os projetos. Sempre apagando incêndios e correndo de um lado para outro para realizar qualquer coisa que dure..." Ela para e observa a parede branca amarelada ao seu lado. "É como se, independentemente do que seja feito, eu não consiga realizar esses grandes projetos, e me preocupo com o fato de não estar me aproximando deles da maneira correta. Não importa o que eu faça, é só..."

Sinto uma energia intensa vindo dela. Senti um nó na garganta. Sei para onde isso está indo. Dói ver alguém com a visão enjaulada aqui neste escritório. "É só o quê?"

"Tudo o que faço, nunca é...", ela tenta conter as lágrimas, "... *suficiente*."

Um dos piores sentimentos do mundo é estar incrivelmente ocupado, mas perceber que não está progredindo. Você está indo bem, mas sua abordagem está prejudicando sua saúde ou comprometendo seu bem-estar. Os projetos parecem durar para sempre. O progresso vem devagar demais. A felicidade é sempre um horizonte distante e nunca alcançado. Athena sentia isso. A maioria de nós já passou por isso em algum momento.

Era difícil testemunhar Athena sentindo essas coisas porque, por fora, ela sozinha parecia uma equipe da SWAT inteira. Ela encerrava cada dia com um monte de tarefas de sua lista riscadas. O que ela ainda tinha que aprender era que não apenas o equilíbrio era possível, mas também um progresso mais efetivo. Ela também teve que descobrir que, às vezes, esse trabalho que ocupa você não é o trabalho de sua vida. De vez em quando, ser eficaz não é suficiente, porque sua conquista pode ser vazia se não estiver em sintonia com quem você é, com o que você realmente quer fazer, com o que você realmente é *capaz*. Ela teve que aprender a diferença entre apenas fazer as coisas e alcançar a produtividade da alta performance.

Profissionais de alta performance têm um método bastante consciente de planejar seus dias, projetos e tarefas, em comparação com os de baixa performance. Como a maioria das pessoas produtivas, os profissionais de alta performance pontuam bem em afirmações como "sou bom em estabelecer prioridades e trabalhar naquilo que é importante" e "mantenho-me focado e evito distrações e tentações". (Quanto mais forte a concordância com tais declarações, maior é a pontuação geral de alta performance.) A diferença é que, quando comparados aos colegas, os indivíduos de alta performance são *mais produtivos* e, ao mesmo tempo, mais felizes, menos estressados e mais recompensados a longo prazo.

A descoberta da felicidade é especialmente relevante, já que muitas pessoas acreditam que não podem fazer mais sem comprometerem seu bem-estar ou seu equilíbrio. Mas isso não é verdade. Profissionais de alta performance, quando comparados aos demais descobriram uma maneira de produzir mais, mas também de comer melhor, se exercitar mais e *ainda assim* sentir um amor maior por assumir novos desafios. E eles não fazem mais do trabalho chato simplesmente no modo automático — profissionais de alta performance completam mais atividades e alegam ser mais estimulados pela excelência do que os colegas. Minhas entrevistas com muitos indivíduos de alta performance e seus colegas na última década confirmam suas declarações.

Nada disso acontece porque os profissionais de alta performance são sobre-humanos ou consomem cafeína em excesso. Nem por causa dos ideais de bem-estar que frequentemente nos vendem hoje para nos tornarmos mais produtivos. Acreditar que você dá mais do que seus colegas ou que está fazendo a diferença pode certamente aumentar seu senso de motivação e satisfação, mas, novamente, essas coisas nem sempre levam ao aumento da produtividade.[1] Só porque você é generoso não quer dizer que você é bom em estabelecer prioridades ou em evitar distrações. Doadores podem se entregar de corpo e alma, mas nem sempre terminam o que começam.

Então, como os profissionais de alta performance conseguem produzir mais e ainda assim manter o bem-estar e o equilíbrio? É porque eles têm muitos dos hábitos deliberados que você aprenderá neste capítulo.

Para aproveitar este capítulo ao máximo, é importante deixar de lado quaisquer noções preconcebidas sobre o equilíbrio entre vida pessoal e profissional, ou sobre a busca de conquistas tangíveis na vida ser ou não um objetivo que vale a pena. Mantenha a mente aberta, porque dominar esse hábito pode trazer consequências de longo alcance em todos os aspectos de sua vida, principalmente em como você se sente em relação a si mesmo e ao mundo em geral. Nossa pesquisa descobriu que, segundo as estatísticas, indivíduos que se sentem mais produtivos têm mais probabilidade de se sentirem mais felizes, mais bem-sucedidos e mais confiantes. Também é mais provável que cuidem melhor de si mesmos, sejam promovidos com mais frequência e ganhem mais do que as pessoas que se sentem menos produtivas. Estas não são minhas opiniões; são resultados importantes e mensuráveis que encontramos em várias pesquisas e estudos.

Na minha experiência como coach, fica claro que os profissionais de alta performance também são as pessoas mais valorizadas e mais bem pagas de uma empresa. Empresas buscam líderes de alta performance porque eles são focados, gerenciam bem as tarefas e concluem projetos com mais êxito. Ficam menos sobrecarregados e trabalham em seus objetivos por mais tempo, com um sentimento maior de alegria e camaradagem do que os demais.

Claramente, dominar esta área da sua vida é uma fonte de poder. Vamos examinar o básico e depois passar para os hábitos avançados.

FUNDAMENTOS DA PRODUTIVIDADE

> *O dia é sempre de quem trabalha com serenidade e com grandes objetivos.*
> Ralph Waldo Emerson

Os fundamentos para tornar-se mais produtivo são estabelecer metas e manter energia e foco. Sem metas, sem foco e sem energia, você já era.

A produtividade começa com objetivos. Com objetivos claros e desafiadores, você tende a ser mais focado e comprometido, o que leva a uma maior sensação de movimento e prazer em relação ao que estiver fazendo.[2] Um prazer maior lhe dá aquela motivação particular que tem sido relacionada a uma maior produtividade, bem como à quantidade e à qualidade dos resultados.[3] O mesmo vale para equipes. Grupos que têm objetivos claros e desafiadores quase sempre superam os demais. Pesquisas mostram de modo consistente que metas coletivas inspiram as pessoas a trabalhar mais depressa e por períodos mais longos; a prestar mais atenção a tarefas que importam; a se tornarem menos distraídas; além de aumentarem seu esforço geral.[4]

Energia é outro grande fator para determinar a produtividade. Como discutimos no capítulo 3, quase tudo que você faz para cuidar bem de si mesmo é importante para aumentar sua alta performance. Uma boa qualidade de sono, alimentação e atividade física são enormes otimizadores da produtividade.[5] E não apenas da *sua* produtividade — a produtividade de economias inteiras pode estar ligada, por exemplo, aos hábitos alimentares dos seus cidadãos.[6]

Você se lembra de que a Energia com "E" maiúsculo não se tratava apenas de sono, alimentação e exercícios, mas também de emoções positivas. É indiscutível que pessoas mais felizes são mais produtivas. Na verdade, uma meta-análise de mais de 275 000 pessoas em mais de duzentos estudos descobriu que pessoas felizes não são apenas mais produtivas — elas também são mais bem avaliadas em relação à qualidade do trabalho, à confiabilidade e à criatividade.[7] Outro estudo descobriu que estudantes mais alegres durante a faculdade foram mais bem-sucedidos financeiramente do que os colegas ao longo de uma década após a graduação.[8] Até o velho conselho "sorria e tenha mais sucesso" é verdade. Um estudo descobriu que apenas assistir a um vídeo engraçado para alegrar um pouco a sua vida antes de realizar um trabalho sério pode aumentar a produtividade.[9]

Por fim, para ser produtivo, é preciso manter o foco. Isso não é fácil na era moderna. Sobrecarga de informações, distrações e interrupções causam consequências terríveis tanto em nossa saúde quanto em nossa produtividade. O excesso de informações leva à desmoralização e a um trabalho de qualidade inferior.[10] Lidar com um fluxo interminável de informações, ou ter que gastar uma boa parte do nosso dia estudando ou procurando dados, nos torna infelizes. É por isso que temos o termo *paralisia por análise* — ficamos paralisados pelo excesso de dados e de tempo gasto na coleta e na análise desses dados. Essa é apenas uma das razões pelas quais nunca devemos verificar o e-mail assim que acordamos. Essa grande enxurrada de mensagens provoca sobrecarga e reatividade — não o sentimento ou a mentalidade nos quais queremos basear nosso dia. Em vez disso, tente algumas das atividades que discutimos no capítulo sobre energia.

Distração é outro fator que nos põe para baixo. Um estudo descobriu que a distração reduz a produtividade em 20%.[11] É ainda pior se estivermos trabalhando em tarefas mentais desafiadoras — distrações podem reduzir a velocidade de nosso raciocínio quase pela metade.[12] Vários estudos mostraram que fazer várias coisas ao mesmo tempo configura em si uma distração. É incompatível com os estados de pico de concentração associados ao trabalho de alta performance e qualidade.[13] Quando fazem várias coisas ao mesmo tempo, as pessoas não conseguem se concentrar totalmente na tarefa em questão porque seu cérebro ainda está processando a última tarefa inacabada.[14]

A grande e definitiva culpada é a interrupção. A maioria das pessoas em empresas grandes é interrompida várias vezes durante qualquer tarefa, atividade ou reunião. Quando isso acontece, elas têm dificuldade de se concentrar novamente e recuperar o que estavam fazendo. Não conseguem retomar de onde estavam; em vez disso, dirigem-se, em média, a duas outras tarefas ou projetos antes de voltar para o esforço original.[15] Com meus clientes da *Fortune 50*, percebi que, até para os mais bem-sucedidos, uma interrupção significativa no dia de trabalho pode atrasar em duas a três horas tarefas importantes e agendadas.

Esses fatos devem levá-los a ser seriamente disciplinados quanto a estabelecer metas desafiadoras e a manter sua energia e seu foco no caminho certo. Mas isso é um trabalho árduo, e com frequência esses esforços são desviados por nossas suposições de que isso simplesmente não é possível. Muitas pessoas dizem que não podem estabelecer metas maiores ou manter energia porque o equilíbrio entre suas vidas pessoal e profissional seria prejudicado. Na verdade, o papo a respeito do equilíbrio entre trabalho e vida pessoal tornou-se tão absurdo que eu gostaria de abordar isso especificamente antes de avançar para os nossos hábitos.

O DEBATE SOBRE EQUILÍBRIO ENTRE VIDA PROFISSIONAL E PESSOAL

> *Uma das formas mais comuns de uma pessoa moderna enganar a si mesma é se mantendo ocupada o tempo todo.*
> Daniel Putnam

Hoje em dia, muitas pessoas desistiram de encontrar o equilíbrio entre trabalho e vida pessoal. Mas não tão rápido. As pessoas podem encontrar equilíbrio em sua vida, e acreditar no contrário é uma suposição terrivelmente incapacitante e imprecisa. Depois de treinar literalmente milhões de pessoas sobre produtividade, percebi que aqueles que acham impossível haver o equilíbrio entre trabalho e vida pessoal acreditam nisso porque (a) nunca fizeram um esforço consciente e consistente para definir, buscar e medir esse equilíbrio ou (b) simplesmente o definem usando um padrão impossível de ser alcançado.

Primeiro, vamos tratar da ideia frequentemente expressa de que o equilíbrio entre vida profissional e pessoal é impossível. Dizer que *qualquer* esforço humano é impossível é comprovadamente uma suposição ingênua, e isso não é exceção. Quando alguém me diz que o equilíbrio entre trabalho e vida pessoal é impossível, lembro-lhe que os seres humanos atravessaram oceanos, subiram as montanhas mais altas, construíram arranha-céus, pousaram na Lua e conduziram veículos para além do sistema solar. Nossa capacidade de realização é impressionante e nossas tentativas são limitadas apenas por nossas crenças. Então lhe digo que, se você acredita que um melhor equilíbrio entre vida profissional e pessoal é impossível, você já perdeu a luta.

Também lembro a muitos dos meus clientes que desistiram dessa questão que eles simplesmente nunca tentaram encontrar o equilíbrio, como o fizeram em outros casos. Passarão dez meses planejando a realização de um projeto no trabalho, mas nenhum único dia planejando mais equilíbrio em sua próxima semana. Se você não vai se concentrar tão atentamente em equilibrar sua vida quanto em realizar qualquer outro projeto, então a questão está resolvida. Nesse caso, não aponte um dedo acusando todo o papo sobre o equilíbrio entre vida profissional e pessoal; aponte o dedo para a pessoa que está olhando para você no espelho, que simplesmente se recusou a tentar.

Se mantivermos a mente aberta nesta discussão, talvez seja possível perceber que um dos principais problemas é a maneira como já de início abordamos o equilíbrio entre vida profissional e pessoal.

O grande erro que a maioria das pessoas comete é tratar do equilíbrio pensando em horas distribuídas de maneira uniforme.

Elas acham que devem passar o mesmo tempo no trabalho e "na vida". A expectativa delas é baseada em quantidade em vez de qualidade, e sempre temos problemas quando confundimos as duas. Ainda assim, não importando quantas pessoas achem que não têm equilíbrio nesse aspecto, a maioria, na verdade, *tem*. A maioria de nós gasta um terço da vida trabalhando (considerando uma semana padrão de quarenta horas de trabalho), um terço dormindo e o outro terço fazendo coisas como estar com a família, investindo em hobbies ou na saúde, lidando com as necessidades básicas da vida. De fato, as pessoas têm muito mais tempo livre e mais tempo com a família do que imaginam. O fato é que elas não têm consciência desse tempo e, portanto, não o aproveitam "o suficiente". É irônico que o americano comum que assiste de quatro a cinco horas de televisão por dia diga que não tem tempo nem equilíbrio.[16]

Para ser sincero, muitas pessoas trabalham bem mais do que quarenta horas por semana. E na cultura sempre conectada em que vivemos hoje, na qual estamos à espera de respostas a todas as horas do dia e da noite, pode *parecer* que o equilíbrio se foi.

É por isso que acho que há uma abordagem melhor para pensar o equilíbrio entre vida profissional e pessoal. Em vez de tentar equilibrar as *horas*, tente equilibrar a *felicidade* ou o progresso nas principais esferas de sua vida.

Deixe-me explicar melhor. Quando a maioria das pessoas acha que está "fora" do equilíbrio, é porque *uma área* de sua vida se tornou mais intensa ou importante, ou porque toma mais o seu tempo do que outras. Ficaram tão obcecadas com o trabalho que deixaram sua saúde ou seu casamento decair. Ou ficaram tão focadas em uma questão familiar que seu trabalho sofreu.

A solução é manter as coisas em perspectiva, com um olho na qualidade ou no progresso das principais áreas da vida. Uma simples revisão semanal do que estamos buscando nos ajuda a reequilibrar ou pelo menos planejar um equilíbrio maior.

Descobri que é útil organizar a vida em dez categorias: saúde, família, amigos, relacionamento íntimo (parceiro ou casamento), missão/trabalho, finanças, aventura, hobby, espiritualidade e emoção. Quando estou trabalhando com clientes, costumo fazer com que classifiquem sua felicidade em uma escala de um a dez, e também escrevam seus objetivos *em cada* uma dessas dez esferas *todos os domingos à noite*. A maioria deles nunca havia feito isso. Mas não é óbvio que só podemos determinar se alguma coisa está em "equilíbrio" a partir do momento em que a medimos?

> *Se não estiver medindo de maneira constante as principais esferas da sua vida, então não há jeito de saber o que o equilíbrio que você procura é ou deixa de ser.*

Essa atividade é apenas um simples *check-in*, eu sei, mas você ficaria surpreso com o poder que ela tem. Certa vez, prescrevi essa atividade semanal a uma equipe executiva de dezesseis pessoas, e em apenas seis semanas elas relataram aumentos drásticos em sua sensação de bem-estar e de equilíbrio entre vida profissional e pessoal. É certo que se tratou de um estudo pequeno e informal, mas, apesar disso, vimos aumentos de dois dígitos quando nada mudou em suas vidas profissionais ou pessoais, a não ser dedicarem um tempo semanal para avaliar as dez esferas de suas vidas.[17] Às vezes, simplesmente observar as coisas de uma perspectiva mais ampla pode ajudar a nos sentirmos com mais controle, a ajustar a rota conforme necessário e, claro, a encontrar mais equilíbrio.

Era disso que Athena, a administradora escolar do começo deste capítulo, precisava tão desesperadamente. Naquele dia em seu escritório, pedi-lhe que se classificasse nas dez áreas. Para sua surpresa, ela não tinha *nem pensado* em muitos aspectos da vida fora do trabalho *por anos*. Quem é o culpado nessa situação? É culpa de seus chefes? Da sociedade em que vivemos? Não. Se formos honestos, nossa falta de atenção às áreas importantes de nossa vida não é culpa de ninguém senão nossa. O que Athena descobriu foi que ela precisava de um ritual semanal para avaliar onde estava e o que "equilíbrio" poderia significar para ela.

Outra distinção que geralmente não se nota em relação a esse equilíbrio é que se trata menos de horas distribuídas uniformemente do que de *sentimentos*. Não é sobre as horas que você gasta, mas sobre a harmonia que você sente. Muitas vezes, as pessoas simplesmente se sentem infelizes com o trabalho ou desconectadas dele. Se você não gosta do seu trabalho e tem que gastar muito tempo nele, é claro que sente como se a vida estivesse desequilibrada. Você reconheceria que sua ocupação não é o *trabalho de sua vida* e que a dissonância causaria sofrimento mental. É por isso que é importante viver em harmonia com o que você realmente deseja e fazer as atividades que estão no capítulo sobre clareza.

Você sempre se sentirá desequilibrado se estiver realizando um trabalho que não é interessante nem significativo.

Em outras ocasiões, as pessoas *estão* empenhadas e aproveitando seu trabalho, mas também *esgotadas* pelo estresse e pelo excesso de horas trabalhadas. Há uma linha tênue entre ocupado e esgotado, e quando você a ultrapassa, não importa quão maravilhosa seja sua vida fora do trabalho, você se sentirá desequilibrado. O esgotamento em uma área da vida facilmente consome as outras. Então o que podemos fazer? No capítulo sobre energia, tratamos muito do básico: faça uma transição melhor, libere a tensão, durma mais, faça mais exercícios, coma melhor.

A boa notícia é que, se o esgotamento em geral é apenas uma sensação de cansaço, também há uma solução mais simples. Se pudermos fazer apenas uma atualização/reinicialização física e mental a cada hora, então poderemos melhorar drasticamente como nos sentimos e também perceberemos uma melhora significativa no equilíbrio entre trabalho e vida pessoal. Isso significa que, para a maioria das pessoas, não era necessário pedir demissão pela dificuldade de equilibrar essas duas áreas; elas apenas precisavam mudar *o que faziam no trabalho* para que se sentissem mais equilibradas e com mais energia. Felizmente, isso é mais fácil do que você imagina.

FAÇA UMA PAUSA (CHOCANTE, EU SEI)

> *Há virtude no trabalho e há virtude no descanso. Use ambos e não ignore nenhum dos dois.*
> Alan Cohen

Seu cérebro também precisa de mais tempo de inatividade do que você imagina — para processar informações, se recuperar e lidar com a vida a fim de que você possa ser mais produtivo.[18] É por isso que, para uma produtividade ideal, você não deve apenas fazer pausas mais longas — reivindique seu período de férias! —, mas também se dar pausas intermitentes ao longo do dia.[19]

Pesquisadores sabem há tempos que fazer pausas no trabalho leva a emoções positivas e a uma produtividade maior.[20] Por exemplo, atos simples, como tirar o horário do almoço longe da sua mesa todos os dias, podem aumentar significativamente sua performance no trabalho.[21] Fazer uma pequena pausa para sair e ir a um parque próximo por apenas alguns minutos pode lhe trazer benefícios cognitivos para que você volte ao trabalho restaurado e com mais foco.[22] Se você não está disposto a se afastar de sua mesa, apenas trabalhar de pé em alguns momentos pode aumentar sua produtividade em 45% em comparação a ficar sentado o dia todo.[23]

Alguns pesquisadores alegaram que precisamos dessas pausas porque temos recursos cognitivos limitados e "esgotamos" nossa banda larga psicológica ou nosso autocontrole. Embora essa teoria tenha sido questionada — talvez não esgotemos nosso autocontrole e foco, mas, em vez disso, só perdemos a motivação[24] —, uma coisa é certa: trabalhar direto durante o dia, sem pausas, torna as pessoas infelizes e menos produtivas.

Todos nós já nos sentamos à mesa e percebemos nossa atenção indo embora mesmo quando gostamos do trabalho. Todos nós nos sentimos cansados até de fazer o que amamos. Todos ficamos sem ideias mesmo quando a corda está no nosso pescoço. Em todos esses casos, a sua mente está dizendo que você precisa de uma pausa. Todos nós percebemos também que coisas simples, como uma conversa de corredor, uma pausa para ir ao banheiro ou deixar a mente vagar por alguns minutos depois do almoço, muitas vezes nos renovam. É evidente que a nossa mente precisa descansar para restaurar os neurotransmissores e aumentar nossa atenção futura.[25]

A ciência é tão conclusiva sobre o assunto que a maioria dos especialistas em organização recomenda breves pausas pelo menos a cada período de noventa a 120 minutos para aumentar a satisfação e o desempenho dos funcionários.[26] Mas minha pesquisa, assim como a de outros, mostrou que o número deveria ser reduzido à metade.[27]

> *Se quiser se sentir mais motivado, criativo e efetivo no trabalho — e ainda sair do trabalho com força suficiente para a parte "vida" —, o ponto de partida ideal é interromper o que está fazendo e dar uma pausa para sua mente e seu corpo a cada período de 45 a sessenta minutos.*

Isso significa que você não deve trabalhar mais em nenhuma atividade exclusiva por mais de uma hora no máximo sem uma pausa mental e física. Um intervalo de apenas dois a cinco minutos a cada hora pode ajudá-lo a se sentir muito mais alerta mentalmente e motivado para o seu trabalho e para a vida em geral.

Por exemplo, se você for trabalhar em um e-mail ou em uma apresentação por duas horas, recomendo que se levante da cadeira aos cinquenta minutos, dê uma voltinha rápida pelo escritório, pegue um copo de água, volte para sua cadeira e faça uma meditação de transição de sessenta segundos. Como um lembrete do capítulo sobre energia, uma meditação consiste em simplesmente fechar os olhos, focar na respiração profunda, repetir para si mesmo um mantra como "libere" e depois estabelecer uma intenção para a próxima atividade.

Se você quiser crédito a mais, faça a si mesmo também a pergunta "gatilho da mesa de trabalho" do capítulo anterior (sobre necessidade): "Quem neste momento mais precisa da minha melhor performance?".

Observe o que *não* está incluído durante essas pausas: verificar e-mails, mensagens de texto ou mídias sociais. Fazer *check-ins* é exatamente o oposto do nosso objetivo aqui: para que possamos recarregar, é preciso fazer *check-outs*.

Em geral, vencedores ignoram esse conselho porque querem apenas sentar-se e colocar toda sua energia em horas de atividade ao computador ou em reuniões. Mas é exatamente por isso que eles se sentem tão sem controle na vida doméstica e, portanto, relatam um terrível equilíbrio entre trabalho e vida pessoal. Lembre-se, horas em casa versus horas no trabalho não são o problema. O mais importante são seus sentimentos e o senso geral de energia. Colocar toda a sua energia não passa de um mau conselho. Estudos com os profissionais de mais alta performance do mundo em dezenas de áreas de trabalho descobriram que eles não necessariamente estudam ou trabalham *mais tempo* que os demais. São apenas mais eficazes nessas sessões de treinamento ou simplesmente têm *mais* dessas sessões (não mais longas).[28] Estabelecer mais horas é quase sempre a resposta errada para quem quer alcançar equilíbrio, felicidade ou alta performance constantes. É contraintuitivo, mas é verdade: *ao desacelerar ou fazer uma pausa de vez em quando, você trabalha mais rápido, reservando mais tempo para outras áreas da vida.*

Para meus clientes, esse intervalo entre 45 e sessenta minutos se torna um estilo de vida. É um protocolo rigoroso nos primeiros meses de trabalho conjunto. Digo-lhes: "Se for sentar a bunda em uma cadeira, ajuste um temporizador de cinquenta minutos no celular ou no computador. Em cinquenta minutos, não importa em que você esteja trabalhando, levante-se, movimente-se, respire, estabeleça uma intenção e então volte ao trabalho". A parte "levante-se" do meu conselho é importante. Você não pode simplesmente fechar os olhos e meditar à mesa. Você precisa dar uma pausa para o seu *corpo* da postura que mantinha enquanto estava sentado. Então levante-se, mova-se um pouco e faça alongamentos básicos. Se tudo o que você fizer for ficar de pé a cada hora, fechar os olhos e pular no mesmo lugar enquanto respira profundamente dez vezes, você sentirá uma total renovação do foco e da produtividade em sua vida.

Não importa onde esteja sentado — em um avião, em um café, no trabalho, em uma reunião, no sofá —, levanto-me a cada cinquenta minutos. Faço uma pequena série de dois minutos de exercícios calistênicos, Qigong e yoga, junto com uma prática de respiração profunda. Essa regra dos cinquenta minutos é algo que nunca quebro, mesmo quando estou em uma reunião com outras pessoas. Costumo fazê-los ficar em pé e executar um exercício motivacional comigo, ou peço licença e vou procurar um lugar para me renovar por dois ou três minutos. Essas curtas pausas me acrescentam horas de foco e eficácia por dia.

Se você seguir os passos descritos neste capítulo, poderá encontrar um equilíbrio maior entre o trabalho e a vida pessoal, portanto não tenha medo de se tornar mais produtivo ou de buscar mais realizações. Apenas certifique-se de avaliar toda semana o equilíbrio na sua vida classificando-se nas dez esferas e tendo metas em cada uma delas. Em seguida, faça um intervalo de dois ou três minutos a cada período de 45 a sessenta minutos do seu dia. Isso é o básico. Agora vamos para as práticas avançadas de produtividade.

PRÁTICA UM
AUMENTE OS RESULTADOS QUE IMPORTAM

> *Nada é menos produtivo do que tornar mais eficiente*
> *o que não deve ser feito de jeito nenhum.*
> Peter Drucker

Se quiser se tornar extraordinário, você precisa descobrir os resultados produtivos que importam em seu campo ou setor. Cientistas renomados publicam artigos mais importantes do que seus equivalentes menos conhecidos ou menos eficazes.[29] Mozart e Beethoven tornaram-se expoentes não apenas por seu talento, mas também por seus resultados produtivos. O mesmo vale para Bob Dylan, Louis Armstrong, os Beatles. Em seus anos de mais alta performance, a Apple lançou produtos que foram um sucesso atrás do outro. Babe Ruth executou mais swings do que seus contemporâneos, assim como Michael Jordan fez muito mais cestas e Tom Brady deu muito mais passes. Seth

Godin cria inúmeros blogs; Malcolm Gladwell produz inúmeros livros e artigos; Casey Neistat continua fazendo upload de vídeos no YouTube; Chanel continua produzindo novos modelos; e Beyoncé continua lançando ótimos álbuns.

Profissionais de alta performance dominaram a arte do *resultado de qualidade prolífica* (RQP). Produzem mais resultados de alta qualidade do que seus pares a longo prazo, e é assim que se tornam mais eficazes, mais conhecidos, mais lembrados. Direcionam sua atenção e seus esforços constantes para o RQP e minimizam quaisquer distrações (incluindo oportunidades) que os desviem de seu ofício.

Esse ponto parece quase universalmente perdido em um mundo onde as pessoas passam mais de 28% de suas semanas de trabalho gerenciando e-mails e outros 20% apenas *buscando* informações.[30] As pessoas perdem séculos em atividades inúteis — por exemplo, criando pastas e organizando seus e-mails — mesmo que isso não tenha nada a ver com produtividade real. (Sim, me desculpe, mas suas elaboradas pastas de e-mail não estão ajudando você. Um estudo de 2011 com 85 000 ações de 345 usuários de e-mail descobriu que pessoas que criam pastas complexas são menos eficientes em encontrar o que precisam do que aquelas que simplesmente usam pesquisa ou divisão em tópicos.)[31]

Uso o exemplo do e-mail porque realizadores são quase unânimes ao culpá-lo por sua baixa produtividade. Mas o e-mail, por si só, não é o problema. O verdadeiro culpado é nossa própria orientação para trabalhar. O trabalho verdadeiro não é responder às falsas emergências de todos, empilhar papéis na mesa, excluir e-mails inúteis, manter uma boa postura para parecer bem ou participar de reuniões. O trabalho real é produzir resultados de qualidade que importam.

Parte do seu trabalho é descobrir o que "RQP relevante" significa para você. Para o blogueiro, pode ser um conteúdo mais frequente e melhor. Para o dono da loja de cupcakes, talvez seja saber quais os dois sabores mais vendidos e expandir a distribuição apenas desses dois sabores. O pai pode escolher aumentar a frequência de tempo livre e de experiências boas com os filhos. O representante de vendas pode ir atrás de mais reuniões com clientes potenciais qualificados. O designer gráfico pode produzir belas imagens com mais frequência. Para o acadêmico, pode ser a qualidade do currículo e das aulas, ou o número de trabalhos ou livros publicados.

> *Descobrir o que você deve produzir, além de aprender as prioridades na criação, na qualidade e na frequência desse resultado, é um dos maiores avanços que você pode ter em sua carreira.*

Observe o passado de quase qualquer ícone dos negócios e você verá uma reviravolta em sua carreira e em seu patrimônio, que se deu quando ele descobriu seus RQPs. Para Steve Jobs, foi cortando um monte de produtos da lista da Apple que ele pôde se concentrar em produzir menos — mas melhores — produtos em massa, o que mudaria o mundo. Para Walt Disney, foi aumentando a produção de filmes. Na era digital moderna, algumas das maiores histórias de sucesso são aquelas que simplesmente permitiam que outras pessoas compartilhassem mais conteúdo original e prolífico — Facebook, Instagram e Snapchat, por exemplo. Onde quer que o RQP seja encontrado, parece que os avanços e o patrimônio são consequência.

Abandonei um trabalho de consultoria corporativa em 2006 porque não consegui encontrar satisfação nos resultados que vinham como recompensa. Quando eu olhava para os sócios do meu antigo empregador, o RQP era basicamente a quantidade de clientes importantes com quem eles fechavam contrato por ano. Embora muitas coisas maravilhosas tenham vindo com isso — a capacidade de fazer negócios, de mudar as coisas —, eu simplesmente não me conectava com a ideia de dedicar minha vida a uma carreira construída a partir de negócios. Para um cara no meu modesto nível, a cultura informal apoiava um RQP de "comprometimento total com projetos" — obtendo o máximo possível de projetos para ganharmos perspectiva, expandirmos nossa rede e sermos pagos por viagens extras. Novamente, houve outros benefícios para tudo isso, mas eu simplesmente não me conectava. Quase nada dos resultados daquele trabalho tinha a ver comigo.

Uma das grandes revelações da vida pode vir da descoberta de que os resultados pelos quais você está sendo compensado não são empolgantes ou satisfatórios. Quando essa ficha cai, é hora de honrar essa verdade e realizar uma mudança.

Escolhi desistir e começar minha carreira como escritor, palestrante e instrutor on-line. Vi os resultados dessas iniciativas — criar conteúdo para inspirar outras pessoas — como algo que seria significativo para mim. A questão era: eu não tinha ideia de como começar ou o que fazer, especificamente. Como muitas pessoas novas no mercado especializado, pensei que tinha que compreender a indústria da escrita, a indústria das palestras e a indústria do treinamento on-line. Cometi o erro de ir a dezenas de conferências para tentar entender cada uma das áreas, sem perceber que todas elas eram a mesma carreira de ser uma referência e que os resultados mais importantes eram parecidos.[32]

Por quase um ano, tentando sem clareza descobrir quais resultados realmente importavam, minha vida foi um caos. Estava tentando escrever artigos para revistas e blogs, implorando às pessoas que me deixassem falar para seus grupos e esperando receber algo por isso, girando em um mesmo lugar aprendendo uma centena de ideias de marketing on-line. Então, um dia, sentado em um café, percebi que havia passado o dia inteiro "trabalhando", mas não tinha nada realmente para mostrar. Pensei: *Nenhuma das coisas que fiz hoje vai me ajudar a avançar na minha carreira ou vai ser lembrada — por mim ou por qualquer pessoa — daqui a dez anos.* Ainda me lembro dessa conversa mental: "Se você é honesto consigo mesmo, você *quer* criar coisas que importam. Quer saber que um bom dia de trabalho produz *algo* que vale a pena, *algo* que fará parte de suas importantes contribuições para os outros e para o mundo, *algo* que mostra que você se importa com seu ofício".

Evidentemente, percebi que nem todo dia seria um dia mágico e perfeito, no qual todas as tarefas que eu fazia seriam arrasadoras, monumentais. Todos nós temos atividades que precisam ser feitas e que não nos fazem sentir como lendas. Tirar o lixo não está lhe trazendo grandes benefícios, mas tem que ser feito.

O que mudou a trajetória da minha carreira naquele dia foi decidir, em uma única página, quais seriam meus RQPs. Se eu me tornaria um escritor de verdade, então meu resultado produtivo precisaria virar livros. Este livro que você está segurando? É o *sexto* que publiquei desde aquele dia (mais dois manuscritos inéditos estão esperando na minha gaveta). Sem falar dos milhares de e-mails, artigos de blogs, cartas de vendas e postagens em mídias sociais que escrevi. Mas meu principal esforço são os livros. Wayne Dyer, um mentor e amigo querido do qual sinto muita falta, escreveu e publicou mais de trinta livros. Sou apenas um iniciante, mas conheço meu RQP, e isso me dá o que Wayne teria chamado de poder da intenção.

Decidi que se eu ia ser um palestrante profissional, meu RQP seria a quantidade de palestras pagas a uma certa taxa de reserva. Parei com todas as conversas inúteis em que pedia às pessoas uma chance de falar e comecei a criar materiais de marketing e vídeos como os de outros palestrantes que estavam sendo contratados nos níveis que eu queria alcançar.

Eu sabia que se fosse me tornar um instrutor de cursos on-line — uma carreira relativamente nova em 2006 —, então meu RQP seria currículo, vídeos de treinamento e cursos on-line completos. Como compartilhei no capítulo sobre clareza, parei de tentar aprender todas as novas técnicas de marketing que surgiam e me esforcei ao máximo para criar e promover cursos on-line. O resto, como dizem, é história. Quase 2 milhões de pessoas se inscreveram em meus cursos on-line ou séries de vídeos, e meus vídeos didáticos gratuitos sobre como viver uma vida em seu máximo foram vistos mais de 100 milhões de vezes. Se eu não tivesse descoberto meu RQP, nunca teria recebido a dádiva de alcançar todos esses alunos. Nunca teria sido chamado de "um dos treinadores on-line mais bem-sucedidos da história" pela Oprah.com nem ficado no topo da lista dos principais influenciadores de desenvolvimento pessoal da revista SUCCESS por tantos anos. Saiba que não estou compartilhando isso para impressionar você, mas para transmitir o tremendo poder de decidir qual será o seu RQP e *correr atrás dele*. Os resultados em minha carreira não vieram porque sou particularmente especial ou talentoso. Eles acontecem porque aperfeiçoei meu foco para os RQPs que importavam em minha carreira e dei atenção e dedicação obsessivas àqueles resultados, *continuamente e no longo prazo*.

A importância dessa estratégia é indescritível. Sempre que tenho que ajudar um cliente a melhorar sua alta performance, uma das minhas estratégias é descobrir rapidamente qual resultado eles devem criar. Independentemente de em qual assunto ou tipo de produtos eles decidam se tornar produtivos, faço com que eles reorientem todo seu cronograma de trabalho para esse empreendimento. O mais rápido possível, quero que eles gastem 60% ou mais de sua semana de trabalho direcionada ao RQP. Em minha experiência na última década, esse número de 60% parece ser o ponto ideal em que os resultados reais começam a acontecer na carreira de uma pessoa. Para a maioria das pessoas, os outros 40% acabam em fatores como estratégia, gerenciamento de equipe e tarefas cotidianas de trabalho ou administração de uma empresa.

Gasto 60% da minha semana de trabalho escrevendo, criando currículo para treinamento on-line e gravando vídeos. Os outros 40% vão para estratégia, gerenciamento de equipe, relacionamentos no meu setor e engajamento do cliente, que inclui mídias sociais e comunicação com os alunos. Os 40% são, na verdade, apenas as coisas que apoiam ou facilitam os 60% — o *resultado de qualidade prolífica*. Nem todo mundo tem minha carreira, é claro, e a proporção áurea de 60/40 não é viável para todos. Mas o objetivo não é fazer o que eu faço. É encontrar *sua* melhor alocação de tempo e cumpri-la da melhor maneira possível. Tenho uma consistência obstinada em relação ao meu 60/40, e sempre que ele cai para menos que isso sei que não estou produzindo o meu melhor.

Se essas alocações de tempo soam extremas, observe que isso é muito diferente do conselho de quem diz para "dar tudo de si" e dedicar-se a uma das suas paixões 100% do seu tempo. Essa orientação é, de qualquer maneira, claramente absurda. Não podemos dar 100% do nosso tempo a nada — certamente não se estivermos trabalhando com outras pessoas, cuidando de nossa família ou tentando causar um grande impacto. Sempre haverá uma porcentagem do tempo que devemos separar para trabalhar com outras pessoas ou liderá-las, gerenciando e administrando os detalhes de nossos trabalhos e, sim, e-mails. Meu ponto é: você não pode fugir dessas coisas, mas pode e deve criar estratégias e maximizar seu tempo trabalhando em resultados que tornam sua carreira importante e influente.

Por que mais pessoas não se concentram em produzir resultados de qualidade prolífica, principalmente considerando que ainda têm 40% do tempo para lidar com as obrigações inevitáveis do trabalho? As desculpas (*ilusões* seria uma palavra melhor?) mais comuns são procrastinação e perfeccionismo.

Apesar do nosso costume de culpar a procrastinação, isso não é uma "coisa" real. A procrastinação não faz parte da psique humana — nem mesmo é um traço de personalidade. Também não é resultado da pouca habilidade de gerenciar o tempo que pode ser facilmente apontada. Em vez disso, pesquisadores descobriram que a procrastinação é na verdade um problema motivacional.[33] É um problema que surge porque você não está trabalhando em coisas que, na sua opinião, são intrinsecamente importantes. Em casos raros, pode ter a ver com ansiedade ou medo de fracassar, mas na maioria das vezes decorre de trabalhar em coisas que não o animam, com as quais você não se compromete ou que não lhe importam. É por isso que encontrar um RQP factível é muito importante. Se *amar* o que está criando ou aquilo com o que está contribuindo para o mundo, você experimentará menos procrastinação.

Sempre que digo às pessoas para criarem mais resultados, inevitavelmente esbarro nos perfeccionistas. Eles dizem coisas como: "Bem, Brendon, não posso simplesmente espalhar mais coisas por aí. Sou perfeccionista. Tenho que saber que essa coisa está absolutamente correta e que vai ser amada". Perfeccionismo, porém, é apenas uma lógica de atraso com uma roupagem chique só para parecer respeitável. A razão pela qual as pessoas não terminam mais coisas não é o perfeccionismo; é que elas raramente as começam ou se enrolam com dúvidas ou distrações. Se fossem verdadeiros perfeccionistas, teriam pelo menos completado e liberado seu trabalho, uma vez que o próprio ato de "aperfeiçoar" algo vem somente depois que ele é completado e liberado.

Todos nós poderíamos encontrar razões que explicam a dificuldade de ser mais produtivo. Mas, em vez de gastar mais força mental, vamos só começar a trabalhar. Vamos lembrar o que é mais importante, vamos nos concentrar, vamos produzir coisas reais que nos orgulhem. Vamos ser prolíficos e mudar o mundo.

Estímulos para a performance

1. Os resultados que mais importam para a minha carreira são...

2. Algumas coisas que eu poderia parar de fazer para me concentrar mais no RQP são...

3. A porcentagem do meu tempo semanal que vou alocar para o RQP é..., e as maneiras a partir das quais farei isso acontecer serão...

PRÁTICA DOIS
PLANEJE SEUS CINCO PASSOS

> *Acredito que metade da infelicidade na vida vem de as pessoas terem medo de ir em direção às coisas.*
> William Locke

Os humanos são malabaristas excepcionais. Podemos gerenciar vários projetos ao mesmo tempo, realizar muitas tarefas concomitantemente, dar prosseguimento a conversas em diversos níveis — implícitos e explícitos — com várias pessoas durante um jantar. Essa força atende a todos nós — até certo ponto. Então nos destrói.

A maioria das pessoas atinge seus primeiros níveis de sucesso por meio de sua capacidade de realizar várias tarefas ao mesmo tempo com perfeição. A empreendedora que abre a loja de cupcakes cumpre todos os papéis necessários para ter sucesso e corre atrás de todas as oportunidades disponíveis. É a pessoa que mantém o estoque abastecido, a confeiteira que faz os cupcakes, a caixa que recebe os pedidos, a responsável por enviar cupons de descontos aos clientes, a *networker* que faz amigos pelo bairro. Ela se desdobra em dezenas de papéis e assume centenas de tarefas. Em algum momento, obtém algum lucro. Com o tempo, obtém sucesso. Pode até atingir uma alta performance.

Mas com o sucesso vêm novas oportunidades. Em breve, está dando consultorias para outras start-ups. Está explorando outras oportunidades. Não atingiu seu objetivo principal de ter uma loja de cupcakes de elite, mas ela está confortável. Diria que seu negócio de cupcakes ainda é uma prioridade, mas veja sua agenda e você notará que "prioridade" não equivale mais a trabalho. Olhe mais de perto e você perceberá que quase todos os seus esforços estão desalinhados. Ela está ocupada, mas não está *progredindo* com propósito.

O que ela deveria fazer agora para voltar para os trilhos? Ela deve simplificar, desmembrar as coisas até chegar às partes essenciais e priorizar um trabalho profundo. E, mais importante ainda, ela deve fazer um *plano*.

Muitas pessoas altamente motivadas acham que não precisam de planos bem definidos. Elas têm talento, então só querem entrar no jogo, mostrar que têm garra, improvisar e ver o que acontece. Isso pode funcionar quando elas estão só começando e todos que estão ao redor também estão desinformados. Nesse momento, talvez seu talento inato e divino possa ajudá-las a progredir. Mas a vantagem acaba rapidamente. Assim que as outras equipes e jogadores tiverem experiência e planos reais — eles conhecem os jogadores e as jogadas, os caminhos e as estratégias de ataque — e você não, você estará ferrado.

Para um profissional de alta performance, isso é extremamente difícil de ouvir. Não sei dizer quantos profissionais de alta performance perdem seu lugar no topo por causa da inevitável distração que resulta de esforços que não foram direcionados corretamente. Não estou falando sobre o tipo *preguiçoso* de distração. Profissionais de alta performance estão fazendo as coisas acontecerem, tudo bem.

Mas quando começam a fazer muitas coisas acontecerem sem uma trajetória que se unifique, eles começam a perder sua força.

Depois perdem sua paixão. Então estão conquistando muitas coisas pequenas, mas nenhuma grande e significativa.

A questão é que algumas pessoas seguiram despercebidas sem nenhum planejamento, por um longo tempo. Isso porque não é preciso muito planejamento para dominar tarefas simples, que em geral requerem medidas óbvias, poucos pontos de interação e suas próprias ações independentes. Mas, para tarefas e objetivos complexos, o planejamento é vital, pois geralmente há uma variedade de estratégias que podem ajudar a atingir um objetivo, e algumas são mais eficazes ou desejáveis do que outras.[34] Quanto maior o objetivo, mais coisas a gerenciar e mais pontos de interação você tem com os outros. *Para se tornar um profissional de alta performance, é preciso pensar mais antes de agir.*

Isso não significa necessariamente que você já precisa conhecer o caminho inteiro e todas as tarefas de antemão. Muitas vezes, os projetos de longo prazo exigem que você defina um plano da melhor maneira possível e depois descubra as coisas na hora. Ainda assim, as pesquisas continuam mostrando que quando objetivos ou projetos são complexos, o planejamento sempre melhora a performance.[35]

Ter um plano e segui-lo passo a passo é mais importante do que você pensa. Um plano concentra o pensamento disperso. E terminar cada tarefa essencial na sua lista dispara a dopamina no cérebro, fazendo com que você se sinta recompensado e mais motivado para continuar. Um plano aumenta não apenas a probabilidade de você completar uma atividade, mas também o entusiasmo durante o projeto e os recursos cognitivos disponíveis para o próximo objetivo.[36]

Dessa forma, depois de tudo o que discutimos sobre encontrar a área na qual você deseja criar um resultado de qualidade prolífica, agora é hora de planejar. Pense no sonho mais ambicioso que você gostaria de realizar, identifique o que realmente deseja e, em seguida, pergunte a si mesmo:

Se houvesse apenas cinco passos decisivos para que esse objetivo se concretizasse, quais seriam?

Pense em cada passo decisivo como um grande conjunto de atividades, um projeto. Esses cinco grandes projetos que o levam a alcançar seu sonho podem ser divididos em resultados, prazos e atividades. Uma vez que você tiver clareza sobre essas coisas, coloque-as em sua agenda, dividindo a maior parte do seu tempo em blocos fechados durante os quais você não faz nada além de progredir na atividade à qual o bloco específico é dedicado. Então, se eu aparecer na sua casa e disser "mostre-me sua agenda", devo ver de cara os principais projetos nos quais você está trabalhando. Se eu não conseguir discernir em sua agenda semanal e mensal em quais passos decisivos você está trabalhando, então você não está otimizando seu tempo e corre o risco de ser sugado para uma vida de reatividade e distração. Ou então você vai ter que levar anos para obter um resultado que outros poderiam conseguir em meses.

Indivíduos de alta performance planejam mais — quase tudo — do que os de baixa performance: de atividades físicas a aprendizado, de reuniões a férias.[37] É fácil ficar confuso nesse ponto e se perder em tarefas e planejamento excessivos. Muitas pessoas vão complicar demais essa parte. Então vamos fazer uma pausa aqui e lembrar que a prioridade é manter as prioridades em primeiro lugar. *Conheça os cinco grandes passos que o levarão ao seu objetivo, divida esses passos em tarefas e prazos e coloque-os em uma agenda.* Se isso é tudo o que você fez, além de garantir que esses passos estivessem alinhados ao seu RQP, você estará à frente no jogo.

Aqui está um exemplo bastante conhecido que me surpreendeu por ter funcionado tão bem. Anteriormente, contei meu sonho de me tornar escritor. Como você deve se lembrar, eu estava totalmente desorganizado, escrevendo coisas aqui e ali, mas sem obter qualquer progresso real até identificar meu RQP como escrever livros.

Quando soube que queria ser prolífico em escrever livros, interrompi outras atividades. Então comecei a explorar quais eram os cinco passos decisivos para conseguir escrever um livro.

Especificamente, eu queria me tornar um autor de best-sellers que entrasse na lista do *The New York Times*. Eu não estava atrás do reconhecimento em si, mas do que ele representava: muitas pessoas melhorando sua vida. Mas havia um problema; eu já escrevera um livro e ele não atingiu a lista de best-sellers. Eu estava desmoralizado e cometi o erro de pensar que o "sistema" estava viciado e não recompensava novos autores. Queria culpar muitas pessoas, mas tive que enfrentar uma dura realidade: eu não havia planejado bem o suficiente na primeira vez. Todo o processo de escrever e promover um livro foi de uma aleatoriedade típica de um novato.

Desta vez, decidi que não permitiria que tal postura inconsequente selasse o destino do meu novo livro. Não comecei a escrever só umas migalhas durante o dia, como fiz no livro anterior. Não segui meus impulsos de ir a conferências de escritores ou de ler muitos livros sobre escrita. Não tentei fazer mil coisas em mil direções. Sabia que isso levaria à exaustão, à frustração e ao fracasso mais uma vez.

Em vez disso, entrevistei vários autores de best-sellers e depurei suas atividades decisivas. Simplesmente perguntei: "Quais os cinco passos decisivos que fizeram a maior diferença em impulsionar sua escrita e em colocar seu livro nas listas de grandes best-sellers?". Você pode fazer a mesma coisa. Encontre as pessoas bem-sucedidas as quais quer tentar emular de alguma forma e descubra seus cinco passos.

O que aprendi não foi exatamente o que esperava:

- Os autores mais vendidos não falaram sobre o idealismo romântico de "ser escritor". Falaram sobre o trabalho árduo e a disciplina de produzir sem parar mesmo quando não sentiam vontade.
- Nenhum deles considerou a participação em conferências de escritores um fator determinante em seu sucesso.

- Não falaram sobre grupos-alvo nem de aspectos demográficos do público-alvo.
- Não falaram sobre a realização de anos de pesquisa antes de escrever seus livros como um fator determinante em suas vendas (embora alguns tenham feito isso).
- Poucos mencionaram grande cobertura da mídia ou as tradicionais turnês de lançamento dos livros.
- Ninguém mencionou clubes de livros.
- Ninguém mencionou ter um prefácio assinado por pessoas famosas como um fator determinante.

Na época, tudo isso foi um choque. Na minha mente sonhadora, eu pensava que tudo aquilo era importante. Na verdade, achei que era assim que se passavam. Enquanto entrevistava os autores, eu tinha uma grande e longa lista de tarefas que eu deveria cumprir. Aqui estão algumas delas:

- Ir a workshops de escritores e conseguir um feedback sobre minha escrita para "encontrar minha própria voz".
- Entrevistar várias pessoas do meu público-alvo para ver o que elas queriam.
- Fazer um brainstorming de "ganchos" e "perspectivas" para que eu pudesse incorporá-los ao livro de modo a obter uma cobertura importante da mídia no futuro.
- Conseguir pessoas famosas para avaliar o livro.

Suponho que você poderia argumentar que essas tarefas são perfeitamente precisas. Talvez algumas fossem até úteis. A questão é que *nenhum* dos autores mais vendidos citou esses passos como *determinantes* de seu sucesso. Nenhum desses tópicos colocou um autor em uma lista de best-sellers ou guiou mais pessoas para escolher sua obra na prateleira.

Descobri que, para ser o primeiro na lista de best-sellers, tudo o que realmente importava eram estes cinco passos básicos:

1. *Termine* de escrever um bom livro. Até que isso seja feito, nada mais importa.

2. Se quiser um grande contrato de publicação, arranje um agente. Ou seja seu próprio editor.
3. Comece a escrever um blog e a postar em mídias sociais, e use-os para obter uma lista de assinantes de e-mail. E-mail é tudo.
4. Crie uma página para promover o livro e ofereça bônus incríveis para levar as pessoas a comprar o livro. Os bônus são cruciais.
5. Consiga entre cinco e dez pessoas que tenham grandes listas de e-mail para promover seu livro. Você deve a elas um e-mail recíproco — o que significa que você também concorda em promovê-las posteriormente —, e uma parte das vendas que elas venham a fazer por você, em outros produtos que você possa estar oferecendo durante a promoção do seu livro.

É isso aí. Sei que é menos inspirador do que algo como "encontre sua verdade e escreva todos os dias, com paixão e amor excepcionais, para o público cujos corações e almas você impactará para sempre". Mas esses foram os cinco passos decisivos sobre os quais a maioria dos autores me contou. Esses foram os que mais importaram, que me deixaram impressionado. E com medo. Não tinha *ideia* de como fazer nada disso.

E ainda assim eu tinha confiança. Porque agora eu tinha um *plano*. E, como você lerá mais tarde, a verdadeira confiança significa apenas que você acredita em sua capacidade de descobrir as coisas. Eu tinha um sonho. Agora eu tinha os cinco passos secretos. É melhor você acreditar que eu viria a descobrir como fazê-los acontecer.

Então todo o meu esforço foi para esses cinco passos. Parei quase todas as outras atividades. Ajustei um cronograma para realizar cada etapa. A primeira, *terminar o livro*, consumiu quase 90% da minha agenda por algum tempo. Depois que terminei, a maior parte da minha semana foi destinada a fazer um trabalho profundo nas outras atividades. Completei em sequência esses cinco passos. Todo o resto foi classificado como uma distração ou algo que deveria ser delegado a outra pessoa.

Sei que parece simplista, mas me acompanhe. Considere o primeiro passo: *terminar de escrever um bom livro*. Pense nas centenas de maneiras de estragar tudo. Eu poderia continuar pesquisando. Aprendendo sobre escrita. Esperando para encontrar minha voz um dia. Entrevistando pessoas. Procrastinando. Tentando escrever pequenos artigos idiotas.

No entanto, todos os autores mais vendidos me haviam falado muito claramente sobre esse passo: *terminar o livro*. "Até que isso aconteça, garoto", todos me disseram, "nada mais acontece."

E essa é a mágica de compreender seus cinco passos. Conhecendo a primeira atividade decisiva, depois a segunda, depois a terceira, depois a quarta, depois a quinta, você tem um mapa, um plano, um caminho claro adiante. Você não se distrai.

Então, parei todo o resto e escrevi. Em seguida, rapidamente fui para os próximos quatro passos. Escolhi publicar o livro com uma editora que basicamente me ajudou a publicá-lo por conta própria — eles não precisavam "me aceitar"; em vez disso, dei-lhes o manuscrito e eles o transformaram em um livro. Fiz um projeto de capa no PowerPoint. Já havia começado a criar uma lista de e-mail, e contava com cerca de dez amigos que tinham listas de e-mail e que concordaram em promover alguns vídeos meus. Foram duas semanas implorando para as pessoas e as perturbando até conseguir organizar todas elas. Passei três dias gravando vídeos, e quatro fazendo os uploads em um blog e criando uma sequência de e-mail. Em um *total* de sessenta dias, o *The Millionaire Messenger* deixou de ser apenas uma ideia para ser o número 1 da lista de best-sellers do *New York Times*, o best-seller número 1 do *USA Today*, o livro mais vendido da Barnes and Noble e o número 1 da lista do *Wall Street Journal*. Isso inclui trinta dias escrevendo o livro, depois trinta dias preparando-o para impressão; criando as mídias sociais, páginas da web, bônus e vídeos; e fazendo com que as pessoas concordassem em enviar por e-mail, para todos em suas listas, os links para meus vídeos. Cinco passos. Sessenta dias. Best-seller no topo das listas.

Alguns dirão que tive sorte em conseguir fazer isso porque já tinha alguns parceiros divulgadores e a capacidade de criar vídeos e páginas na internet. Isso é totalmente verdade — mas essa vantagem "injusta" foi apenas o resultado do trabalho árduo de anos anteriores. Não é como se eu tivesse acabado de nascer, e ali mesmo, na sala de parto, estivessem parceiros divulgadores e as câmeras prontas para gravar um vídeo. Na verdade, nunca na minha vida tive parceiros de divulgação, até saber que eles eram cruciais para os meus Cinco Passos.

Isso traz à tona um ponto importante:

Não interessa se você sabe como alcançar seus Cinco Passos no início. O importante é que, para cada objetivo principal, você descubra os Cinco Passos. Se não conhecer os passos, você perde.

O ponto principal da minha história não é a velocidade — não foi o que fiz ou o que deixei de fazer em sessenta dias. É que eu sabia os passos que importavam e os *executei*. Se tivesse demorado dois anos, que assim fosse — o resultado ainda teria sido o que eu buscava, e concentrar-me nos cinco passos era a única maneira de chegar ao resultado. Segui esse plano simples e consegui dezenas de objetivos importantes em minha vida. O "Planejamento em 5 Passos" me ajudou a criar um negócio que adoro, a conhecer presidentes dos Estados Unidos, a criar com eficiência cursos on-line de grande sucesso, a ministrar grandes palestras e a ajudar a arrecadar milhões de dólares para organizações sem fins lucrativos e causas com as quais nos preocupamos profundamente.

É um processo simples do qual meus clientes se utilizaram várias vezes para alcançar resultados igualmente impressionantes:

- Decida o que você quer.
- Determine os Cinco Passos Principais que o ajudarão a saltar em direção a esse objetivo.
- Trabalhe arduamente em cada um dos cinco passos principais — pelo menos 60% de sua jornada de trabalho direcionada a esses esforços — até que estejam completos.
- Defina todo o resto como distração, tarefas a serem delegadas ou coisas para fazer em blocos alocados nos 40% restantes de seu tempo.

Eu sei, isso parece quase simplista demais. Mas não consigo nem dizer quantos lutadores esperançosos eu conheço que não são capazes de responder rapidamente: "Quais são os cinco principais projetos nos quais você está trabalhando, em ordem, para conseguir o que você quer?". Pessoas sem foco respondem sem pensar, dão longas listas de coisas desnecessárias, despejando um monte de ideias sem sentido. Profissionais de alta performance *sabem*. São capazes de dizer em que estão trabalhando e por que o fazem em determinada ordem, com detalhes precisos. São capazes de abrir o cronograma e *mostrar* os blocos de tempo que alocaram para seus principais objetivos e projetos.

Então teste você mesmo. Se eu aparecesse em sua casa, você poderia abrir seu cronograma e mostrar os blocos de tempo que você reservou e estruturou especificamente para concluir uma atividade importante que leva a um grande objetivo específico? Se não, você já sabe o que fazer.

Sei que a essa altura muitas pessoas dirão: "Mas conheço uma pessoa extremamente bem-sucedida que não faz planos. Só pula de uma coisa para outra e tudo o que toca se transforma em ouro. Não tem projetos nem planejamentos de longo prazo". Sem dúvida, essas exceções existem. Mas a questão não é se elas existem ou não; é o quanto elas estão apostando. Um pouco mais de planejamento já seria suficiente para melhorar de maneira significativa suas contribuições. Para o resto de nós, é bom lembrar que, sem disciplina, nossos sonhos serão eternas fantasias.

Não gaste anos com o que poderia ser feito em meses com melhor planejamento e execução mais focada. Conheça seus cinco passos. Trabalhe-os com afinco e pense sempre nos próximos passos que o ajudarão a produzir algo significativo, algo de que tenha orgulho, algo que o torne extraordinário.

Estímulos para a performance

1. O maior objetivo ou sonho que tenho e que preciso planejar agora é...

2. Os cinco passos que me ajudariam a progredir rapidamente para realizar esse sonho são...

3. O cronograma para cada passo será...

4. As cinco pessoas que conquistaram esse mesmo sonho e que eu poderia estudar, procurar e entrevistar, ou nas quais eu poderia me espelhar, são...

5. Entre as atividades menos importantes ou os maus hábitos que vou cortar da minha agenda, para que eu possa concentrar mais tempo nos cinco passos durante os próximos três meses, estão...

PRÁTICA TRÊS
TORNE-SE ABSURDAMENTE BOM EM HABILIDADES-CHAVE

Acredito que o verdadeiro caminho para um sucesso notável em qualquer linha é se tornar um mestre nessa linha.
Andrew Carnegie

Para se tornar mais produtivo, torne-se mais competente. Você tem que dominar as habilidades primárias necessárias para vencer em seus principais campos de interesse.

A perícia nas habilidades-chave tem sido associada a produtividade e desempenho melhores nos níveis macro e individual. Habilidades elevadas são muitas vezes o objetivo da política educacional e econômica porque tendem a promover crescimento econômico elevado. Habilidades também são consideradas a arma secreta para trabalhadores individuais, já que aqueles com habilidades mais profundas geralmente têm rendas mais altas e experimentam maior satisfação no trabalho. Esse nem sempre é o caso, no entanto. Trabalhadores qualificados às vezes são prejudicados por estratégias, lideranças, *job design* ou práticas de recursos humanos ruins.[38] Todos nós conhecemos alguém que tinha muitas habilidades, mas não teve uma chance no trabalho.

Uma coisa é certa: *não ter as habilidades necessárias para alcançar o sucesso em sua área é um déficit grave*. Sem adquirir mais capacidades, não há progresso em sua carreira, por isso é essencial identificar os principais fundamentos que você precisa desenvolver para vencer hoje e no futuro.

Quando dizemos "habilidade", quase sempre nos referimos a uma ampla gama de conhecimentos e capacidades que permitem que você tenha uma performance adequada em qualquer área. Entre as habilidades gerais estão comunicação, resolução de problemas, raciocínio sistemático, gestão de projetos, trabalho em equipe e gestão de conflitos. Há também habilidades específicas para qualquer tarefa ou empresa, como codificação, produção de vídeo, finanças e computação. E, claro, há habilidades pessoais como autocontrole, resiliência e outras formas de inteligência emocional.

Meu objetivo aqui é que você determine as cinco principais habilidades que precisa desenvolver nos próximos três anos para se transformar na pessoa que você espera se tornar.

Um princípio ocupa o cerne dessa iniciativa: *tudo é treinável*. Independentemente da habilidade que quiser aprender, com treinamento, prática e intenção suficientes você pode se tornar mais proficiente nela. Se você não acredita nisso, sua jornada para a alta performance para por aqui. Talvez as três melhores descobertas da pesquisa contemporânea nos dizem que você pode melhorar em praticamente qualquer coisa se mantiver uma mentalidade de crescimento (a crença de que pode melhorar com esforço), focar em seus objetivos com paixão e perseverança e praticar com excelência.[39]

Quando as pessoas dizem "não consigo", normalmente é o código para "não estou disposto a fazer o treinamento e o condicionamento a longo prazo necessários para conseguir isso". Lembre-se: *tudo é treinável*. Essas três palavras mudaram minha vida para sempre. Sei que trouxe muitos exemplos da minha carreira, correndo o risco de tornar este livro excessivamente pessoal. No entanto, o seguinte exemplo talvez seja a questão sobre a qual me perguntam com mais frequência, então vamos falar sobre falar em público, já que muitas pessoas temem esse momento.

Vinte anos atrás, voltei para a faculdade depois do meu acidente de carro. Conversei com meus amigos próximos sobre o desastre. Compartilhei como eu queria ser um homem com mais propósitos, para que, na próxima vez que enfrentasse as últimas perguntas da minha vida — Eu vivi? Eu amei? Eu fui importante? —, as respostas me deixassem feliz. Nem todo mundo se importava em ouvir a respeito de minhas lições e experiências. Mas alguns amigos meus me incentivaram a contar minha história para os amigos deles. "É inspirador", disseram.

Embora meus amigos possam ter me chamado de extrovertido naquela época, na verdade eu era uma pessoa muito reservada. Eu até conseguia brincar e fazer piadas entre amigos. Ficava mais eu menos confortável conversando com gente que eu tinha acabado de conhecer, porque queria conhecer pessoas, me conectar e me divertir. Mas compartilhar assuntos pessoais era outra coisa. Raramente contava meus verdadeiros pensamentos, necessidades ou sonhos para os outros.

Mais ou menos na mesma época, comecei a estudar psicologia, filosofia e autoajuda. Estava procurando por respostas. Queria saber como viver uma vida melhor. Ao ler mais sobre esses assuntos, descobri que grande parte das jornadas dos autores era muito parecida com a minha: algo que lhes havia acontecido os inspirou a melhorar sua vida, a explorar como se tornar uma pessoa melhor e a querer ajudar os outros nessa trajetória. Lendo suas histórias, me senti mais compelido a compartilhar a minha.

Também notei que na biografia de muitos desses autores constavam "conferencista" ou "palestrante profissional" ou "organizador de workshops". Esses autores tendiam a ser oradores, então procurei seus audiolivros ou palestras on-line. Comecei a perceber que quanto melhor eles eram capazes de falar, melhor poderiam transmitir sua mensagem e inspirar outros a mudarem.

E então decidi que dominar a habilidade de falar em público era uma necessidade vital. Às vezes, o desejo de servir e desenvolver as habilidades relevantes para fazê-lo supera nossos medos. Comprometi-me e comecei um processo de aprendizado que chamo de "domínio progressivo", que rapidamente mudou minha vida.

Sempre que quiser dominar uma habilidade, você tem duas opções: ter a expectativa de desenvolver essa habilidade com alguma prática e repetição, ou garantir que atingirá um nível de excelência nessa habilidade por meio do domínio progressivo.

O conceito de domínio progressivo é muito diferente de como a maioria das pessoas aborda o desenvolvimento de habilidades. Quase todo mundo se interessa por uma ideia, então a experimenta algumas vezes para avaliar se são "boas" nela. Se não forem boas, as pessoas atribuem isso à falta de habilidade ou de talento naturais. Nesse ponto, a maioria desiste. E aqueles que continuam pensam que precisam usar a repetição pura e simples para melhorar, esperando que, apenas fazendo uma coisa muitas vezes, vão se tornar proficientes e progredir.

Por exemplo, vamos imaginar que você quer ser bom em natação. Se você for como a maioria das pessoas, receberá orientação de alguém que já sabe nadar. Então, você vai começar. Vai nadar mais e mais, na esperança de aumentar sua resistência e velocidade. Vai só continuar entrando na piscina várias e várias vezes, tentando melhorar. Você imagina que esse tempo na piscina é o segredo para se tornar um nadador melhor.

Essa, no fim das contas, é uma das maneiras menos eficazes de dominar uma habilidade. Repetição raramente leva à alta performance. E é por isso que é importante entender o "domínio progressivo".

Estes são os passos para o domínio progressivo:

1. Determine uma habilidade que você deseja dominar.
2. Estabeleça objetivos específicos desafiadores na sua trajetória para desenvolver essa habilidade.
3. Atribua total emoção e significado à sua jornada e aos seus resultados.
4. Identifique os elementos cruciais para o sucesso e desenvolva seus pontos fortes nessas áreas (e corrija seus pontos fracos com igual entusiasmo).
5. Desenvolva visualizações que traduzam com clareza as percepções de sucesso e fracasso.
6. Agende práticas desafiadoras desenvolvidas por especialistas ou por meio de uma reflexão cuidadosa.
7. Meça seu progresso e obtenha feedback.
8. Socialize sua aprendizagem e seus esforços praticando ou competindo com outros.
9. Continue definindo objetivos de nível mais alto para que você continue melhorando.
10. Ensine a outros o que você está aprendendo.

Esses dez princípios de domínio progressivo são uma versão mais sutil do que muitas vezes é chamado de *prática deliberada*, termo cunhado por Anders Ericsson.[40] Da mesma forma que a prática deliberada, o domínio progressivo envolve conseguir a ajuda de um especialista, desafiar-se além de suas zonas de conforto, desenvolver representações mentais do que o sucesso deveria ser, monitorar seu progresso e corrigir seus pontos fracos.

A diferença é que o domínio progressivo enfatiza em grande medida a *emoção*, a *socialização* e o *ensino*. Em outras palavras, você é mais estratégico e disciplinado na forma como atribui emoção à sua jornada, aprimora suas capacidades treinando ou competindo com outras pessoas e aproveita o extraordinário poder de ensinar para ter maiores insights sobre o próprio ofício. Acho que essa é uma abordagem mais humanista, social e agradável para dominar uma habilidade.

Vamos analisar como esses princípios farão de você um nadador melhor muito mais rapidamente do que a mera repetição jamais poderia. E se, em vez de apenas pular na piscina de vez em quando e tentar melhorar, você tentasse isto aqui:

1. Você determinou que queria especificamente desenvolver sua habilidade como nadador de estilo livre. (Você decidiu que não iria se dedicar aos nados de costas, peito ou borboleta.)
2. Você estabeleceu metas para a velocidade e a eficiência com que entrou na água, nadou, fez a volta e terminou seus últimos dez metros.
3. Antes de cada prática, você lembrou por que foi tão importante melhorar nisso, e falou sobre seus objetivos com alguém que se importava com a sua performance. Talvez o seu porquê seja se tornar mais atlético, ganhar uma competição de natação ou ultrapassar seu melhor amigo algumas vezes.
4. Você determinou que um elemento fundamental para o sucesso era sua habilidade de trabalhar seus quadris com eficiência na água e que seu maior ponto fraco era a falta de resistência no fim.
5. Todas as noites, você visualizou a disputa perfeita, imaginando em detalhes como você se movimentaria na água, faria a virada olímpica, superaria o cansaço e iria atrás da vitória nas últimas braçadas.
6. Você trabalhou com um técnico de natação que poderia lhe dar feedbacks regulares e que o ajudou a estabelecer exercícios cada vez mais difíceis para atingir metas cada vez mais altas.
7. Você mediu seu progresso em um diário toda vez que nadou, e revisou seus registros procurando insights a respeito de sua performance.
8. Você entrou na piscina constantemente com pessoas com quem realmente gostava de nadar, e participou de competições para que pudesse enfrentar nadadores melhores do que você.
9. Após cada sessão de natação, você definiu metas mais altas para o próximo treino.
10. Uma vez por semana, você orientou outro nadador em sua equipe ou deu uma aula de natação no centro comunitário perto de casa.

Reparou como essa abordagem levaria a resultados muito melhores do que simplesmente entrar em uma piscina e tentar melhorar? Mesmo se você gastasse exatamente o mesmo número de horas na piscina, esses princípios o ajudariam a superar a repetição automática.

Essa foi a mesma abordagem que elaborei para mim quando decidi que queria ser um orador de altíssimo nível. Pensei: *Bem, posso só tentar dar mais palestras e esperar melhorar, ou posso abordar o processo com emoção e excelência verdadeiras.* Escolher se concentrar no domínio progressivo é uma das maiores decisões que tomei na minha vida.

Simplesmente segui os dez passos que você acabou de ver. Os princípios mais eficazes para mim foram o 2, o 3 e o 10. Defini um objetivo de usar menos anotações a cada vez que desse uma palestra. Por exemplo, quando dei minha primeira palestra na faculdade, tinha à mão o texto inteiro escrito e basicamente o li. Na palestra, reduzi as anotações para uma página. Depois para meia página de tópicos. Depois só para cinco tópicos em frases curtas. Depois para apenas cinco palavras em uma ficha. Quando terminei a faculdade, estava fazendo apresentações inteiras sem qualquer anotação. Isso foi estabelecer "objetivos específicos desafiadores na sua trajetória para desenvolver a habilidade".

Isso não significa que eu era uma maravilha. A primeira vez em que fui pago para falar — em uma república feminina de uma universidade sobre o tema "relacionamentos" —, eu vomitei nos bastidores. Mas acredito que tenha sido assim porque dei importância às minhas preocupações sobre o meu desempenho na palestra. Isso significa que me permiti agregar "altos níveis de emoção e significado" à minha jornada e aos meus resultados. Quando fui mal, me permiti ficar com raiva de mim mesmo, sem desanimar. Fiquei repetindo mentalmente como era importante melhorar para poder inspirar as pessoas com as minhas palavras. Assisti a grandes oradores como Martin Luther King, Jr., John F. Kennedy e Winston Churchill, e li centenas de transcrições do que muitos consideram os maiores discursos da história.[41]

O princípio 10, "ensine aos outros o que você está aprendendo", também foi um elemento importantíssimo no meu desenvolvimento. Na pós-graduação, tive a sorte de ministrar um curso de oratória por dois semestres. Olhando para trás agora, eu não tinha ideia do que estava fazendo como professor. Mas, todos os dias, encarava a tarefa com uma total devoção para ajudar meus alunos a se tornarem melhores comunicadores. Compartilhei com eles o que aprendi. Mas a verdade é que eles me ensinaram mais do que eu jamais os ensinei. Ao ensinar os outros, senti a dor deles e tive a satisfação de acompanhar suas descobertas. Ao observá-los, aprendi o que chamo de *distinções vicárias*, o que me ajudou a melhorar minhas próprias habilidades.

Com a prática habitual do domínio progressivo de dez passos, tudo mudou para mim. Em apenas alguns anos, deixei de ser uma criança que morre de medo de falar em público para me tornar um orador confiante, dirigindo-me ao público sem usar cola. Ministro seminários de quatro ou cinco dias com milhares de participantes, nos quais muitas vezes sou o único instrutor no palco por oito, nove, dez horas por dia. Tive o privilégio de dividir o palco com muitos dos meus heróis e com líderes e pessoas inspiradoras de diversas áreas, em arenas com dezenas de milhares de pessoas. Embora eu já tenha sido totalmente desajeitado na frente da câmera, enfrentei essa lente escura sem hesitar várias vezes desde então, gravando mais de dez cursos on-line e inúmeros vídeos. Ainda estou longe de onde quero estar. Tenho muito a aprender e adoro esse processo de me desafiar em direção a outros níveis, mesmo que isso signifique dar uma boa olhada em todos os pontos nos quais não atendo a minhas expectativas. Mas, por causa do domínio progressivo, não tenho mais medo, nem sou um amador. Se eu tivesse "tentado" ser um palestrante melhor sem uma abordagem disciplinada, nunca teria atingido a excelência, nem teria tido o privilégio de alcançar tantas pessoas.

Usei técnicas de domínio progressivo para ajudar atletas olímpicos a melhorarem seus tempos, estrelas da NBA a fazerem mais arremessos, CEOs a definirem estratégias melhores, e pais a organizarem suas programações de maneira mais eficiente. Não há nada em sua vida que você não possa melhorar a partir do domínio progressivo.

É claro que você não precisa assumir cada nova habilidade com uma abordagem estratégica e disciplinada. Às vezes, é difícil encontrar um especialista ou mentor que possa lhe dar o feedback necessário. Talvez você não tenha tantas oportunidades de ensinar aos outros o que está aprendendo. Às vezes é difícil manter-se fora de sua zona de conforto e trabalhar tanto para melhorar.

Mas e se? E se você estruturasse de maneira mais pensada suas próximas iniciativas dedicadas a desenvolver habilidades? E se você pudesse atingir um nível de excelência em seu principal campo de interesse? E se você pudesse criar um resultado de qualidade mais prolífica por ter refinado suas habilidades? E se você atravessasse seus cinco passos mais rapidamente por ter sido competente e capaz? E se, hoje, aqui mesmo, você decidisse correr atrás daquele próximo nível de impulso e domínio em sua vida?

Estímulos para a performance

1. Três habilidades que me ajudariam a me sentir mais confiante ou capaz são...

2. Os passos simples que eu poderia dar para melhorar essas habilidades incluem...

3. Os especialistas ou mentores que eu poderia procurar em relação a essas habilidades são...

UMA ÚNICA VIAGEM

Só deixe para amanhã aquilo que você está disposto a morrer sem ter realizado.
Pablo Picasso

A vida é curta. Só nos é destinado tempo suficiente para deixarmos nossa marca. Digo que essa é uma razão ainda maior para se concentrar. Pare de produzir resultados que não façam seu coração bater mais forte. Evite tentar ser eficaz ou eficiente fazendo coisas que não lhe dão orgulho nem causam impacto. Determine quais resultados realmente importam para você neste estágio da vida, planeje seus cinco passos para realizar seus grandes sonhos e faça isso acontecer enquanto você se torna inacreditavelmente bom no que faz. A partir daí, o mundo é seu.

Hábito de alta performance #5
Exercitar a influência

Existem dois tipos de poder: um é obtido pelo medo da punição e o outro, por atos de amor.
Mahatma Gandhi

ENSINE AS PESSOAS A PENSAR
DESAFIE AS PESSOAS A CRESCER
DÊ O EXEMPLO

O CEO está em crise.

Juan é dono de uma empresa global de vestuário que acaba de apresentar um fraco desempenho pelo sétimo trimestre consecutivo. As vendas continuam a despencar, e, após uma década de alta performance, os analistas começam a questionar tanto a liderança de Juan quanto a relevância de sua marca.

Essas são quase todas as informações que tenho quando embarco em seu jato corporativo em uma tarde quente de agosto. Seu CFO, Aaron, é um velho amigo meu e me pediu que atravessasse o país com eles e talvez lhes oferecer alguma perspectiva. Os dois estão a caminho de uma reunião geral com seus quarenta principais dirigentes em todo o mundo.

Depois de uma rápida troca de cordialidades, pergunto a Juan qual é, em sua opinião, o problema central da empresa.

"*Ela* é o problema", diz ele, apontando para uma página em uma revista de moda. A foto de uma mulher ocupa a página inteira. "Daniela. Ela é o verdadeiro problema."

Daniela é a nova designer-chefe da empresa. Foi "roubada" de outra empresa de moda, onde sua ousadia típica da juventude imediatamente chamou a atenção da imprensa. Segundo Juan, poucos meses depois de sua chegada, eles estavam batendo cabeça. Ele quer que sua linha continue com seus principais designs e elementos básicos. Ela quer impulsionar a marca em direção ao futuro — uma abordagem sazonal mais ousada. Agora a equipe está dividida ao meio, tomando partidos. Sem o apoio incondicional da empresa às novas linhas, as lutas internas e a culpa criaram raízes. Projetos paralisados. Fracasso no planejamento de marketing. Queda do faturamento.

Conforme Juan descreve tudo isso, seu desdém por Daniela vai se tornando palpável. Seu tom de voz demonstra que está fervendo de ódio. "Ela tem a sua idade", ele diz com uma pitada de condescendência, "então espero que você possa me ajudar a descobrir como lidar com ela."

"Duvido que isso tenha a ver com idade, Juan", respondo calmamente. "Trata-se de estratégia de influência. E provavelmente começa com algo que o lendário técnico de basquete John Wooden disse: 'Você lida com as coisas. Você colabora com as pessoas'."

A citação entra por um ouvido e sai pelo outro e Juan embarca em suas ideias para minimizar a influência dela na empresa. Quer reduzir o orçamento de Daniela e misturar os membros da equipe para que possa ficar de olho nela. Quer criar uma unidade operacional que se concentre exclusivamente no que ele deseja. Quer limitar o número de compradores que vejam a linha que ela desenvolveu. Ele leva vinte minutos para descrever essas estratégias, e seu ímpeto continua exatamente o mesmo até o momento em que me pergunta: "O que mais você acha que eu poderia fazer?".

Esta não é uma posição na qual gosto de estar, embora muitas vezes me encontre nela. Chefes culpando seu pessoal pela baixa performance, buscando o controle por meio de política interna e desmoralização individual. É um jogo que não me interessa, e se eu não estivesse preso em um avião a 12 mil metros de altitude, simplesmente pediria licença e me retiraria.

Aaron percebe minha desconexão e diz: "Brendon, pedi que você viesse aqui para dar alguma perspectiva a Juan. Ele sabe que você não toma partidos, e, apesar de seus sentimentos apaixonados, garanto que ele está aberto ao seu treinamento. Só seja direto com ele". Então olha para Juan, em busca de confirmação.

Juan diz: "Não fique acanhado".

"Obrigado, Aaron", digo. "Bem, Juan, parece que você tem um forte ponto de vista a respeito desse assunto. É difícil dar feedback sem saber a sua cartada final ou o que Daniela está pensando. Por um acaso você quer que Daniela lute com você até que os dois estejam esgotados e ela se demita, tudo isso com uma cobertura massiva da mídia que vai acabar com a reputação da sua marca para sempre?"

Aaron, surpreso, recosta em sua cadeira e ri, desconfortável. Juan permanece impassível e responde: "Não é exatamente o que estou buscando, não".

Começo a rir também. "Então você não está tentando fazer com que ela saia?"

"Não", diz ele, balançando a cabeça. "Eu provavelmente perderia metade da equipe com ela."

"O.k. Então o que você quer?"

"Quero que ela jogue mais limpo."

"Você quer dizer concordar com você e executar o seu plano?"

Juan pensa por um momento, olha para Aaron e dá de ombros. "Isso é uma coisa tão ruim assim?" Parece um pouco presunçoso.

Procuro ter certeza de que ele está falando sério, e ele está. Esse cara se enquadra no antigo modelo comando-controle. Respondo: "Para Daniela, sim, tenho certeza de que é uma coisa ruim. Não a conheço, mas ninguém quer trabalhar com um chefe que não consegue enxergar além de si mesmo. Se o seu único objetivo para Daniela é que ela jogue junto com *você*, então não há nada nesse objetivo para ela. Você não quer algo bom para *ela*? Quero dizer, por que você a contratou no fim das contas? Ela deve ter tido algumas qualidades ou alguma visão que você admirava. O que você prometeu a ela para convencê-la a aceitar o emprego?"

Juan se esforça para achar as respostas, como se procurasse uma lembrança há muito esquecida. No calor da batalha, muitas vezes esquecemos as promessas quebradas por nós que fizeram com que o outro lado sacasse suas armas.

Ele conta novamente que contratou Daniela porque ela era uma designer muito competente e boa com pessoas — uma combinação rara, diz ele. "E prometi-lhe uma plataforma de crescimento com nossa marca. Claro que eu queria que ela se saísse bem e queria lhe dar oportunidades. Mas ela tirou vantagem dessas coisas e começou a fazer dessa empresa algo que tem a ver com a visão *dela* em vez da minha."

Aaron se intromete. "Então agora, como você vê, estamos empacados."

"Ninguém nunca está empacado", respondo. "Só perderam a perspectiva."

Juan pergunta: "Então, qual é a perspectiva que estamos perdendo? Todos nós sabemos o que Daniela quer".

"E o que é?"

"Assumir a empresa."

"Você tem certeza disso?"

"Ela não disse isso, mas, claro, acho que é o que está acontecendo."

"Bem, não posso questionar você em relação a essa suposição, porque não tenho um panorama completo a respeito. E não posso perguntar a ela, porque ela não está aqui. Então vamos supor que isso seja verdade. Se conhecemos a sua perspectiva e a dela, então imagino que tudo o que perdemos seja a perspectiva sobre o que faz com que a influência se exerça de fato."

"E o que é isso?", pergunta Aaron.

"Aumentar a ambição. A única maneira de influenciar outra pessoa é, primeiro, relacionar-se com ela e depois ajudar a elevar sua ambição de pensar melhor, fazer melhor ou dar mais. A primeira parte acontece quando você pergunta em vez de acusar. A segunda, quando você trabalha para moldar seus pensamentos e os desafia a crescer. O problema que vejo é que você conhece a ambição de Daniela e, em vez de tentar ajudá-la, você a está bloqueando."

Juan balança a cabeça, espantado, e se inclina sobre a mesa. "Você está *brincando* comigo? Está me dizendo para dar a empresa para ela?"

"De jeito nenhum. Estou dizendo que você não pode influenciar uma pessoa de forma útil, diminuindo-a ou apagando a chama que existe dentro dela. As pessoas só gostam de trabalhar com líderes que as fazem pensar e crescer mais. Se quiser influenciar Daniela, você terá que se reconectar com ela e surpreendê-la, ajudando-a a pensar ainda maior. Então você vai surpreendê-la ainda mais, desafiando-a a se elevar e a encontrar uma ambição maior junto com você. Essa ambição pode não ser ela tomar a empresa, e duvido que ela queira isso na mesma proporção que você acredita que seja de fato. De todo modo, vocês dois precisam trabalhar em direção a uma ambição nova. Sem uma nova ambição em conjunto, vocês terão os mesmos problemas de sempre."

Juan balança a cabeça. "O que fazemos, então? Precisamos de uma nova visão para a empresa?"

"Não. Você precisa de uma nova visão para como influenciar sua funcionária. Se exercitar bem essa influência, você terá Daniela em seu time e conquistará grandes coisas. Se falhar, então, como você disse, ela vai levar a sua equipe."

"Então, como faço isso?"

Dá para ver que Juan está frustrado, então o desafio mais. "Acabei de lhe falar. Ajude-a a pensar maior. Determine um desafio para que façam algo grande juntos."

Ele cruza os braços. "Não entendi."

Cruzo os braços também. "Não, você provavelmente entendeu, mas talvez não tenha *gostado*. Estou sugerindo algo simples aqui. Estou fazendo com você a mesma coisa que você deve fazer com ela: estou lhe pedindo que pense de forma diferente e desafiando você a engajá-la de forma diferente. Pense nela como uma colaboradora novamente. Ajude-a a pensar além a respeito do próprio papel, de sua equipe e da empresa. Isso lhe traz influência. Desafie-a a ser ainda melhor do que ela é, fazendo o que ama. Isso lhe traz influência. Exija mais dela; não a bloqueie. Isso lhe traz influência. E parece que você não tem isso em relação a ela no momento."

"O.k. Então, qual é o sentido de tudo isso? O que você propõe que eu faça com toda essa influência?"

Decido arriscar e seguir meu próprio conselho. Sei que uma coisa que todos os líderes têm em comum é o amor que sentem por um desafio. E, no fundo, eles querem servir de modelo.

Então, falo diretamente: "Juan, seja para ela e para a equipe um líder melhor do que você foi da primeira vez".

Ele recosta na cadeira e descruza os braços.

Pela primeira vez desde que fomos apresentados, ele sorri e concorda.

Depois dessa conversa com Juan, peguei meu diário e elaborei um modelo para influência, que você aprenderá neste capítulo. Vou contar o fim da história assim que você conhecer o modelo. Às vezes, tudo o que precisamos é de um novo conjunto de práticas para desenvolver a capacidade de exercer influência, e tudo pode mudar.

Mas como chegamos ao cerne do que de fato é influência? Para mensurá-la, pedimos às pessoas que se classifiquem a partir de declarações como:

- Sou bom em conquistar a confiança das pessoas e cultivar uma relação de companheirismo.

- Exerço a influência necessária para alcançar meus objetivos.
- Sou bom em persuadir as pessoas a fazerem as coisas.

E revertemos a pontuação em questões como estas:

- Costumo dizer coisas inapropriadas que prejudicam meus relacionamentos.
- Tenho dificuldade para levar as pessoas a me ouvirem ou a fazerem as coisas que peço.
- Não tenho muita empatia por outras pessoas.

Como você deve imaginar, as pessoas que concordam plenamente com o primeiro conjunto de declarações e discordam totalmente do segundo têm maiores pontuações de influência e melhores pontuações gerais de alta performance.

Então, o que mais afeta suas pontuações de influência no IAP? Vamos começar com o que *não afeta*. Embora todos nós pensemos que pessoas que se doam mais teriam maiores pontuações em relação à influência, esse não é o caso. Por exemplo, pessoas que se classificam como "estou dando mais de mim do que meus colegas" não apresentam maior probabilidade de realmente exercer ou de relatar exercer uma influência muito grande.[1] Isso é frustrante, mas é consenso também; todos nós conhecemos alguém que dá, dá e dá, mas não consegue reunir os outros ao seu redor para ajudar. Há nuances nesse assunto. A influência está fortemente relacionada com a sensação de que se está fazendo a diferença.[2] Portanto, não tem a ver com sentir que você está dando mais do que outros, mas que seus esforços estão causando impacto. Em sessões de coaching, fica claro que aqueles que sentem que se dão o tempo todo, mas não fazem diferença nem recebem reciprocidade, podem acabar se sentindo desvalorizados, infelizes e, sim, não exercendo influência real no mundo.

A criatividade também não está fortemente relacionada à influência.[3] Apesar de vivermos em uma cultura obcecada pela criatividade e por manifestações individuais de arte e trabalho criativos, os entrevistados que se identificaram como criativos em nossos estudos não necessariamente se sentiam mais influentes do que outros. O talento criativo nem sempre acompanha as habilidades das pessoas.

O que importa, assim como em outras categorias de IAP, é a sua percepção de *si mesmo*. Se você acredita que seus colegas o veem como uma pessoa bem-sucedida e de alta performance, naturalmente você acredita ter mais influência. Mas a percepção não é o único fator. Além de ser senso comum, nossos clientes de coaching nos dizem isto o tempo todo: ser mais influente realmente equivale a ter uma vida melhor. Quando você exerce mais influência, seus filhos o ouvem mais. Você resolve conflitos mais rapidamente. Recebe os projetos que pede ou pelos quais luta. Consegue adesão às suas ideias com maior frequência. Realiza mais vendas. Lidera melhor. Tem mais probabilidade de se tornar um CEO, um executivo sênior ou um profissional autônomo bem-sucedido.[4] Sua autoconfiança aumenta, assim como sua performance.

Este é o momento no qual muitas pessoas destroem suas chances de fazer exatamente isso. Elas dizem coisas do tipo: "Bem, não sou extrovertido, então não tenho como ser influente", "Não lido bem com as pessoas", ou "Não gosto de tentar persuadir as pessoas". De algum modo, essas pessoas acreditam que a personalidade tem uma conexão com a influência. Mas isso não é verdade. Uma meta-análise abrangente sobre habilidades sociais descobriu que a personalidade não se relaciona com a "habilidade política", que é como os pesquisadores costumam se referir à influência ou à capacidade de compreender os outros e de levá-los a agir em direção a objetivos. Essa habilidade prevê quão bem você se sai em tarefas, sua crença em si mesmo para fazer um bom trabalho (autoeficácia) e quão positivamente os outros o veem. Também diminui o estresse e aumenta as chances de você ser promovido e de ter um maior sucesso geral na carreira. Mais do que qualquer outra coisa, ter essa habilidade leva a uma reputação pessoal positiva, e isso aumenta ainda mais sua capacidade de influenciar os outros.[5]

Junte esses resultados relacionados à sua carreira com um aumento comprovado da felicidade na vida em geral, e não surpreende o fato de eu com frequência dizer às pessoas que a influência é uma das principais habilidades que elas devem dominar na vida.

FUNDAMENTOS DA INFLUÊNCIA

Não somos quem dizemos que somos, não somos quem queremos ser. Somos a soma da influência e do impacto que exercemos nos outros em nossa vida.
Carl Sagan

A maioria dos outros hábitos de alta performance está sob seu controle direto. Você escolhe buscar clareza. O nível de energia que você sente está amplamente sob o seu comando. Ser ou não prolífico com resultados produtivos depende apenas de você. Mas e a influência?

Para manter uma perspectiva abrangente sobre esse assunto, pelo menos nas próximas páginas, vamos definir "exercer influência" como a capacidade de moldar as crenças e os comportamentos de outras pessoas de acordo com o que você deseja. Ou seja, levar as pessoas a acreditar em você ou em suas ideias, a comprar de você, a seguir você ou a agir conforme você solicitar.

Evidentemente, a influência é uma via de mão dupla. Cada vez mais, no entanto, pesquisadores começam a entender o nível de controle que você tem sobre a percepção dos outros em relação a você e, em última análise, quanta influência você exerce sobre eles. Acontece que, independentemente da sua personalidade, você pode desenvolver mais influência no mundo do que imagina.

Peça (é sério, apenas peça)

Uma das razões pelas quais as pessoas têm dificuldade para ganhar influência em sua vida pessoal e profissional é que elas simplesmente não pedem aquilo que querem. Isso se dá, em parte, porque as pessoas *subestimam* drasticamente a disposição dos outros a se comprometer e ajudar. Vários estudos mostram que as pessoas tendem a dizer sim *três vezes* mais do que se achava que diriam.[6] Isso significa que as pessoas são péssimas em prever se alguém concordará ou não com qualquer pedido. Outra razão que explica por que as pessoas não pedem é por acharem que o outro as julgará duramente. Mas acontece que nesse caso as pessoas também são péssimas videntes. Estudos mostram que as pessoas *superestimam* com que frequência ou em que grau outras as julgarão.[7]

Você não pode em hipótese alguma saber se exerce influência sobre seus colegas de trabalho, a menos que peça que eles façam algo. O mesmo vale para o cônjuge, os vizinhos ou o chefe. É por isso que a sabedoria popular, ao dizer "você nunca sabe até perguntar", é tão válida. É bíblico também: *Pedi, e vos será concedido*. Parte de ganhar influência é simplesmente aprender a fazer muitos pedidos e melhorar em fazer esses pedidos (o que acontece apenas com a prática). Muitas pessoas sonham em ter influência, mas nunca usam a ferramenta mais fundamental para criá-la: pedir.

Indivíduos de baixa performance deixam de perguntar a todo tempo. Deixam o medo do julgamento ou da rejeição impedi-los de falar, pedir ajuda, tentar liderar. E o mais triste é que eles geralmente estão errados.

Ao longo da minha carreira, tive o privilégio de aconselhar muitas pessoas na mídia. Você ficaria surpreso com a sensibilidade delas. Todos esses anos sob holofotes muitas vezes as cegam com medos sobre o que os outros pensam. Então, quando saem de um programa ou tentam fechar um negócio por fora, elas têm dificuldade para pedir o que realmente desejam. Muitas vezes tenho que pegar pesado com elas: "Entendo que você se preocupa com o que os outros pensam. Mas, se ninguém nunca lhe disse isso, chegou a hora: a maioria das pessoas não dá a mínima para você. E, mesmo quando você se coloca na frente delas para pedir algo e elas dizem não, em poucos minutos elas voltam a pensar em outra coisa. Elas não estão lá sentadas te julgando; estão ocupadas demais lidando com a própria vida. Então você também deveria continuar com a sua vida e pedir as coisas. Caso contrário, você vai ter deixado de lado seus sonhos por conta de julgamentos que provavelmente nem existem".

Também compartilho com elas este fato da pesquisa: se alguém diz sim para ajudá-lo, essa pessoa tende a gostar de você ainda *mais* depois de atender ao seu pedido.[8] As pessoas não o ajudam de má vontade. Se não quisessem, elas provavelmente diriam não. É contraintuitivo, mas se o objetivo é fazer com que as pessoas gostem *mais* de você, basta pedir que lhe façam um favor.

Por fim, quando você pedir o que deseja na vida, não pergunte apenas *uma vez* e desista. Pesquisas mostram que os influenciadores entendem o poder da repetição, então tentam várias vezes apresentar suas ideias àqueles que esperam influenciar.[9] Quanto mais você pergunta e compartilha suas ideias, mais as pessoas se familiarizam e se sentem confortáveis com seus pedidos, e mais elas começam a gostar da ideia.

Pedir não se limita apenas a fazer solicitações para conseguir o que *você quer*. Se você busca exercer maior influência sobre outras pessoas, aprenda a lhes fazer perguntas e mais perguntas que tragam à tona o que *elas* pensam, sentem, querem, necessitam e a que aspiram. Grandes líderes fazem muitas perguntas. Lembre-se, *as pessoas apoiam aquilo que inventam*. Quando as pessoas começam a contribuir com ideias, isso significa que elas estão se arriscando. Querem apoiar as ideias que ajudaram a moldar. Sentem que fazem parte do processo, que não são uma engrenagem ou algum lacaio sem rosto. É consenso universal que líderes que perguntam e fazem com que as pessoas à volta façam sempre um brainstorm do caminho a seguir são mais eficazes do que os líderes "ditadores" que apenas jogam suas demandas e solicitações sobre os outros.[10]

Esse mesmo princípio funciona em seu relacionamento íntimo, em como você cria seus filhos, em seu envolvimento na comunidade. Pergunte às pessoas o que elas querem, como gostariam de trabalhar juntas e com quais resultados elas se importam. De repente, você começará a ver mais comprometimento e exercerá maior influência.

Se quiser mais influência, lembre-se: peça e pergunte com frequência.

Dê e você receberá

Em meio a tantos pedidos, não se esqueça de *dar*. Em praticamente qualquer área de atuação, dar a outras pessoas sem expectativa de retorno aumenta seu sucesso geral.[11] E, claro, aumenta a probabilidade de você conseguir o que deseja. Já faz tempo que pesquisadores sabem que muitas vezes você pode *dobrar* sua capacidade de influenciar os outros dando alguma coisa antes de pedir outra.[12]

Indivíduos de alta performance seguem uma lógica de doação. Entram em quase todas as situações procurando maneiras de ajudar os outros. Levam cuidadosamente em consideração os problemas que os outros enfrentam e oferecem sugestões, recursos e conexões. Não precisam ser estimulados a fazer isso. São proativos em procurar dar *algo* aos outros, seja em reuniões no trabalho ou visitando a casa de alguém.

Em ambientes profissionais, com frequência a melhor coisa que você pode dar aos outros é confiança, autonomia e autoridade para tomar decisões. Pesquisadores chamam isso de "autoria": eles escolhem o que trabalhar ou como fazer as coisas.[13]

Novos empreendedores frequentemente se preocupam com o espectro do "burnout da doação" — uma generosidade tamanha se torna estressante ou exaustiva. Mas isso não é somente um problema. Burnout é mais uma questão de má gestão de energia e baixa clareza do que de doar em excesso.

Tudo isso parece ótimo, mas muitas vezes as pessoas *não* visualizam situações pelo viés da utilidade. Não é porque são pessoas más; é provável que tenham medo de já estarem quase esgotadas ou sofrendo com o burnout. Você é menos generoso quando está cansado ou estressado. É por isso que é importante dominar os hábitos de energia e produtividade. Pessoas com pontuação alta nessas categorias tendem a ter mais influência. Faz sentido, certo? Se você estiver mais motivado e no caminho para alcançar suas metas, provavelmente estará mais disposto a ajudar os outros.

Seja um defensor das pessoas

De acordo com a Pesquisa de Trabalho e Bem-Estar de 2016 da Associação Americana de Psicologia, cerca de apenas *metade* dos adultos empregados nos Estados Unidos se sente valorizada pelo empregador e recompensada e reconhecida por seus esforços de maneira justa. Embora a maioria dos funcionários (68%) esteja satisfeita com seu trabalho, metade não se sente tão envolvida na tomada de decisões, na resolução de problemas e na definição de metas, e apenas 46% participam dessas atividades com regularidade.[14]

Imagine entrar em uma empresa e descobrir que metade dos funcionários não se sente recompensada, reconhecida ou engajada. Pense em todas as consequências disso: menos motivação, moral mais baixa, performance mais fraca, maior rotatividade, mais reclamações nos corredores e mais resistência nas reuniões.

A boa notícia é que é fácil mudar essa situação simplesmente demonstrando sincero reconhecimento àqueles que você procura influenciar. Como muitas pessoas se sentem excluídas, desvalorizadas ou subvalorizadas, quando você aparece e demonstra valorização, respeito e apreço genuínos, sua postura se destaca. Seja grato às pessoas. Só de oferecer gratidão você pode mais do que dobrar a probabilidade de que aqueles que a receberam o ajudem novamente no futuro.[15] Agradeça durante reuniões; escreva bilhetes de agradecimento; passe mais tempo dando destaque às ações positivas do seu pessoal. Se você é quem mais valoriza as pessoas, você é o mais valorizado.

Dar valor às pessoas é um passo. O próximo é se tornar seu defensor. Descubra o que as pessoas ao seu redor amam, e encoraje suas boas ideias. Fique empolgado pelas pessoas quando elas fizerem um bom trabalho e as elogie publicamente. A prova derradeira de que você realmente apoia alguém é confiar nele, dar-lhe autonomia para tomar decisões importantes e elogiá-lo na frente de todo mundo quando se sair bem. É assim que as pessoas sabem que estão realmente sendo encorajadas.

Talvez tudo isso pareça básico demais, mas todos os líderes com quem já trabalhei reconheceram que precisavam fazer um trabalho melhor no que se refere a agradecer e oferecer às pessoas mais confiança, autonomia e elogios. Na verdade, nunca conheci ninguém, inclusive eu, que não pudesse fazer um trabalho melhor nessas áreas. E é por isso que sei que qualquer pessoa, inclusive você, pode ganhar mais influência.

Essas ideias são as maneiras mais fáceis de ganhar influência. Agora vamos nos concentrar nas estratégias mais avançadas.

OS QUE FAZEM A DIFERENÇA

> *Bem-aventurada seja a influência de uma verdadeira*
> *e amorosa alma humana em outra.*
> George Eliot

Você é capaz de citar as duas pessoas que *mais* o influenciaram positivamente em sua vida? Pare agora por um momento para pensar nessas duas pessoas e responda o seguinte:

- O que, especificamente, tornou cada pessoa tão influente para você?

- Qual foi a maior lição que cada uma lhe ensinou sobre a vida?
- Que valores ou traços elas o inspiraram a incorporar em sua vida?

Fiz essas perguntas para públicos do mundo todo. As pessoas podem citar parentes, professores, amigos próximos, primeiros empregadores ou mentores. É impossível adivinhar *quem* alguém dirá ter sido o mais influente. Mas descobri que podemos prever *por que* tais pessoas foram as mais influentes.

Em geral, aqueles que mais influenciam positivamente as pessoas têm algo em comum. Eles exercem um efeito sobre nós, de propósito ou não, executando uma ou mais dentre três ações de influência. Primeiro, moldam a maneira como *pensamos*. Seja por exemplos da própria vida, lições que transmitem ou coisas que dizem, eles abrem nossos olhos e nos fazem pensar de maneira diferente sobre nós mesmos, sobre os outros ou sobre o mundo. Em segundo lugar, eles nos *desafiam* de alguma forma. Chamam a nossa atenção, ou aumentam nossas ambições de sermos melhores na vida pessoal, em relacionamentos e em relação às contribuições para o mundo. Em terceiro lugar, *servem de modelo*. Seu caráter, como interagem conosco e com os outros, ou como enfrentaram os desafios da vida nos inspiram.

Agora pense outra vez nas três pessoas que mais influenciaram você positivamente. É possível que uma ou alguma combinação dessas três ações de influência possa explicar o impacto exercido em você? Se eles lhe ensinaram a ser uma pessoa melhor, isso provavelmente aconteceu por causa de uma combinação das três, mesmo que talvez de formas sutis ou inesperadas.

Chamo essas três ações de influência de Modelo de Influência Definitivo. Ensinei CEOs a usar o modelo como um esboço para elaborar seus discursos em reuniões gerais com os funcionários. Vi esposas se sentarem com seus maridos e falarem sobre como usar o modelo para influenciar os filhos adolescentes. Membros das Forças Armadas usaram-no para entender como o inimigo estava influenciando as forças de resistência locais. Empreendedores usaram-no para estruturar suas apresentações de vendas e materiais de marketing.

O restante deste capítulo mostrará como usar o modelo, oferecendo três novas práticas. Também contarei como as outras pessoas moldaram minha vida com essas práticas. Minha esperança é que um dia alguém acrescente *seu* nome à lista daqueles que mais positivamente o afetaram. No fim das contas, *essa* é a influência definitiva que todos esperamos.

MODELO DE INFLUÊNCIA DEFINITIVO

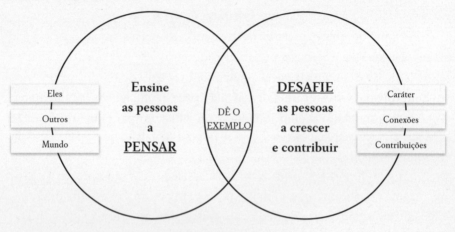

O Modelo de Influência Definitivo © 2007, Brendon Burchard.

Para conseguir influenciar outras pessoas, (1) ensine-as a pensar sobre si mesmas, sobre os outros e sobre o mundo; (2) desafie-as a desenvolver seu caráter, suas conexões e suas contribuições; e (3) sirva de exemplo dos valores que deseja vê-las incorporar.

PRÁTICA UM
ENSINE AS PESSOAS A PENSAR

Aquele que influencia o pensamento de seus tempos influencia os tempos que virão.
Elbert Hubbard

Gostaria de dar a você alguns exemplos do dia a dia de como começar a ganhar influência na vida das pessoas, porque não quero que você fique preso em um modelo conceitual abstrato. Moldar como as outras pessoas devem pensar é o que todos nós fazemos na vida real, geralmente sem perceber. Considere quantas vezes você disse ou ouviu estas frases:

- "Pense por esse lado..."
- "O que você acha de...?"
- "O que aconteceria se tentássemos...?"
- "Como devemos abordar...?"
- "No que deveríamos prestar atenção...?"

Sem dúvida, você fez uma dessas perguntas para alguém recentemente. Você estava tentando incitar uma ideia ou guiar seu pensamento. Ao fazer isso, você estava ganhando influência, mesmo que talvez não soubesse disso.

Meu objetivo é simplesmente que você comece a fazer isso de maneira mais deliberada. Quando se tornar um hábito, você perceberá como ficou bom nisso e como sua influência sobre os outros cresceu.

Imagine que você tenha uma filha de oito anos. Ela está fazendo o dever de casa na mesa da cozinha. Está ficando frustrada e diz: "Odeio dever de casa". Como você responde?

Embora não exista uma regra universal, nenhuma abordagem "certa" ou "errada", e se você pensasse em conversar com ela — não para fazê-la realizar suas tarefas, mas para moldar a maneira como ela *pensa* sobre o dever de casa? Quando as pessoas reclamam, sejam elas crianças ou colegas de trabalho, temos uma oportunidade extraordinária de direcionar seus pensamentos. E se você falasse com sua filha o que costumava pensar sobre dever de casa, e de que forma uma simples mudança na maneira como você pensava nisso o ajudou a se sair melhor na escola e até gostar do processo? E se você perguntasse a ela o que ela pensava de *si mesma* enquanto fazia o dever e a ajudasse a reformular sua identidade? E se você lhe mostrasse um modo diferente de pensar nos professores e nos colegas dela? O que você acha que aconteceria se falasse com ela sobre como o mundo percebe as pessoas que concluem as coisas?

Quando trabalho com líderes, estou lhes dizendo a todo momento que eles devem *sempre* manter um diálogo com seu pessoal a respeito de como deveriam pensar em si mesmos enquanto colaboradores individuais, sobre os concorrentes e sobre o mercado geral. Refiro-me a isso literalmente — em todos os e-mails para a equipe inteira, em todas as reuniões gerais, em todos os *calls* com investidores, em todas as aparições na mídia. Na reunião geral: "É assim que deveríamos estar pensando em nós mesmos se pretendemos ganhar. Se vamos competir, é assim que deveríamos pensar em nossos concorrentes. Se vamos mudar o mundo, é assim que deveríamos pensar no mundo e no futuro".

Pare por alguns minutos agora e pense em alguém que você quer influenciar. Como você pode moldar seu pensamento? Comece identificando como deseja influenciá-lo. O que você quer que ele faça? Então, saiba suas respostas a essas perguntas antes de se encontrar com essa pessoa:

- Como você quer que eles pensem em si mesmos?
- Como você quer que eles pensem nas outras pessoas?
- Como você quer que eles pensem no mundo como um todo?

Lembre-se de que há três coisas que você quer que seu pessoal pense: em si mesmos, em outras pessoas e no mundo de forma mais ampla (ou seja, como o mundo funciona, do que precisa, para onde está indo e como certas ações podem afetá-lo).

APRENDENDO A PENSAR

> *As palavras que um pai diz para os filhos na privacidade do lar não são ouvidas pelo mundo, mas, como em galerias sussurrantes, são claramente ouvidas no final e pela posteridade.*
> Jean Paul Richter

Em entrevistas, muitas vezes sou questionado a respeito das influências em minha vida. Quem moldou minhas percepções de mim mesmo, dos outros e do mundo em geral? Essa resposta começa com meus pais.

Lembro-me de inúmeras situações em que meus pais me ensinaram a pensar. Quando eu tinha cinco ou seis anos, morávamos em Butte, Montana. Durante um inverno, o aquecedor quebrou. Em alguns lugares, isso é um inconveniente. Em Butte, onde as temperaturas do inverno geralmente chegam a -30°C, é uma situação extrema. O desafio era que não tínhamos dinheiro para consertar o aquecedor. Embora papai e mamãe trabalhassem duro para cuidar de quatro filhos, estávamos vivendo de salário em salário. Levaria pelo menos uma semana até que meu pai recebesse e tivéssemos dinheiro para consertar o aquecedor.

Olhando para trás, a situação poderia ter sido terrivelmente estressante para nós, filhos, só que mais ainda para nossos pais. Mas eles eram pessoas engenhosas e ambos procuravam trazer alegria para a vida cotidiana. Então, em vez de entrar em pânico, minha mãe foi até a garagem, encontrou nossa barraca de camping e a colocou na sala. Jogou lá dentro nossos sacos de dormir, casacos e cobertores elétricos. Nós, crianças, sem saber da gravidade da situação, apenas pensamos que estávamos acampando. Iríamos para a escola e perguntaríamos às outras crianças: "Onde você dormiu ontem à noite?". Quando respondessem que dormiram em seus quartos, iríamos nos gabar de que estávamos acampados na nossa sala. Meus pais transformaram uma situação difícil em uma diversão. Tornar a adversidade um bom momento é uma das maiores artes da vida, e mamãe e papai eram bons nisso.

Por meio de todos os desafios que meus pais enfrentaram para nos criar, eles nos ensinaram a ser autossuficientes. Era assim que eles queriam que pensássemos em nós mesmos: que, independentemente da situação, poderíamos lidar com ela e tirar a melhor lição possível. Ao longo da vida, minha mãe vivia me dizendo que eu era esperto e era amado, e que deveria cuidar dos meus irmãos e da minha irmã porque éramos tudo o que tínhamos. Papai sempre dizia: "Seja você mesmo". "Seja honesto." "Faça o seu melhor." "Cuide da sua família." "Trate as pessoas com respeito." "Seja um bom cidadão." "Siga seus sonhos."

Ao orientar minha infância com diretrizes como essas, meu pai e minha mãe me ensinaram a como pensar em mim mesmo.

Também nos ensinaram a pensar nas outras pessoas, a partir da maneira como tratavam os outros: com compaixão. Quando eu estava no ensino médio, papai administrava o escritório local do Departamento de Trânsito (DT). O trabalho de sua equipe era dar às pessoas qualificadas suas carteiras de motorista. A palavra-chave nessa frase é *qualificadas*. Muitas pessoas não conseguiam passar na prova escrita, ou sua visão era muito ruim, ou não conseguiam fazer uma baliza ou se lembrar de parar no sinal vermelho. Outros apenas se esqueciam de trazer a carteira de identidade ou o cartão da previdência social. O que quase todos tinham em comum, porém, era a reação ao serem informados de que não receberiam a carteira de motorista naquele dia. Ficavam *irados*.

O que muitas vezes piora a experiência das pessoas no DT é que o departamento tem um orçamento baixíssimo. É por isso que você geralmente precisa esperar em longas filas ou lidar com tecnologias ultrapassadas e se sente confuso sobre o que deve fazer. Os funcionários do DT, que não recebem bons salários e têm que lidar com pessoas irritadas o dia inteiro, são limitados pela burocracia sem fim. Estão fazendo o melhor que podem. Pelo menos, meu pai estava.

Tenho muitas lembranças de ir com meu pai ao trabalho. Ele era um homem genuinamente feliz e atencioso. Serviu vinte anos no Corpo de Fuzileiros Navais dos Estados Unidos. Depois de se aposentar como fuzileiro naval, trabalhou em três empregos, durante todo o tempo frequentando aulas no turno da noite para obter seu diploma universitário. Ele e mamãe tiveram muito pouco durante a infância, e muito pouco enquanto trabalhavam duro para criar quatro filhos.

Eu tinha grande respeito pelo meu pai, então dá para imaginar como era ver alguém literalmente gritar com ele porque esqueceu a papelada ou não passou no teste. Ouvi pessoas insultarem sua inteligência, sua equipe, seu escritório, seu rosto, sua própria existência. Vi pessoas jogarem folhas da prova em cima dele. Pessoas cuspiram nele.

Quando as pessoas menosprezavam ou culpavam meu pai, me dava vontade de dizer a elas: "Você tem ideia de como ele trabalha duro? Você sabia que ele está fazendo o melhor que pode, dadas as regras estabelecidas pelo estado? Você tem ideia de que ele serviu vinte anos e foi baleado para proteger as suas liberdades? Você sabia que ele sente muita dor? Você sabia que ele é meu pai? Meu herói?".

Vi as pessoas tratarem meu pai muito mal. Mas também observei as respostas dele. Raramente as deixava tirá-lo do sério. Daria um jeito de lidar com situações de conflito no trabalho com graça e desenvoltura. Tentaria fazer as pessoas sorrirem ou gargalharem. Ele sempre foi bom com piadas e sempre tentou ser útil. Guiaria pacientemente as pessoas por toda a papelada ou pelos exames, mesmo quando tivessem uma atitude negativa. Dava tapinhas nas costas dos membros de sua equipe e sussurrava palavras de incentivo para eles depois que alguém no balcão era grosseiro. Na maioria das noites, papai chegava em casa totalmente tranquilo. Em outros dias, dava para sentir todas aquelas afrontas presas dentro dele. Em raras ocasiões, ele descontou na gente. Mas na maior parte das vezes, principalmente durante os últimos anos, era como se meu pai deixasse o estresse no trabalho e em casa ele apenas relaxasse no sofá e lesse seu jornal, jogasse golfe, me levasse para jogar raquetebol ou cuidasse do quintal. Foi se tornando, cada vez mais, um guerreiro pacífico.

Quando criança, eu não entendia como deve ter sido difícil para ele manter a compostura no trabalho. Olhando em retrospecto, fico impressionado que o velho primeiro-sargento nunca tinha pulado o balcão e estrangulado alguém.

Para cada vez que o vi ser maltratado no trabalho, havia uma ocasião em ele chegava em casa e descrevia como alguém tivera a gentileza de levar uns biscoitos para agradecer a sua equipe. Dizia-me que não reagia por entender que a maioria das pessoas era boa e carinhosa; era só que, quando estavam com pressa, podiam ser insensíveis, arrogantes ou grosseiras. Sempre deu às pessoas o benefício da dúvida. Para meu pai, todos eram como um vizinho, e ele queria ajudá-los.

Foi assim que meu pai me ensinou a pensar nas outras pessoas: como vizinhos a quem devo sempre dar o benefício da dúvida e ser útil. E quando a pressa ou a decepção azedavam suas atitudes, eu deveria tratá-las com paciência e bom humor.

Minha mãe, de igual maneira, é maravilhosa. Nasceu no Vietnã, filha de pai francês e mãe vietnamita. Seu pai foi morto na Primeira Guerra da Indochina muito antes de meu pai, seu futuro marido, ter servido na Guerra do Vietnã. Depois que seu pai morreu, minha mãe foi enviada para a França sob os cuidados do programa Children of War. Ela foi separada do irmão e enviada para morar em internatos abusivos. Quando fez 21 anos, ela imigrou para os Estados Unidos. Por fim, conheceu meu pai em um prédio de apartamentos em Washington, DC, onde ambos moravam. Eles se apaixonaram e logo se mudaram para Montana — onde meu pai crescera — para criar os filhos.

Não há dúvida em relação ao que fez meu pai ser atraído por minha mãe: ela é a pessoa mais alegre e motivada que alguém poderia conhecer.

Depois que eles se casaram e se mudaram para Montana, papai trabalhava no departamento de trânsito, enquanto mamãe mantinha vários empregos de meio período — cortando cabelo, trabalhando em uma casa de repouso — para sustentar nossa família em crescimento. Na época em que eu estava no ensino médio, minha mãe trabalhava como auxiliar de enfermagem em um hospital local. Muitas das minhas memórias da adolescência giram em torno de ver minha mãe chorando no sofá à noite enquanto meu pai tentava consolá-la. As mulheres no hospital eram cruéis com ela. Ela tinha sotaque, não era "daqui". Tendo o inglês como terceira língua, ela penou com os termos médicos e as pronúncias, e seus colegas de trabalho a menosprezaram e a excluíram por causa disso. Às vezes, em uma cidade pequena, ser de outro lugar é difícil.

Ainda assim, minha mãe manteve uma boa atitude e esperava que nós tratássemos todos com compaixão — até as pessoas más. Como papai, ela sempre lhes deu o benefício da dúvida. Ela nos lembrava de que as pessoas estavam fazendo o melhor que podiam e muitas vezes precisavam apenas da nossa ajuda. Muitas das minhas lembranças de infância sobre a minha mãe são de quando ela fazia comida para as pessoas ou lhes entregava mantimentos ou presentes. Outras pessoas, ela dizia, precisavam da nossa atenção e generosidade.

Até hoje, minha mãe é uma das pessoas mais positivas, carinhosas e amorosas do mundo. Nos meus seminários, ela costuma ajudar minha equipe, embora os participantes não saibam que ela é minha mãe. Ela ajuda na entrada de milhares de pessoas e a atendê-las. Muitas vezes, no último dia do evento, levo minha mãe ao palco para agradecer-lhe. Quando ela sai e as pessoas percebem que ela fez parte da equipe durante todo o fim de semana, dá para ver que algumas estão pensando *Que maravilha!* e outras estão pensando *Ops, eu teria sido mais gentil com ela se soubesse disso antes.* De todo modo, sempre a aplaudem de pé. Ver minha mãe, que aguentou tanto na vida, ser ovacionada de pé por milhares de pessoas é um sentimento que não consigo expressar em palavras.

Observando e ouvindo meus pais, aprendi a pensar nas outras pessoas. Minha mãe e meu pai não me ensinaram que as outras pessoas eram ruins ou más. Em vez disso, confiaram na bondade dos outros e me mostraram que, com paciência, graça e humor, as pessoas poderiam se abrir, mudar e ser amigáveis.

Mais do que qualquer outra coisa, meus pais me deram o dom de pensar no mundo de maneira positiva. Sempre foram gratos pelo que a vida lhes deu e empolgados com as possibilidades do amanhã. Isso não significa que tiveram grandes sonhos ou planos grandiosos. Eram pessoas simples e amáveis, que acreditavam que, com muito trabalho, o mundo lhes daria o que fosse justo. Mostraram para mim que a vida é o que você faz dela e que está aqui para ser desfrutada. Não consigo imaginar minha vida sem esses ensinamentos.

Todos nós temos histórias de pessoas que nos influenciaram a pensar mais e melhor. Talvez essas histórias tragam à mente episódios da sua vida sobre quem o influenciou e como é possível você ensinar sua família ou equipe a pensar.

Estímulos para a performance

1. Alguém na minha vida que eu gostaria de influenciar mais é...

2. A maneira como eu gostaria de influenciá-la é...

3. Se eu pudesse lhe dizer como deveria pensar em si mesma, eu diria...

4. Se eu pudesse lhe dizer como deveria pensar em outras pessoas, eu diria...

5. Se eu pudesse lhe dizer como deveria pensar no mundo como um todo, eu diria...

PRÁTICA DOIS
DESAFIE AS PESSOAS A CRESCER

> *O mais importante é tentar e inspirar as pessoas para que elas sejam ótimas em qualquer coisa que queiram fazer.*
> Kobe Bryant

Indivíduos de alta performance desafiam as pessoas ao redor a chegarem a níveis mais altos de performance. Se você pudesse segui-los enquanto eles conduzem sua própria vida, veria que frequentemente desafiam os outros a elevar seu nível de exigência. Pressionam as pessoas a melhorarem e não se desculpam por isso.

Esta é talvez a prática mais difícil do livro a ser implementada. As pessoas têm medo de desafiar os outros. Soa como se fosse um confronto. Parece que isso pode fazer com que as pessoas recuem, se sintam desconfortáveis ou perguntem: "Quem diabos você pensa que é?".

Mas isso não tem nada a ver com confronto. Tem a ver com lançar *desafios estruturados positivamente*, sutis ou diretos, para motivar os outros a se destacarem.

Como acontece com qualquer estratégia de comunicação, a intenção e o tom são muito importantes. Se sua intenção é diminuir os outros, seus desafios provavelmente influenciarão as pessoas de modo negativo. E o resultado será parecido se você adotar um tom condescendente. Mas se suas intenções são claramente ajudar alguém a crescer e se tornar melhor, e se você falar com respeito e integridade, então seus desafios vão inspirar uma ação melhor.

Não há dúvida de que, independentemente de como você se comunica, algumas pessoas podem não gostar quando você começa a forçá-las a crescer e a contribuir. Esse é um preço que você deve estar disposto a pagar para uma mudança efetiva e para ganhar verdadeira influência na vida. Você tem que estar disposto a desafiar seus filhos a desenvolver seu caráter, a tratar melhor os outros, a contribuir. O mesmo vale para o restante da sua família, seus colegas de trabalho e qualquer outra pessoa que você lidera ou a quem serve.

Estamos em um momento precário na história, no qual as pessoas estão evitando estabelecer padrões junto aos outros. "Estabelecer padrões" é, na verdade, apenas outra maneira de dizer "lançar desafios positivos". As pessoas acham que desafiar os outros levará a conflitos. Mas isso raramente acontece, principalmente quando se lida com profissionais de alta performance — eles *gostam disso*. São movidos por isso. Não só podem lidar com isso, como *esperam* isso de você se sua posição for de influência sobre eles. Se você sentir alguma hesitação em fazer isso, deixe-me lembrá-lo dos dados: profissionais de alta performance *amam desafios*. É uma das constatações mais universais que fizemos em nossa pesquisa. Considere as seguintes declarações:

- Respondo rapidamente aos desafios e emergências da vida, em vez de evitá-los ou postergá-los.
- Adoro tentar dominar novos desafios.
- Tenho confiança de que posso alcançar meus objetivos apesar dos obstáculos ou de resistência.

As pessoas que concordam plenamente com essas declarações são quase sempre de alta performance. Isso significa que encarar desafios é uma grande parte do que os profissionais de alta performance fazem bem e querem fazer bem. Não lhes negue isso hesitando lançar o desafio.

CARÁTER

Influenciadores desafiam os outros em três campos. Primeiro, desafiam seu *caráter*: dão às pessoas feedback, direcionamento e altas expectativas para viverem à altura de valores universais como honestidade, integridade, responsabilidade, autocontrole, paciência, trabalho árduo e persistência.

Desafiar o caráter de alguém pode parecer agressivo, mas, na prática, é um presente solidário e útil. Aposto que alguém influente em sua vida alguma vez lhe disse "você poderia fazer melhor", "você é melhor do que isso" ou "esperava mais de você". Foram declarações que estabeleceram padrões e desafiaram seu caráter. Talvez você não tenha gostado de ouvi-las, mas aposto que elas chamaram sua atenção e o fizeram repensar suas ações.

É claro que desafiar alguém a desenvolver mais caráter pode acontecer de maneiras mais sutis, por meio do *desafio indireto*. Perguntar a alguém "como a melhor versão de você mesmo daria conta dessa situação?" desafia essa pessoa a ter uma intenção mais específica sobre o comportamento dela. Outros desafios indiretos podem ser mais ou menos assim:

- "Olhando para trás, você acha que deu tudo de si?"
- "Você está dando o seu melhor nesta situação?"
- "Que valores você estava tentando absorver quando fez isso?"

Para os líderes, sugiro a abordagem direta de pedir às pessoas que pensem em como podem se desafiar em situações no futuro. Pergunte: "Você quer ser lembrado por ter sido que tipo de pessoa? Como seria a vida se você desse tudo de si? Em que pontos você está inventando desculpas, e como a vida poderia acabar sendo diferente se você se tornasse mais forte?".

CONEXÃO

A segunda área na qual é possível desafiar as pessoas diz respeito às suas *conexões* com os outros — seus relacionamentos. Você define expectativas, faz perguntas, dá exemplos ou lhes pede diretamente que melhorem *a forma como tratam outras pessoas e agregam valor a elas.*

Você não pode tolerar um comportamento social ruim. Líderes de alta performance chamam a atenção de qualquer um que esteja sendo inadequado, grosseiro ou desrespeitoso com alguém da sua equipe. Pais de alta performance fazem o mesmo com os filhos. Simplesmente não deixam passar nenhum comportamento ruim.

O que é importante notar aqui é que as expectativas de como as pessoas devem tratar umas às outras são explícitas para os indivíduos de alta performance. Sempre me surpreendo com a assertividade que eles têm ao dizer às pessoas, repetidamente, como tratar umas às outras. Mesmo quando as pessoas ao redor estão tratando bem umas às outras, eles ainda continuam pressionando para que elas se unam ainda mais.

Se você já observou um líder de alta performance em uma reunião de equipe, provavelmente notou com que frequência eles sugerem como a equipe deveria estar trabalhando em conjunto. Dizem coisas assim:

- "Ouçam mais uns aos outros."
- "Mostrem mais respeito uns aos outros."
- "Apoiem-se mais mutuamente."
- "Passem mais tempo uns com os outros."
- "Deem uns aos outros mais feedbacks."

A palavra *mais* parece onipresente quando eles estão desafiando os outros. Como ensinei esse ponto em todo o mundo, percebi que alguns interpretam mal essa questão, como se os profissionais de alta performance estivessem sendo "duros" com suas equipes. Mas não é necessariamente o caso. Sem dúvida, os profissionais de alta performance têm expectativas elevadas em relação àqueles que influenciam. Mas a maneira como desafiam as pessoas a se conectarem melhor com os outros é claramente um esforço para ajudar a trazer um senso de coesão e solidariedade àqueles com quem elas vivem ou trabalham. Profissionais de alta performance querem ajudar você a experimentar uma união mais profunda com os outros, porque sabem que isso melhorará seus resultados.

CONTRIBUIÇÃO

A terceira área na qual é possível desafiar os outros é em suas *contribuições*. Você as pressiona a agregar mais valor ou a ser mais generoso.

Esse é talvez um dos desafios mais difíceis lançados pelos indivíduos de alta performance. É difícil dizer a alguém: "Ei, suas contribuições aqui no trabalho não são suficientes. Você pode fazer melhor". Mas os profissionais de alta performance não se esquivam de dizer esse tipo de coisa.

Quando lançam desafios para que se contribua mais, os indivíduos de alta performance geralmente não estão dando feedback apenas em relação à qualidade do que você está oferecendo *agora*. Em vez disso, desafiam você a contribuir mais *olhando para o futuro* — criar ou inovar com o intuito de tornar o futuro melhor.

Em quase todas as entrevistas detalhadas que fiz, fica claro que os profissionais de alta performance são orientados para o futuro quando desafiam alguém a contribuir com algo significativo. O desafio às pessoas não se restringe a criar dispositivos melhores hoje, mas a reinventar todo o pacote de produtos, a pensar a respeito de modelos de negócios totalmente novos, a encontrar mercados complementares para ir atrás, a explorar territórios desconhecidos, a agregar novos valores.

Embora de início eu achasse que os profissionais de alta performance estavam fazendo isso em larga escala, dizendo a toda a sua equipe para criar um futuro maior, eu estava errado. Em vez disso, eles desafiam os indivíduos especificamente. Eles vão de mesa em mesa e desafiam cada pessoa da equipe. Eles ajustam o nível de desafio que lançam para *cada pessoa* que estão liderando. Não existe uma abordagem única para incentivar as pessoas a contribuir. É dessa forma que você sabe que está trabalhando com um líder de alta performance: ele o encontrará onde você está, falará a sua língua, pedirá que você ajude a conduzir a equipe inteira em direção a um futuro melhor, da sua própria e única maneira.

MEU DESAFIO PARA RESISTIR E LIDERAR

Um professor afeta a eternidade.
Henry Adams

Além de meus pais, a outra grande influência no começo da vida foi Linda Ballew. Linda entrou na minha vida em um momento crítico — quando eu estava prestes a abandonar o ensino médio.

Não que eu não gostasse da escola. A questão era que minha família teve a oportunidade de ir visitar parentes na França. Devido aos horários de trabalho de meus pais, o único momento em que poderíamos ir seria durante o ano letivo. Infelizmente, o momento da viagem coincidiu com a rigorosa política de faltas recém-implementada, segundo a qual o aluno que faltasse mais de dez dias de aula seria expulso da escola naquele semestre. Nossa viagem seria de catorze dias. Se eu fosse com eles, não teria permissão para voltar à escola naquele semestre. A única maneira de me formar com a minha turma, então, seria cursar aulas durante o verão — uma época em que eu costumava trabalhar em período integral para ganhar e juntar dinheiro para a faculdade. Meus pais e eu brigamos com o diretor e o conselho da escola para abrir uma exceção e me deixarem ir e voltar para a escola. Nosso argumento era que, para minha família, essa era uma oportunidade única na vida e que já havíamos combinado com meus professores que compensaria o tempo perdido compartilhando com a turma redações sobre minhas experiências quando retornasse da viagem.

Infelizmente, perdemos a briga. Se eu viajasse, não seria autorizado a voltar para a escola. E, como o trabalho me impedia de fazer o curso de verão, provavelmente não conseguiria me formar com meus amigos. Eu estava arrasado.

Fizemos a viagem de qualquer maneira porque, como Mark Twain disse, "nunca deixe a escola atrapalhar a educação". Escrevi um editorial para o jornal local condenando o conselho escolar e depois peguei um avião para a Europa. Na viagem, tirei muitas fotos e fiz anotações de coisas importantes sobre a cultura e os lugares que visitamos. Foi a maior experiência de aprendizado da minha vida, e a viagem aproximou minha família.

Conforme esperado, quando cheguei de viagem, não tive permissão para voltar à escola. Meu professor de francês me permitiu entrar e mostrar algumas das minhas fotos, e contar à turma sobre minhas experiências na França. Fiz o mesmo na minha turma de artes. Mas o diretor me mandou embora quando descobriu que eu estava na escola. Fiquei tão amargurado com toda aquela difícil experiência que considerei simplesmente desistir. Meu grande plano era abandonar o ensino médio e começar meu próprio negócio de jardinagem.

Então conheci Linda Ballew. Linda era professora de inglês e conselheira de jornalismo do jornal estudantil da escola, o *Iniwa*. Ela havia lido meu editorial, ouviu falar das minhas fotos da França pelo professor de arte e me procurou.

Quando conversamos, ela elogiou meu artigo e, praticamente no mesmo instante, me disse que poderia ter sido muito melhor. Perguntou como fora meu raciocínio durante o processo de escrita e me deu algumas dicas. Então pediu para ver minhas fotos da França. Também teceu elogios e, ao mesmo tempo, me disse que poderiam ser melhores. Ela tinha um jeito de me elogiar e me desafiar que simplesmente funcionava. Acho que dá para dizer que nosso relacionamento começou com ela desafiando minhas ideias, minhas contribuições.

"De todo modo, nada disso importa", disse-lhe, "porque não vou voltar para a escola." Nunca vou me esquecer de como ela lidou com a situação. Ela não me disse que se tratava de uma ideia idiota. Não tentou me convencer de que a administração da escola estava apenas seguindo sua política. Não tentou explicar o valor do ensino médio. Em vez disso, ela respeitosamente desafiou meu caráter:

"Você não é um desistente, Brendon, e não quer ser um. Você é uma pessoa muito forte para permitir que a administração o faça desistir."

Linda também me disse que eu tinha potencial e que deveria me juntar ao jornal estudantil quando voltasse para a escola no próximo semestre. Apenas pressupôs que meu retorno e minha adesão seriam a coisa mais óbvia e natural do mundo. Disse-lhe mais uma vez que estava largando a escola. E então ela desafiou meu caráter, minhas conexões e minhas contribuições, tudo de uma só vez, dizendo algo como...

"É uma pena. Você poderia ter sido bom. Muitos estudantes aqui precisam de alguém como você — alguém disposto a defender aquilo em que acreditam. Você poderia fazer muitas coisas boas na escola, poderia aprender a fazer arte e a escrever aqui. Você tem talento e potencial demais para não usá-los em um empreendimento criativo. Apenas pense nisso. E, se em algum momento achar que é uma boa ideia voltar, me avise e estarei aqui. Você não parece do tipo que desiste das coisas."

Não consigo me lembrar do meu contra-argumento, mas lembro como ela respondeu. Ela escutou. Aceitou e reconheceu meu ponto de vista. Estabeleceu uma conexão real comigo e disse que esperava me ver novamente.

No semestre seguinte, voltei.

Naquele ano, Linda reuniu um grupo de alunos, inclusive eu, e nos inspirou a pensar, a trabalhar juntos e a contribuir de maneiras que nunca fizemos. Ela nos fez acreditar que era possível nos tornarmos o melhor jornal estudantil do país, mesmo com poucos recursos e experiência limitada. Gerou uma expectativa de excelência, não para que ganhássemos prêmios, mas para podermos olhar uns aos outros e a nós mesmos no espelho e sentir orgulho e cumplicidade por darmos o nosso melhor. Ela queria que nos tornássemos líderes que liderassem com integridade.

O estilo de liderança de Linda era a personificação de "as pessoas apoiam o que elas criam". Todas as primeiras páginas, manchetes, fotos, créditos e layouts, ela *nos* deixava escolher, mesmo sendo especialista em todos os aspectos do jornalismo. Mostrou-nos como analisar nossa concorrência e concentrar esforços para melhorar a cada edição. Orientou-nos a procurarmos nos unir como equipe, apoiando uns aos outros e nos aprofundando a partir dos pontos fortes dos colegas. Com firmeza e compaixão, nos ajudou a nos tornarmos mais competentes e confiantes. Em inúmeros aspectos, Linda nos ajudou a nos tornarmos seres humanos melhores.

Linda estava presente em todos os fins de semana e todas as noites em que trabalhamos até tarde para cumprir algum prazo. Sempre deu o exemplo daquilo que queria que fizéssemos enquanto jornalistas: fazer perguntas. Ainda posso ouvir sua voz atrás de mim enquanto encaixava a versão final de uma foto ou uma matéria em algum layout: "É aí que você quer que isso esteja? Esta é a nossa versão final-final? Há mais alguma coisa que você gostaria de acrescentar?". Ela sempre nos fazia mais perguntas: como lidar melhor com uma situação, que tipo de pessoas queríamos ser, que mensagens queríamos transmitir ao mundo, como completar nosso trabalho com excelência, como desejávamos representar nossa escola e a nós mesmos.

Naquele ano, na convenção da Associação de Jornalismo Estudantil, nosso jornal ganhou o prêmio "Best of Show". Fomos *os melhores* do país. Uma pequena escola de Montana, derrubando grandes escolas que, em geral, tinham de dez a vinte vezes nosso orçamento e nossos recursos. Sob a liderança de Linda Ballew, ganhei prêmios nacionais e regionais em primeiro e segundo lugares por fotografia, layout e design, redação de notícias e reportagens investigativas. Acabei me tornando editor executivo. Depois que me formei, o jornal seguiu para mais uma década de prêmios importantes.

Linda Ballew dirigiu um programa de jornalismo estudantil com orçamento reduzido em um distrito escolar com orçamento reduzido em um estado com orçamento reduzido. E, no entanto, ela sistematicamente reuniu novas turmas de estudantes inexperientes e os transformou em jovens jornalistas excepcionais que ganharam os mais importantes prêmios nacionais e internacionais. Os jornais de seus alunos ganharam o primeiro lugar em quase todas as categorias premiadas no jornalismo do ensino médio, e Linda se tornou, talvez, a professora de jornalismo de ensino médio mais condecorada da história do país.

O que fez dela uma pessoa tão fantástica? Tudo se resume a três coisas: ela nos ensinou a pensar; ela nos desafiou; e ela deu o exemplo de como influenciar uma equipe a ter uma performance de excelência.

Em uma conversa, naquele dia precioso e crucial em que eu estava prestes a abandonar o ensino médio, Linda Ballew mudou minha vida para sempre. Se não fosse por ela, você não estaria lendo este livro.

Estímulos para a performance

Pense em uma pessoa em sua vida que você está tentando influenciar positivamente e complete as seguintes frases:

Caráter

1. A pessoa que estou tentando influenciar tem os seguintes pontos fortes em seu caráter...

2. Ela poderia se tornar uma pessoa mais forte se...

3. Ela é provavelmente muito dura consigo mesma em...

4. Se eu pudesse lhe dizer de que maneira melhorar quem ela é, diria que...

5. Se eu pudesse inspirá-la a querer ser uma pessoa melhor, provavelmente diria algo como...

Conexão

1. A maneira que quero que essa pessoa interaja de forma diferente com os outros é...

2. Muitas vezes essa pessoa não se conecta com os outros como eu gostaria porque...

3. O que inspiraria essa pessoa a tratar melhor as outras pessoas é...

Contribuição

1. A maior contribuição que essa pessoa está dando é...

2. As áreas nas quais ela não está contribuindo bem o suficiente são...

3. Aquilo em que realmente quero que essa pessoa contribua mais é...

PRÁTICA TRÊS
DÊ O EXEMPLO

Exemplo é liderança.
Albert Schweitzer

Profissionais de alta performance dedicam-se bastante a pensar a respeito de ser o exemplo. Setenta e um por cento dizem que pensam nisso *diariamente*. Dizem que querem ser um bom exemplo para sua família, sua equipe e para a comunidade de modo geral.

Evidentemente, todo mundo diria que quer servir de exemplo. Quem não gostaria, não é mesmo? Mas o que descobri com profissionais de alta performance é que eles pensam sobre isso muito mais frequentemente, e *especificamente em relação a como estão buscando influenciar os outros*. Eles não estão apenas buscando ser uma boa pessoa em geral, como em geral se espera de alguém que serve de exemplo — alguém que é gentil, honesto, trabalhador, generoso, carinhoso. Eles dão um passo além e pensam em como agir de modo que outros possam segui-los ou ajudá-los a alcançar *determinado resultado*. Em vez de "estou tentando ser a Madre Teresa", é "vou demonstrar determinado comportamento para que os outros o imitem, e isso nos ajudará a avançar em direção a determinado resultado".

Para ser claro, profissionais de alta performance *querem* ser vistos como pessoas boas e bons exemplos. Mas isso é natural do ser humano. O que os leva à alta performance é a intenção extremamente focada em como podem agir de determinada maneira que faça alguém melhorar quem é, ou alcançar um resultado específico.

Para ilustrar esse ponto, vamos voltar à história do início deste capítulo. Você se lembra de Juan, o CEO da empresa de vestuário? Ele estava batendo de frente com Daniela, sua nova chefe de design. Desafiei-o a ser um líder melhor para ela e para sua equipe, e depois tracei o Modelo de Influência Definitivo. Trabalhamos juntos no modelo, explorando como ele queria que Daniela pensasse sobre o papel que desempenha, sobre sua equipe e sobre a empresa. Então, discutimos quais desafios ele poderia inspirá-la a assumir no que se refere a quem ela era, a como se relacionava com os outros e àquilo com que ela contribuía. De modo igualmente importante, também invertemos os cenários e percorremos o modelo mais uma vez. Em outras palavras, pedi-lhe que imaginasse que ela estava percorrendo o modelo e tinha que dar conselhos a *ele* sobre como pensar e sobre quais desafios ele deveria enfrentar. Como, no melhor dos cenários, ela gostaria que ele pensasse sobre seu papel, a equipe e a empresa? Como ela gostaria de desafiar seu caráter, suas conexões e suas contribuições? Percorrer o modelo a partir da perspectiva dela era difícil para Juan, mas abriu seus olhos para a ideia de que talvez ele estivesse percebendo as tentativas dela de exercer influência como ameaças, em vez de como liderança. Juan começou a perceber que ela não apenas o estava desafiando, mas também desafiava o statu quo da empresa de maneiras significativas que poderiam, na verdade, ser úteis.

É claro que o máximo que podíamos fazer era especular sobre a perspectiva dela. O que sabíamos com certeza era que, se Juan quisesse mudar a situação, *ele* deveria mudar. Tivemos que fazer com que ele adotasse uma mentalidade para "dar o exemplo", que é muito diferente de manter uma atitude na defensiva.

Para começar a pensar dessa maneira, pedi-lhe que me contasse sobre as pessoas mais influentes de sua vida. Ao fazê-lo, peguei alguns componentes do MID para lhe mostrar especificamente por que eles eram tão influentes — como eles o desafiaram e o ensinaram a pensar. As pessoas mais influentes para ele foram seu pai e seu primeiro sócio. Depois que Juan os descreveu para mim, perguntei como ele poderia honrar seus legados trazendo os valores e o entusiasmo deles para sua empresa. Perguntei: "Como você pode trazer o que os tornou tão incríveis para dentro de sua empresa e para seu estilo de liderança? Como você pode ser um exemplo a ser seguido para o seu pessoal do mesmo jeito que esses dois foram para você?".

Essa conversa claramente o abalou. A maioria das pessoas não pensa nesse tipo de coisa.

Então falei: "Agora vamos voltar ao assunto em questão. Por que você acha que tantas pessoas na empresa veem Daniela como um exemplo a ser seguido?". Embora apenas poucos minutos antes ele não tivesse nada de bom para dizer sobre ela, ele encontrou alguns pontos de relutante admiração. Respeitava a sinceridade dela — mesmo que ele não gostasse — porque nunca fora tão corajoso quando tinha a mesma idade. Ficava impressionado com a rapidez com que ela conseguira adesão das pessoas à sua visão, roubando alguns de seus apoiadores. Admirava sua tenacidade. Acreditava que as pessoas a viam como um exemplo a ser seguido porque ela as desafiava a olhar adiante — *mais do que ele*.

Por um momento, eu não sabia se esses esforços estavam funcionando. Ele estava ficando amargurado, ou quem sabe estivesse vendo as coisas de uma nova perspectiva? Então pressionei ainda mais. "Juan, estou aqui me perguntando se você talvez poderia ser, um dia, um exemplo tão bom para Daniela quanto ela é para os outros e quanto os modelos da sua vida foram para você. Como seria?"

Foi nessa última pergunta que tudo mudou. Literalmente vi a luz acender para ele. Não consigo descrever exatamente, mas parece que meses de frustração foram tirados dele.

Há algo mágico que acontece em nossa vida quando deixamos todo o drama de lado e decidimos nos perguntar como podemos ser exemplos a serem seguidos novamente.

Juan percebeu que, para ser um exemplo a ser seguido nessa situação específica, ele deveria demonstrar exatamente o que queria dela: ele tinha que liderar com perguntas em vez de assumir posições firmes; estar aberto aos pensamentos de todos; deixá-la liderar. Se esperava que um dia ela estaria aberta a suas ideias, Juan teria que se abrir para as dela. Se quisesse ser respeitado, tinha que dar o mesmo respeito. A coisa mais importante que ele percebeu, porém, foi que não estava incorporando os valores que seu pai e seu sócio haviam incutido nele. "Sinto que estou sendo pretensioso, e não é assim que eles gostariam de me ver liderar."

No momento em que desembarcamos para a reunião geral, Juan havia trabalhado no MID várias vezes e discutido algumas ideias comigo e com Aaron. Mas, na hora da reunião, sem que nenhum de nós soubesse, ele havia também decidido descartar toda a agenda do encontro. Em vez disso, ensinaria o MID à equipe e, ao longo da reunião, criaria um diálogo verdadeiro com todo o grupo — incluindo todos que vinham apoiando Daniela. Daria continuidade perguntando como eles, enquanto grupo unido, deveriam pensar em si mesmos, nos concorrentes e no mercado. Desafiou-os a elaborar planos de como poderiam melhorar individualmente como líderes, de como poderiam crescer como equipe e de como a empresa poderia fazer contribuições maiores para o mercado. Estava empolgado e foi aberto, colaborativo e inspirador. Não era falso. Deu para ver que toda a equipe ficou surpresa com quão diferente ele se dirigia a eles, e estavam gostando disso.

No fim do treinamento, Juan chamou Daniela para a frente da sala. Admitiu seus pensamentos equivocados sobre ela, a equipe e a marca. Compartilhou quais desafios sentiu ter enfrentado em relação ao caráter, às conexões e às contribuições dele. Pediu a ela que compartilhasse sua própria versão do MID e, então, se sentou. De início, ela ficou surpresa e foi cuidadosa. Mas ele continuou incentivando e lhe pediu que compartilhasse mais. Duas horas se passaram. Durante todo o tempo, ele ficou sentado, ouviu, pediu mais ideias e tomou notas. Quando terminou, ela foi ovacionada de pé por todos na sala, uma iniciativa de Juan. Naquela noite, no jantar de sua equipe, ela dedicou a ele um dos brindes mais sinceros e emocionados que vi em minha carreira.

No voo de volta, Juan disse algo de que me lembrarei por muito tempo: "E se a nossa real capacidade de sermos verdadeiramente influentes for a nossa capacidade de sermos influenciados?".

Estímulos para a performance

1. Se eu fosse investir em meus relacionamentos e minha carreira como um exemplo ainda melhor a ser seguido, começaria com...

2. Alguém que realmente precisa de mim agora enquanto líder e um forte exemplo é...

3. Algumas ideias sobre como posso ser um exemplo para essa pessoa são...

4. Se, daqui a dez anos, as cinco pessoas mais próximas a mim fossem me descrever como um exemplo, eu esperaria que elas dissessem coisas como...

UMA BELA AUSÊNCIA DE TRAPAÇA

Você vai conseguir tudo o que quiser na vida se ajudar outras pessoas a conseguirem o que querem.
Zig Ziglar

Sempre que falo com os outros a respeito de influência ou mostro o modelo do MID, inevitavelmente alguém pergunta sobre manipulação. Imagino que seja porque todos nós já fomos passados para trás por antigos amores, amigos e colegas de trabalho, que nos manipularam de alguma forma. Conhecemos profissionais de marketing e líderes de mídia que nos dizem como pensar, e nos desafiam a comprar coisas pelas quais na verdade não podemos pagar. Essas ideias poderiam ser usadas para manipular ou influenciar negativamente os outros? Claro que sim.

Minha esperança é que você tenha atingido um nível mais alto de conhecimento neste capítulo. Os profissionais de alta performance simplesmente não manipulam ninguém. Esse ponto ideal no meio do MID — esse ideal de ser um exemplo a ser seguido — é apenas uma motivação muito atrativa. Sem dúvida, os profissionais de alta performance são capazes de manipular os outros; eles simplesmente não lançam mão disso. Como eu sei? Porque entrevistei, acompanhei e treinei muitos profissionais de alta performance no mundo e, nesse processo, conheci equipes, famílias e entes queridos. As pessoas ao redor de indivíduos de alta performance não se sentem manipuladas. Sentem-se dignas de confiança, respeitadas e inspiradas.

É possível progredir na vida manipulando os outros? Com certeza — a curto prazo. Mas, em última análise, manipuladores rompem com todo mundo e se veem desconectados, sem apoio, sozinhos. Não encontram sucesso a longo prazo em relacionamentos ou no próprio bem-estar. Se obtêm algum sucesso, será construído com base em falsidade, discórdia e energia tóxica. Evidentemente, podemos encontrar um exemplo extremo de alguma pessoa desonesta que é um grande sucesso. Mas isso é apenas um dos raros pontos fora da curva. Um punhado de manipuladores não é a média. O que estou tentando fazer você entender é: entre aqueles que alcançaram sucesso a longo prazo, há muito mais exemplos a serem seguidos do que manipuladores.

Compartilho isso porque vivemos em um mundo caótico, e há muitas intenções sombrias. Mas isso também nos dá a oportunidade de sermos a luz. As questões que todos enfrentamos nestes tempos turbulentos são: com que nível de diligência trabalharemos para ser o exemplo? Quanto de foco e esforço traremos aos nossos dias para ajudar os outros a pensar maior? Quantos desafios ousados lançaremos para ajudar os outros a crescer? Depois de todos os nossos anos neste planeta, como inspiraremos a próxima geração a servir de exemplo?

Hábito de alta performance #6
Demonstrar coragem

Há duas maneiras de enfrentar as dificuldades: ou você altera as dificuldades ou se altera para poder enfrentá-las.
Phyllis Bottome

- **VALORIZE A LUTA**
- **COMPARTILHE SEUS PRINCÍPIOS E SUAS AMBIÇÕES**
- **ENCONTRE ALGUÉM POR QUEM VALE A PENA LUTAR**

O telefone me acorda. Digo um alô quase inaudível e olho para o relógio. São 2h47 da manhã.

A voz de uma mulher diz: "Preciso que você dê uma olhada em uma coisa. Estou recebendo uma enxurrada de mensagens de ódio nas redes sociais. Acho que estou em perigo".

"Quê?", murmuro enquanto me sento na cama. Sandra, a mulher ao telefone, é uma das minhas clientes-celebridade. Às vezes ela consegue ser excessivamente dramática. "Que perigo? Você está bem?"

"Sim, estou segura por enquanto. Mas você pode clicar no link que acabei de lhe enviar por mensagem?"

Clico no link e vejo um vídeo de Sandra no YouTube. O título do vídeo é "CONFESSION". Tem mais de 300 mil visualizações. "Um segundo", digo enquanto me atrapalho todo para vestir uma camisa e, em seguida, saio do quarto para não perturbar ainda mais a minha esposa.

A caminho da cozinha, onde posso conversar, ela continua em um tom desesperado. "Você pode assistir? Pode dar uma olhada nos comentários? Aí você me liga de volta, pode ser?" O telefone fica mudo.

O vídeo é apenas Sandra sentada, conversando com a câmera. Ela começa dizendo ao espectador que ela não foi honesta com o mundo. Que ela tem sido uma farsa. Ela diz que está sempre radiante e feliz, mas que as câmeras e a imprensa não cobrem a realidade. Que ela se sente mal por enganar as pessoas e quer que elas saibam que será mais sincera sobre seus conflitos.

De cara, já não gosto do vídeo. Não soa sincero. O título dá a impressão de que ela só está em busca de cliques. Ela compartilha a história com uma emoção convincente, mas sem dar absolutamente qualquer detalhe. A impressão é de "ah, pobre celebridade, você quer que a gente saiba que as coisas são difíceis para você", mas fracassa completamente ao não dar pormenores. Pelos comentários, dá para ver que a maioria das pessoas concorda comigo. Muitas pessoas estão tirando sarro dela. Aqueles que não fazem isso estão pedindo mais detalhes. Não há muita empatia — não tanto porque as pessoas não se importam, mas porque o vídeo é muito vago. Não há nada que sirva de conexão.

Envio uma mensagem para Sandra. *Assisti ao vídeo e li os comentários. Em que perigo você está? Parece que as pessoas não gostaram do vídeo, mas tenho certeza de que você vai ficar bem.*

Ela responde. NÃO. NÃO SEI. ALMOÇO AMANHÃ?

Concordamos em nos encontrar para almoçar e encerrarmos a conversa. Balanço a cabeça e me sento para ler mais comentários. Estou irritado demais para voltar para a cama.

Começo a imaginar a conversa no almoço de amanhã: "Achei que estava sendo corajosa como você me diz para ser, Brendon". Então ela vai me lembrar de que insisti para que ela compartilhasse seu verdadeiro eu com mais frequência. Se for que nem no passado, ela vai me culpar ou gritar comigo. Ela é uma das pouquíssimas clientes volúveis com quem continuei a trabalhar, porque sei que tem um bom coração.

Ainda assim, terei que contê-la. Já sei o que vou falar. Vou elogiá-la por postar um vídeo, mas também pretendo dizer: "Desculpe, Sandy, mas postar um vídeo não é sinal de coragem".

Vou ter que me policiar, porque terei vontade de falar sobre como a "coragem" tem sido tão inflada que chega a ser cômico hoje em dia. Isso costuma me irritar. Ao publicar seu primeiro vídeo em formato de diário em uma rede social como essa, a pessoa espera que todos aplaudam e digam: "Ah, que coragem!". Se alguém compartilhar uma ideia durante uma reunião de brainstorming: "Ah, que coragem!". Se uma criança termina uma corrida, mesmo que em último lugar: "Ah, que coragem!".

Mas, veja bem. Postar um vídeo é um ato de expressão individual, sem dúvida. No entanto, também é apenas um esforço para ser notado ou para compartilhar uma mensagem, e apenas compartilhar uma mensagem não é coragem se todos estão fazendo o mesmo, certo? Um bilhão de pessoas postou algo hoje. Então quer dizer que todas elas são corajosas? Compartilhar ideias durante uma reunião de brainstorming é o seu *trabalho*. Por isso, se você não ganhar um abraço por sua coragem, fique satisfeito com um "grande ideia". Será que a criança que ficou em 59º lugar realmente precisa de um high-five por ser tão corajosa e cruzar a linha de chegada quando não se esforçou, reclamou o tempo todo e não queria estar lá?

Quando me escuto dizendo essas coisas mentalmente sei que estou ficando irritado. No entanto, minha cabeça continua. Quando Washington cruzou o rio Delaware, repleto de gelo, para atacar um exército mais forte, *aquilo* foi coragem. Quando astronautas pilotaram uma cápsula na imensidão escura entre a Terra e a Lua, *aquilo* foi coragem. Quando Rosa Parks se recusou a desistir de seu assento e deu início ao movimento pelos direitos civis, *aquilo* foi *coragem*!

Talvez seja isto que eu tenha que dizer a Sandra: "Olha, você não precisa fazer uma revolução ou iniciar um movimento social histórico para se tornar um herói ou um mártir. Mas os atos corajosos dos quais você se orgulhará ao fim da vida não são esses pequenos atos egoístas de divulgação. Não, os atos corajosos são aqueles nos quais você enfrentou incerteza e risco verdadeiros, onde foi preciso apostar, nos quais você fez algo por uma causa ou pessoa além de si mesma, sem garantia de segurança, recompensa ou sucesso".

Ah, sim, é desse tipo de coragem que vamos falar amanhã, penso, enquanto volto para a cama.

No dia seguinte, indo de carro até o restaurante para encontrar Sandra, penso sobre a ideia que ela tem de coragem. Trabalhei com Sandra por tempo suficiente para saber que ela realmente precisa ver a coragem sob um novo prisma. Estou convencido disso.

Sandra está sentada no canto de trás do restaurante, usando óculos de sol, escondida da maioria dos clientes.

Sento, respiro fundo e tento liberar minhas expectativas sobre esse encontro. Um bom coach, lembro a mim mesmo, mostra-se aberto. Sei que não estou indo muito bem nesse caso até agora, mas tento.

"O.k., Sandy, como você está?"

"O vídeo tem 1,3 milhão de visualizações até agora. A maioria das pessoas detestou", diz ela, em um tom de derrota.

"O que você acha disso?"

"Eu estava orgulhosa. Foi assustador postar aquilo. Esperava uma resposta melhor, obviamente."

Quero abordar o comentário "assustador" e lançar meu discurso sobre a verdadeira coragem, mas uma garçonete aparece. Peço um chá e Sandra pega outro café.

"Você quer comer alguma coisa?", pergunta ela. "Pode ser que a gente fique aqui por muito tempo. Realmente preciso da sua ajuda."

Eu tinha planejado uma reunião mais curta. *É só um vídeo idiota*, penso. Ficamos sentados em silêncio.

Mal posso esperar para começar a falar. "O.k., Sandy, o que foi tão assustador nisso tudo? Acho que não há muito o que fazer em relação ao vídeo. Apenas deixe rolar. Talvez lançar outro com mais detalhes ainda esta semana. Em breve vai ser esquecido. Essas coisas acabam passando rapidamente, você sabe."

Vejo uma lágrima rolar por baixo dos óculos escuros. "Sandy? Você está bem?"

"Não é só sobre o vídeo, Brendon. Foi assustador. Pensei que estava fazendo algo corajoso. Foi um grito por socorro, mas foi só uma coisa idiota." Ela começa a chorar, e eu me inclino para a frente e pego sua mão.

"Ei", digo, "você está bem? Sobre o que é isso *na verdade*? O que está acontecendo?"

Sandra toma um gole de café e depois tira os óculos de sol. Ela está com um olho roxo.

"Ah, meu Deus, Sandy!" Suspiro. "O que aconteceu?"

Ela chora baixinho por um tempo, depois me diz. "Foi o meu marido. Eu deveria ter dito para você há muito tempo. Tenho sido... Ele tem sido agressivo há bastante tempo. Tenho sentido muito medo há tanto tempo. Então ontem decidi que bastava. Postei aquele vídeo. Achei só que era o meu primeiro passo para..." Suas palavras se transformam em lágrimas.

Uma onda de arrependimento me invade. Fiz suposições idiotas. Sou melhor do que isso e imediatamente fico decepcionado comigo mesmo. Às vezes, o primeiro passo de uma pessoa é corajoso, não importa o que você pensa dela.

"Ele viu o vídeo e ficou furioso. Eu deveria ter previsto isso. Só queria fazer *alguma coisa*, sabe?"

Sandra e eu ficamos lá por três horas e fizemos um plano de fuga, sobre onde ela ficará e seu futuro. Daquele dia em diante, ela nunca mais voltaria para casa. Suas amigas vão até lá buscar seus pertences. Ela o abandona e nunca mais olha para trás. Ela atravessou o próprio rio cheio de gelo, revolucionou a própria vida. Ela me ensinou sobre coragem.

Indivíduos de alta performance são pessoas corajosas. Os dados mostram que a coragem está significativamente relacionada à alta performance. De fato, pontuações mais elevadas no quesito coragem estão ligadas a pontuações mais altas em *todos* os outros AP6. Isso significa que os indivíduos que desenvolveram maior coragem na vida também tendem a ter mais clareza, energia, necessidade, produtividade e influência. A coragem pode revolucionar sua vida, assim como o fez com Sandra. Na verdade, nossas intervenções de coaching sugerem que demonstrar coragem é o *principal* hábito de alta performance.

Demonstrar coragem não significa salvar o mundo ou fazer algo grandioso. Às vezes, é dar o primeiro passo em direção a mudanças reais em um mundo imprevisível. Para Sandra, foi postando um vídeo — apenas um pequeno passo, mas que deu início ao processo de compartilhamento que lhe daria confiança para dar passos maiores e, em última instância, recuperar sua liberdade. Era só um vídeo. Mas foi a primeira luz de coragem.

Para avaliar a coragem em nossa pesquisa, pedimos aos participantes que indiquem em que grau eles concordam ou discordam de afirmações como as seguintes:

- Defendo meu ponto de vista, ainda que em um momento difícil.
- Respondo rapidamente aos desafios e às emergências da vida, em vez de evitá-los.
- Frequentemente, ajo apesar de sentir medo.

Também fazemos com que os entrevistados se classifiquem em declarações menos otimistas:

- Sinto que não tenho coragem de expressar quem realmente sou.

- Mesmo que soubesse que era a coisa certa a fazer, não ajudaria alguém se isso significasse que eu seria julgado, ridicularizado ou ameaçado.
- Raramente ajo fora da minha zona de conforto.

A partir da avaliação de dezenas de milhares de pessoas, o que ficou bastante claro é que os profissionais de alta performance relatam agir (apesar do medo) muito mais do que os outros. Esse fato também se manifesta em nossas entrevistas e sessões de coaching — parece que todos os profissionais de alta performance têm uma noção clara do que coragem significa para eles e são capazes de articular momentos em que demonstraram isso.

É claro que quase todo mundo, se estimulado ou ajudado a explorar o assunto, é capaz de se lembrar de ter realizado um ato de coragem na vida. Mas nem todo mundo que tem coragem torna-se um indivíduo de alta performance a menos que também tenha clareza, energia, necessidade, produtividade e influência. Como sempre, os AP6 trabalham em conjunto para trazer sucesso a longo prazo.

Por que algumas pessoas "têm" mais coragem do que outras? Nossa pesquisa mostra que a diferença significativa não é idade nem gênero.[1] As pessoas que são *mais propensas* a relatar altos níveis de coragem são aquelas que...

- adoram conquistar desafios,
- consideram-se assertivas,
- consideram-se confiantes,
- consideram-se de alta performance,
- consideram-se mais bem-sucedidas que seus colegas, e
- estão felizes com a vida de modo geral.[2]

Isso faz sentido. Se você gosta de aceitar desafios, tem mais chance de não se esquivar quando chegar a hora de se levantar e enfrentar uma dificuldade ou um obstáculo. Se você acha que é do tipo confiante e que toma a iniciativa, entrará em ação quando for necessário. Mas por que as pessoas *felizes* são mais corajosas? Esse foi um mistério difícil de desvendar, então conduzi entrevistas estruturadas com vinte indivíduos de alta performance para descobrir. Eles disseram coisas como "quando está feliz, a pessoa se preocupa menos com ela mesma e pode se concentrar nos outros", "a felicidade faz você pensar que pode fazer coisas incríveis" e "para ter chegado ao ponto de ser feliz em sua vida, você tem que ter desenvolvido algum autocontrole, e, uma vez que conquista isso, você se sente mais capaz de assumir o controle em situações incertas". Eram boas descrições, mas claramente não havia consenso sobre *como* a felicidade tornava as pessoas mais corajosas.

Isso revela uma verdade geral sobre a coragem: é difícil explicá-la, não importa de que ângulo você veja. Na verdade, a maioria das pessoas tem dificuldade para definir a coragem em primeiro lugar, quanto mais considerá-la um hábito. Talvez, mais do que qualquer outra característica individual que pesquisamos, as pessoas pensem na coragem como uma virtude humana que alguns têm e outros não. Mas isso é errado. A coragem é mais como uma habilidade, já que qualquer um pode aprendê-la.[3] E uma vez que você a compreende e a demonstra de maneira mais consistente, tudo muda.

FUNDAMENTOS DA CORAGEM

> *Coragem é resistência ao medo, domínio do medo, não ausência de medo.*
> Mark Twain

Psicólogos concordam com a citação de Twain: coragem não é ausência de medo; é agir e persistir apesar desse medo.[4] Mas a coragem pode *levar* à ausência de medo em muitas áreas. Por exemplo, psicólogos descobriram que a maioria dos praticantes de paraquedismo tem medo ao pular de um avião pela primeira vez. O primeiro salto deles parece um ato de coragem. Mas, quanto mais saltos, mais confiança ganham e mais destemidos se tornam.[5] Em algum momento, até saltar de um avião pode parecer corriqueiro — estimulante, com certeza, mas não mais algo que provoque medo. Pesquisadores descobriram o mesmo em relação a operadores de bombas, soldados e astronautas: quanto mais experiência eles tinham em enfrentar seus medos, menos medo e estresse sentiam.[6]

Isso acontece com todos nós. Quanto mais fazemos algo com sucesso, mais nos sentimos confortáveis com esse algo. É por isso que é tão importante começar uma vida com mais coragem *agora*. Quanto mais você tomar uma atitude enfrentando o medo, expressando-se e ajudando os outros, mais fáceis e menos estressantes suas ações se tornam.

Mas, quando você enfrenta seu medo, outra coisa também está acontecendo. A coragem, ao que parece, é *contagiosa*, exatamente como o pânico ou a covardia.[7] Se seus filhos veem você com medo, eles vão sentir esse medo — e vão se espelhar na sua postura. E o mesmo acontece em relação à sua equipe e a quem mais você liderar ou servir. Demonstrar mais coragem é uma porta de entrada para a nossa sociedade desenvolver maior virtude.

Muitos tipos de coragem

Definir e classificar a *coragem* é difícil, e há pouco consenso até mesmo em relação ao que a palavra significa exatamente, tanto para pesquisadores quanto para o público em geral.[8] Em última análise, algo que podemos concluir é que, para alguém demonstrar coragem, os seguintes aspectos provavelmente estarão presentes: risco, medo e uma boa razão para agir.

Ainda assim, é útil dar uma olhada nos diferentes tipos de coragem, para que possamos avaliá-los. Há a coragem *física*, quando você se coloca em perigo para atingir um objetivo nobre — por exemplo, jogar-se em um cruzamento para salvar alguém de um atropelamento. Inclui também lutar pela vida quando se está doente.

A coragem *moral* é defender os outros ou suportar dificuldades pelo que você acredita que é certo, para servir a um bem maior. Impedir que alguém intimide um estranho, recusando-se a sentar na traseira do ônibus apesar de uma lei injusta, postando um vídeo sobre suas crenças em relação a um assunto polêmico — todas essas são expressões de coragem moral. A coragem moral manifesta-se em atos altruístas que protegem valores ou promovem princípios para beneficiar o bem comum. Trata-se de responsabilidade social, altruísmo, "fazer o que é certo".

A coragem *psicológica* é o ato de enfrentar ou superar os próprios medos, ansiedades, inseguranças para (a) afirmar seu autêntico eu em vez de se conformar — mostrando ao mundo quem você realmente é mesmo que alguém possa não gostar — ou (b) experimentar crescimento pessoal, ainda que seja apenas uma vitória particular.

A coragem *cotidiana* significaria manter uma atitude positiva ou agir apesar de grande incerteza (como se mudar para uma nova cidade), más condições de saúde ou dificuldades (como compartilhar ideias impopulares ou aparecer todos os dias para o trabalho mesmo quando as coisas estão complicadas no escritório).

Embora nenhum desses tipos de coragem seja definitivo ou mutuamente excludente, os termos são úteis para conceituar coragem.

> *O importante é definir o que ser mais corajoso significa para você e começar a viver dessa maneira.*

Penso na coragem como agir com determinação para servir a um objetivo autêntico, nobre ou enriquecedor, apesar do risco, do medo, da adversidade ou da oposição.[9] A parte "nobre" e "enriquecedora" é importante para mim, porque certamente nem todos os atos de enfrentamento do medo são corajosos. Homens-bomba, por exemplo, podem parecer cumprir alguns critérios; eles agem com determinação, embora seja bem provável que sintam medo, e possuem o que acreditam ser objetivos nobres. Assim, do mesmo modo, acontece com ladrões, que correm o risco de serem presos ou passar por algo ainda pior. Seus atos são corajosos? A maioria diria que não.[10] Isso porque, mesmo que satisfaçam alguns critérios de coragem, suas ações são, pelo menos de acordo com a maioria da sociedade, prejudiciais ou destrutivas. *Não fazer mal* é uma noção importante no que se refere à coragem.

Tomar uma atitude apesar do medo de rejeição nem sempre é corajoso também. Por exemplo, um adolescente que se arrisca ao perigo de pular de uma varanda alta para ser aceito em um grupo de colegas *parece* corajoso. O adolescente tem medo, mas pula para ser aceito. Corajoso? Para alguns. Outros podem simplesmente chamar isso de submissão ou estupidez.

Coragem nem sempre tem a ver com agir de forma audaciosa. Não fazer nada quando se espera algo de você pode ser corajoso — essa é uma verdade revelada em demonstrações não violentas. Não aceitar entrar em uma briga e ir embora para proteger seu corpo é coragem. Recusar-se a entrar em uma discussão, mesmo que você acabe parecendo fraco, é um ato corajoso se preservar sua integridade.

Embora possa soar como uma tentativa de amenizar as coisas, as definições são importantes. Coragem é mais do que simplesmente superar o medo, embora muitas pessoas confundam. O resultado é o que você procura, e o que acontece de fato é muito importante. Se suas ações bem-intencionadas prejudicarem alguém, provavelmente não serão vistas como corajosas. De fato, pesquisadores descobriram que muitas pessoas consideram uma ação corajosa *apenas se ela for concluída ou terminar em um bom resultado*.[11] Por exemplo, se você começar a defender seu ponto de vista, mas parar imediatamente na primeira interrupção, mais tarde achará que foi corajoso? Se alguém pula em um rio para ajudar outra pessoa, mas acaba se afogando com ela ou precisando ambos de resgate, houve coragem ou mera imprudência? Provavelmente a última.

Ainda assim, no centro de nossa pesquisa em relação à coragem está o padrão claro de que os profissionais de alta performance têm uma *tendência à ação*, mesmo quando o resultado for assustador, arriscado ou incerto. Depois de ouvir tantas histórias de indivíduos de alta performance na última década, sei que isto é verdade:

> *Você é capaz de coisas incríveis que nunca poderia*
> *prever e nunca descobrirá se não agir.*

Quase todas as histórias de coragem que ouço são histórias de surpresas. Um profissional de alta performance enfrentou dúvidas ou medo, ou de repente assumiu mais trabalho para ajudar alguém. Não "tiveram" coragem ou a encontraram por meio de contemplação. Tomar uma atitude despertou seu coração, e seus caminhos foram revelados. Não esperaram por uma oportunidade de fazer algo um dia; eles agiram, sem enrolação. Sabiam que ter a esperança de conquistar coisas boas sem agir é como esperar por ajuda sem pedi-la.

Ouvi também muitas histórias de pessoas que mudaram o rumo de sua vida. Elas falavam sobre largar um emprego, abandonar um relacionamento abusivo ou mudar-se para outra cidade como atos de coragem. Embora muitas vezes pensemos em ações corajosas como um passo à frente, também ouvi muitas pessoas falarem sobre retroceder de certa maneira — voltar em direção a um sonho antigo do qual haviam desistido. Se você desistiu de seu sonho mas seu coração ainda anseia por realizá-lo, o sofrimento só será remediado pela ação. Nunca é tarde demais para mudar de rumo.

O que os profissionais de alta performance não mencionaram é como passaram longos períodos procrastinando e reclamando. O lamento contínuo leva à diminuição. O desejo humano fenece quando não associamos rapidamente a reclamação a um verdadeiro trabalho em direção ao progresso. "Não reclame", me disseram dezenas de profissionais de alta performance. "Aja."

Embora muitos dos meus entrevistados tenham dito que atos de coragem eram espontâneos, as histórias que mais me inspiraram — e que talvez melhor mostram a natureza replicável da coragem como um hábito — foram aquelas nas quais a coragem havia sido planejada. As pessoas sabiam do que tinham medo, então se prepararam. Elas estudaram. Arranjaram mentores. Assim, enfrentaram seus medos. Somente quando nossos medos se tornam nosso plano de crescimento entramos no caminho do domínio.

Eu poderia compartilhar mais experiências individuais aqui, mas, no fim das contas, você deve decidir o que viver corajosamente significa na sua vida. A coragem é mais frequentemente julgada a partir do olhar do agente. Então, o importante é que você determine se está vivendo *toda* a coragem necessária nesta fase da vida. Para ajudar as pessoas a pensar a respeito, gosto de fazer a seguinte pergunta:

> *Se o seu futuro eu ideal — uma versão sua dez anos mais velha, que é ainda mais forte, mais capaz e mais bem-sucedida do que você poderia se imaginar — aparecesse hoje à sua porta e olhasse para as suas circunstâncias atuais, qual atitude corajosa seu futuro eu aconselharia você a tomar imediatamente para mudar de vida? Como seu futuro eu diria para você viver?*

Leia essa pergunta novamente e reserve alguns minutos para pensar.

Perguntei isso a muitas pessoas, e, embora eu não saiba sua resposta, meu palpite é que seu futuro eu não diria para você *pensar pequeno*. Seu eu ideal lhe diria para *ir com tudo em sua vida*. Para fazer isso, você precisa ir além do básico. Precisará de uma nova maneira de olhar para os seus medos e obstáculos. Precisará destas três práticas de alta performance.

PRÁTICA UM
VALORIZE A LUTA

> *Sucesso é entregar 100% da sua dedicação, do seu corpo, da sua mente e da sua alma à luta.*
> John Wooden

Por que tantas pessoas claramente *não* estão vivendo vidas corajosas? Elas sabem que *devem* defender seus pontos de vista, mas não o fazem. Querem enfrentar seus medos e assumir alguns riscos, mas não o fazem. Dizem que vão ser mais ousadas, batalhar por sonhos maiores, ajudar pessoas de maneiras significativas e nobres, mas não o fazem. Por quê?

Essa foi uma das questões mais frustrantes no início da minha carreira como coach. Muitos clientes falavam sobre visão e grandes sonhos, sobre querer viver uma vida exemplar e fazer a diferença. Mas não *faziam nada* em relação a isso. Diziam que queriam uma vida maravilhosa, mas quando discutíamos novos hábitos para levá-los até lá frequentemente se esquivavam, dizendo que estavam muito ocupados ou com medo. Mostravam-me seus quadros de visualização de algum seminário, e eu perguntava: "Então, quais são os três principais passos que você vai dar, a começar na segunda-feira, agora que você tem esses novos quadros de visualização?". Geralmente não tinham nenhum tipo de resposta ou plano, nunca entendendo que um ato de coragem é melhor do que cem quadros de visualização!

Tenho certeza de que você já se frustrou com outras pessoas, ou até consigo mesmo, em relação à incapacidade de tomar atitudes mais audaciosas. Então, qual foi o verdadeiro problema e qual foi a solução? Aprendi que o problema é realmente de mentalidade. Somos menos corajosos enquanto sociedade hoje porque evitamos nos esforçar, e essa decisão nos deixa com caráter e força subdesenvolvidos — dois ingredientes-chave para a coragem.

Aqui está o que quero dizer. Estamos em um momento único da história, quando mais países e comunidades têm mais abundância do que nunca. Mas em tais bênçãos pode haver uma maldição — as pessoas podem se tornar resistentes a entrar em uma luta. Hoje, fazer qualquer recomendação que exija esforço real, tentativa, dificuldade ou persistência paciente está fora de moda. Facilidade e conveniência reinam. As pessoas geralmente desistem dos casamentos, da escola, dos empregos e das amizades ao primeiro sinal de dificuldade. Se você desistir ao primeiro sinal de dificuldade em seu dia a dia, quais são as chances de persistir diante de medo ou ameaça reais?

Se em algum momento vamos desenvolver a força que a coragem exige, teremos que lidar melhor com os desafios básicos da vida. Vamos ter que parar de ficar tão aborrecidos e começar a ver a luta como parte do crescimento de nosso caráter. Precisamos aprender a valorizar o esforço.

Infelizmente, o esforço é difícil de vender. Na minha área, por exemplo, sou constantemente instruído a tornar meus conselhos e currículos menos complexos e rigorosos, e mais atraentes. "Não os faça trabalhar", dizem eles. "Não lhes dê muitos passos difíceis, Brendon, porque eles não os implementarão. Facilite as coisas. Simplifique. Certifique-se de que seja palatável para um aluno do sexto ano. As pessoas não querem tentar, então lhes dê apenas coisas fáceis de fazer." (Disseram-me cada uma dessas coisas enquanto eu escrevia este livro.)

O pressuposto dessas declarações é de que as pessoas são preguiçosas, odeiam desafios e trocarão crescimento por conforto e segurança. Pense na grande frequência com que nos vendem essa suposição. No mundo da mídia em geral, cada "dica" e "truque" é moldado de modo a tornar a vida superfácil, afastando-nos de qualquer dor ou tensão. Concentre-se apenas nos seus pontos fortes, porque você se sentirá melhor e servirá melhor. Não há necessidade de sofrer por enfrentar suas deficiências; isso seria desconfortável e não valeria o esforço. Terceirize tudo, porque de nada valem habilidades de verdade. Facilite sua dieta com uma pílula mágica para que você não precise alterar seus péssimos padrões alimentares.

Estamos rodeados de memes, meios de comunicação e influenciadores nos dizendo que não devemos lutar, que a vida deve apenas seguir um fluxo sem obstáculos, ou, caso contrário, estaríamos no caminho errado. Imagine o que isso está fazendo com nossas habilidades. *Imagine o que isso está fazendo com nossas chances de tomar uma atitude corajosa.*

Se continuamos dizendo às pessoas para fazer o que é fácil, por que elas iriam pensar em fazer o que é difícil em algum momento?

A boa notícia é que as pessoas em todo o mundo estão descobrindo que todas esses consertos rápidos, truques e passes de mágica não são o bastante. As pessoas estão começando a se lembrar de algo que já sabiam: atingir excelência requer trabalho árduo, disciplina, rotinas que podem ser chatas, frustrações contínuas que acompanham o aprendizado, adversidades que testam cada ato de nosso coração e alma e, acima de tudo, coragem. Espero que a pesquisa neste livro o tenha ajudado a descobrir uma perspectiva mais ampla: que alta performance requer intenção real e domínio de hábitos complexos. As práticas aqui são factíveis, mas ainda assim exigirão foco, esforço e verdadeiro empenho a longo prazo.

Tenho certeza de que as gerações mais antigas poderiam nos contar sobre uma época em que o esforço não era algo a ser evitado. Sabiam que viver uma vida confortável, livre de qualquer dificuldade e paixão, nunca foi o objetivo. Não esperavam um percurso tranquilo. Diziam que a labuta e o esforço são o fogo em que forjamos nosso caráter. Defendiam os ideais de sujar as mãos, trabalhar mais do que qualquer um esperaria, lutar por um sonho com uma tenacidade feroz, mesmo diante das dificuldades, porque esses esforços faziam de você um ser humano melhor e mais capaz. Enfrentar o conflito com equilíbrio e dignidade inspirava respeito. Isso fazia de você um líder.

Peço desculpas se isso soa nostálgico, mas não deixa de ser verdade. Ninguém que alcançou a grandeza evitou o esforço. Depararam-se com ele, envolveram-se com ele. Sabiam que isso era necessário, porque tinham noção de que os verdadeiros desafios e dificuldades os pressionavam, expandiam suas capacidades, os faziam ir mais alto. Aprenderam a *valorizar o esforço*. Desenvolveram uma mentalidade que *ansiava* pela luta, *deram as boas-vindas* à luta, *aprimoraram* a luta como razões para dar mais.

Ao encararmos de frente os conflitos, as dificuldades e as confusões da vida de bom grado, desmantelamos as paredes do medo, tijolo por tijolo. Essa mentalidade, mais do que qualquer outra, está no cerne do meu trabalho. Leia *The Motivation Manifesto*, *O poder da energia* ou *A vida é um bilhete premiado* e você verá um profundo respeito, quase uma reverência, pelo esforço.

Quando aprendemos a ver o esforço como uma parte necessária, importante e positiva da nossa jornada, somos capazes de encontrar paz verdadeira e poder pessoal.

A alternativa, claro, é incapacitante. Aqueles que odeiam o esforço, ou o temem, acabam se queixando, perdendo motivação e desistindo.

Nossa pesquisa mais recente também reforça essa ideia de valorizar o esforço. Um dos indicativos mais fortes que descobrimos é que pessoas corajosas concordam com as afirmações "adoro tentar alcançar o melhor em novos desafios" e "estou confiante de que posso alcançar meus objetivos apesar dos desafios ou da resistência". Profissionais de alta performance simplesmente não temem desafios, fracassos ou as inevitáveis dificuldades que o aprendizado e o crescimento acarretam. Em vez disso, *adoram* tentar aprender coisas novas e têm confiança de que podem alcançar seus objetivos apesar das potenciais dificuldades. Fale com eles sobre tempos difíceis no passado, quando as circunstâncias os forçaram a sair de suas zonas de conforto para realizar algo, crescer ou vencer, e eles falarão desses momentos com reverência, não com pavor.

Nossas descobertas se alinham a décadas de pesquisa psicológica realizadas em pessoas com uma mentalidade voltada para o crescimento. As pessoas com tal mentalidade acreditam que podem melhorar, adoram desafios e se comprometem com as dificuldades em vez de fugir delas. Não temem o fracasso como os outros, porque sabem que podem aprender e, com muito trabalho e treinamento, se tornar melhores. Isso os torna mais motivados, mais obstinados em suas atividades, mais resilientes e mais bem-sucedidos a longo prazo em praticamente todas as áreas de sua vida.[12]

Aqueles com mentalidades "fixas" acreditam no inverso e se comportam como tal. Acham que suas habilidades, inteligência e características são definidas, fixas, limitadas. Acham que não podem mudar e vencer, e isso provoca medo sempre que se deparam com algo que está além de seus pontos fortes e capacidades "naturais". *Temem* o fracasso, porque o fracasso geraria comentários sobre *eles*. Sentem que, se errarem, parecerão incompetentes. Se algo não for fácil, eles desistem. Para ilustrar como isso pode ser destrutivo, as pesquisas mostraram que aqueles com uma mentalidade fixa são *cinco vezes* mais propensos a evitar desafios do que aqueles com uma mentalidade de crescimento.[13] Isso está de acordo com o que vemos nos casos de indivíduos de alta performance versus de baixa performance.

Se você não está disposto a antecipar ou suportar os inevitáveis esforços, erros, confusões e dificuldades da vida, então o caminho será árduo. Sem coragem, você se sentirá menos confiante, feliz e bem-sucedido. É o que os dados confirmam.

AS DUAS HISTÓRIAS DA HUMANIDADE

> *Você nunca deve ver seus desafios como uma desvantagem. Em vez disso, é importante que você entenda que sua experiência ao enfrentar e superar adversidades é, na verdade, uma das suas maiores vantagens.*
> Michelle Obama

Existem apenas duas narrativas na história da humanidade: esforço e progresso. E impossível ter o segundo sem o primeiro. Todos esses altos e baixos são o que nos torna mais humanos. Supõe-se que haja baixos, assim como altos, para que possamos experimentar toda a gama do que é ser humano, conhecendo a alegria e o desespero, a perda e o triunfo.

Sabemos disso, mas muitas vezes esquecemos quando as coisas complicam. É fácil odiar a ideia de lutar, mas não devemos fazer isso, porque com o tempo aquilo que você odeia apenas se transforma em um fantasma muito maior e mais sinistro do que é de verdade. Devemos aceitar que os esforços nos destruirão ou nos desenvolverão, e a mais difícil das verdades humanas é que, no fim das contas, a escolha é nossa. Não importa quão difíceis as coisas fiquem, o próximo passo ainda é sua escolha. Sejamos gratos por isso.

Podemos ir além da gratidão, à verdadeira reverência pelos desafios da vida. Ao falar com indivíduos de alta performance, fica claro que, para atingir a excelência, você deve aprender a encarar os conflitos como pontos de partida para a força e a alta performance. Isso faz parte da mente de alta performance: o esforço deve ser visto como *parte do processo* — e uma parte de importância vital em qualquer empreendimento que valha a pena. E a própria decisão de aceitar lutar extrai a coragem de dentro de nós.

> *A luta que estou enfrentando agora é necessária, e está me convocando para me apresentar, ser forte, e para lançar mão dela a fim de forjar um futuro melhor para mim e meus entes queridos.*

Valorizar a jornada não significa apenas pegar a adversidade e adaptar-se a ela, sem fazer nada para melhorar. Não se trata apenas de ser zen e aceitar a vida como ela é, sem tentar impor sua vontade quando estiver infeliz. Significa apenas que você adota a mentalidade de que enfrentar dificuldades e tentar aprender *pode despertar o melhor de você*. Aceitar que tempos difíceis virão lhe permite acordar com um senso de realismo e prontidão, antecipar os problemas e estar preparado para eles, além de manter a calma quando os ventos da mudança talvez façam líderes mais fracos tombarem.

Ter essa afinidade por comprometimento e atitude define parte da mentalidade de alta performance. As dificuldades da vida que você não pode evitar? *Enfrente-as com todo o coração*. Mesmo quando se sentir sobrecarregado, dê uma caminhada, concentre-se em sua respiração e considere o problema em vez de evitá-lo. Olhe o problema nos olhos e pergunte: "Qual é a próxima atitude correta a ser tomada agora?". Se ainda não estiver pronto para agir, planeje. Estude. Prepare-se para quando o nevoeiro passar e você for chamado para assumir a liderança.

Terminarei esta seção com duas frases que estão relacionadas e meus alunos consideram úteis. A primeira aprendi a partir do trabalho com membros das Forças Especiais do Exército dos Estados Unidos. Eles me contaram sobre uma máxima comum que usam para ajudar as pessoas a perceber que precisam lidar com as dificuldades do serviço: *Segure esse rojão*. Às vezes, cumprir seu dever é um saco. Treinar é um saco. Patrulhas são um saco. O clima é uma droga. As circunstâncias são uma droga. Mas você não pode evitá-los nem ficar irritado. *Você tem que lidar com isso, enfrentar os problemas, perseverar e crescer*. Você tem que segurar o rojão. Se há uma coisa que mais respeito nas Forças Armadas é o fato de existirem pouquíssimas reclamações. Reclamar não é algo respeitado ou perpetuado. Isso é inspirador. Em qualquer área da sua vida, se tiver a oportunidade e o privilégio de servir, você não se queixa do esforço envolvido.

O segundo ditado que pode servir para abraçar e valorizar o esforço: *Você vai superar*. Só porque não podem ver seu potencial ou não compartilham sua visão, porque você está em dúvida ou com medo, isso não o desqualifica. Só porque o céu está nublado não significa que não há sol.

Tenha certeza de que as coisas acabam. As pessoas costumam dizer para "contar suas bênçãos" em momentos difíceis, mas estou lembrando você de contar *com* as bênçãos também. O universo é abundante e generoso, então tenha a confiança de que coisas boas estão vindo em sua direção. Suponho que esta seja a mensagem final em tempos difíceis: ter fé em si mesmo e no futuro. Foi algo que escrevi em um pedaço de papel e carreguei na carteira quando estava passando pela lesão cerebral: lembre-se, você é mais forte do que pensa e o futuro guarda coisas boas para você.

Estímulos para a performance

1. Uma luta que tenho enfrentado na minha vida é...

2. A maneira como eu poderia mudar minha visão em relação a essa luta é...

3. Se algo grandioso pudesse vir dessa luta, seria...

4. A maneira que escolho para receber as inevitáveis dificuldades da vida a partir de agora é...

PRÁTICA DOIS

COMPARTILHE SEUS PRINCÍPIOS E SUAS AMBIÇÕES

> *Até onde posso julgar, nada de muito bom pode ser feito sem que isso interfira em alguma coisa ou em alguém.*
> Edward Blake

Em *The Motivation Manifesto*, argumentei que a principal motivação da humanidade é ser livre, expressar nosso verdadeiro *eu* e ir atrás de nossos sonhos sem restrições — para experimentar o que podemos chamar de *liberdade pessoal*. Nossos espíritos se elevam quando nos sentimos livres do medo ou do peso da resignação. Quando vivemos a nossa verdade — expressando quem realmente somos, como de fato nos sentimos, o que desejamos e sonhamos de verdade —, então somos autênticos; *livres*. Isso requer coragem.

É claro que ninguém quer viver uma vida restrita e conformada. Mas, desde o lançamento do *Manifesto*, recebi milhares de mensagens sobre como é *difícil* alcançar a liberdade pessoal. Mostrar ao mundo quem você é, de maneira autêntica e sem desculpas, traz um grande risco. As pessoas costumam falar sobre isso — sobre como *querem* ser verdadeiras e o quanto isso as expõe ao julgamento ou à rejeição recorrentes. Elas estão preocupadas com a possibilidade de tudo acabar se os outros conseguirem enxergar quem elas realmente são. Não corresponderiam às expectativas alheias.

No entanto, costumo dizer que o único momento no qual devemos tentar corresponder à ideia de outra pessoa a respeito de quem somos ou do que somos capazes é quando essa pessoa é um exemplo a ser seguido e que está torcendo por nós. Se alguém acredita e vê grandeza em você, claro, tente viver à altura disso.

Mas, em relação a quem duvida de você ou o diminui, esqueça. Não se preocupe em tentar agradá-lo. Viva uma vida que é sua. Não busque a aprovação dos céticos. Você não encontrará nenhuma alegria duradoura em buscar o reconhecimento dos outros. Se ele chegar, nunca será suficiente. Assim, o único caminho que resta é expressar sua verdade e perseguir os próprios sonhos.

Quando fizer isso, você inevitavelmente vai se deparar com as críticas. Antecipe isso como apenas mais uma parte da luta. O julgamento sempre estará lá, assim como sempre haverá dias nublados. *Não deixe que as críticas o distanciem de suas convicções.* Se você acredita em seu sonho, mantenha-se no seu caminho. Você não precisa de nenhuma permissão além daquele arrepio de esperança na alma.

Depois de conversar com tantos profissionais de alta performance, tenho que confessar que *espero* que você se depare com julgamento e atritos. É um sinal de que você está em um caminho próprio e visando a coisas grandiosas. De fato, se ninguém olhou enviesado para você nos últimos tempos, ou, melhor ainda, disse "Quem você pensa que é? Você está *louco*? Tem certeza de que é uma boa ideia?", então talvez você não esteja vivendo com tanta coragem.

Compartilhei esse tipo de coaching antes. Uma vez, recebi uma mensagem de um fã que rebateu: "Mas, Brendon, não tenho orgulho de quem sou. E então não quero me expor lá fora. Tenho vergonha de quem sou. Minha verdade não é algo que eu queira compartilhar". Só era possível responder: "Meu amigo, se você tem vergonha da verdade, então você ainda não a encontrou".

QUANDO NOS DIMINUÍMOS

> *Somente aqueles que se arriscam a ir muito longe podem descobrir até onde irão.*
> T.S. Eliot

Uma coisa que eu não esperava dos leitores de *The Motivation Manifesto* era um tipo diferente de medo de compartilhar suas verdades. Muitas pessoas me escreveram dizendo que não estavam preocupadas com o fato de serem consideradas insuficientes; estavam preocupadas que, sendo o melhor que podiam, fariam com que os *outros* se sentissem insuficientes. Tinham medo de expressar suas verdadeiras ambições, alegrias e poderes, porque as pessoas ao redor podiam se sentir mal.

Tinham a impressão de que precisavam minimizar seus sonhos, não expor suas grandes ideias, se fazerem de burros, moderar o tom, olhar para baixo — tudo para que os outros se sentissem bem consigo mesmos.

Quando sou confrontado com preocupações como essa, muitas vezes acabo enviando a meus leitores um vídeo que gravei com o celular:

> *Não se atreva a pensar pequeno, meu amigo. Não se sinta culpado porque você tem grandes objetivos. Esses sonhos foram semeados em sua alma por uma razão e é seu dever honrá-los. Não se reprima apenas para confortar ou aplacar os que estão à volta. Reprimir-se não é ser humilde; é mentir. Se as pessoas em sua vida não conhecem seus verdadeiros pensamentos, sentimentos, necessidades e sonhos, não as culpe. É a sua falta de voz, vulnerabilidade ou poder, não a falta de compreensão ou ambição, que está criando empecilhos para o seu potencial. Compartilhe mais e você terá relacionamentos verdadeiros com quem é capaz de apoiá-lo, motivá-lo e animá-lo. Mesmo que eles não apoiem ou acreditem, pelo menos você viveu sua vida. Pelo menos colocou todas as fichas na mesa. Pelo menos honrou as esperanças do seu coração e o chamado da sua alma. Na sua plena expressão está a sua liberdade. Meu amigo, o seu próximo nível de performance começa no seu próximo nível de verdade.*

Eu sei, você está lendo muito sobre coaching neste capítulo, mas isso é fundamental. Leitores ainda me escrevem *anos depois* dizendo que minha mensagem os ajudou. Quero que você mantenha essa mensagem à mão para poder lê-la novamente — em voz alta — na próxima vez que a preocupação com os sentimentos de outra pessoa o deixe tentado a reprimir os próprios sonhos.

Então, por favor não desista. Não tenho dúvidas de que acessar o próximo nível de coragem em sua vida requer um novo grau de abertura e honestidade sobre quem você é, o que deseja e aquilo de que realmente é capaz e está pronto para realizar. Tudo o que fica no seu caminho é aquela parte assustadora de você que parece estar *se reprimindo* para que você não faça as pessoas se sentirem mal. Mas não pense nem por um minuto que isso é humildade. *Isso é mentir sobre as verdadeiras ambições.* É pedir desculpas pelos dons com que Deus, o universo, a sorte ou o trabalho árduo — fica a seu critério — abençoaram você. E isso é traiçoeiro. A menos que você escolha deixá-lo de lado, esse medo sempre o impedirá de se sentir verdadeiramente autêntico e realizado, e de viver todo o seu potencial. Isso o levará a diminuir suas expectativas e a se distanciar da excelência — e para quê, exatamente?

Você pode pensar: *As pessoas serão ameaçadas pela minha vontade e pelo meu desejo. Elas podem não gostar das minhas ambições. Podem debochar de mim. Então é melhor ficar quieto. É melhor reduzir minha ambição ou ética de trabalho de qualquer jeito.*

Já ouvi todas as versões e permutações dessa ideia mal concebida. Mas quero repetir e gravar isso na sua mente: esse tipo de pensamento não é humildade, meu amigo. É sentir medo. É mentir. É suprimir. É uma preocupação adolescente. E isso destruirá qualquer vivacidade e autenticidade verdadeira em seus relacionamentos. Eu sei, pode parecer melhor, no curto prazo, diminuir-se para que outra pessoa se sinta bem com ela mesma, mas leve em consideração o seguinte:

Ninguém quer se relacionar com um impostor.

Como você se sentiria se estivesse em um relacionamento com alguém por cinco anos e do nada essa pessoa lhe dissesse: "Você não conhece o meu verdadeiro eu. Não fui honesto com você. Todo esse tempo, tenho escondido de você meus verdadeiros sonhos. Porque estava com medo ou achei que você tinha uma cabeça muito fechada para lidar com isso".?

Isso o aproximaria dela? Ou isso o incomodaria? Como você responderia a essa pessoa?

Você provavelmente ficaria chocado. E magoado. *Então, por que você se reprimiria a ponto de fazer isso com alguém?*

Veja. Se você está represando seus verdadeiros pensamentos e sonhos apenas para "se encaixar" ou fazer os outros se sentirem melhor, então você não pode culpá-los. Na verdade, não pode culpar ninguém. Porque é *você* que está se sufocando. E, enquanto estiver nessa, vai drenar a vida de seus relacionamentos.

Vi muitas pessoas de todo o mundo se martirizarem sob o disfarce de uma "humildade" mal concebida. Mas não há nada de humilde em dizer: "É melhor não brilhar, porque as almas tímidas ao redor não seriam capazes de lidar com isso". Por favor.

Trabalhei com pessoas suficientes para prever sua provável reação instintiva a isso. Você vai pensar: *Bem, Brendon, você não entende meu marido... minha comunidade... minha cultura... minha mãe... meu coach... meus fãs... minha marca... minha* [insira aqui uma desculpa].

E, neste momento, é meu trabalho desafiá-lo em relação a isso.

Ninguém pode silenciá-lo sem sua permissão.
Ninguém pode diminuir sua autoimagem, a não ser você.
E ninguém pode fazê-lo se abrir e liberar todo o seu poder além de você.

Você sempre pode culpá-los por seu fracasso em ser verdadeiro e vulnerável. Ou você pode escolher hoje mesmo começar a viver e a defender aquilo em que acredita plenamente, mesmo que alguns não gostem disso. Algumas pessoas zombarão de você? Uma pessoa que você ama talvez duvide de você ou deixe você? Seus colegas de equipe poderiam chamá-lo de louco e colocá-lo de lado? Seus vizinhos ou fãs podem atacá-lo por querer "mais do que você merece"? Para cada uma dessas perguntas, a resposta é *sim*. Mas o que é mais nobre: agir com obediência de acordo com o que todos querem ou defender o que é certo para você? Em última análise, você deve perguntar de que se trata a sua vida: *medo ou liberdade?* Uma escolha é a gaiola. A outra é a coragem.

Minha paixão por esse assunto é ilimitada porque passei por muita coisa com bastante gente para saber que, em determinado momento, alguém — eu ou um de seus mentores, ou uma voz de dentro de você — chegará lá e fará você se abrir com o mundo.

Você não precisa ouvir tudo isso de algum autor que você provavelmente nunca nem conheceu. Mas, se de algum modo prendi sua atenção até agora, então você pode ficar comigo um pouco mais. Você deve tomar cuidado; reprimir-se trará para a sua mente e a sua vida um estresse que talvez você passe muito tempo sem perceber. Isso vai fazer com que as pessoas ao seu redor nunca descubram sua verdadeira beleza e suas habilidades. Pior, vai impedir que as pessoas *certas* entrem na sua vida.

Vejo isso o tempo todo. Uma pessoa bem-sucedida não consegue alcançar o próximo patamar de sucesso porque escolheu se esforçar em *silêncio*. Não quer compartilhar nem opinar. Está tentando ser "apropriada", "realista", "equilibrada". Está tentando fazer os outros "felizes" ou deixá-los "confortáveis". E então a pessoa tem essas ideias brilhantes e não só não as compartilha como comete o erro mais letal de todos: *não pede ajuda*. Se você não pedir ajuda, as pessoas certas não conseguem entrar na sua vida. Então, se o universo não está lhe dando o que você quer, talvez seja porque, em meio a todas as suas distrações e ao silêncio, o universo simplesmente não sabe o que você está pedindo.

Recentemente, trabalhei com uma medalhista de ouro olímpico. Perguntei: "Quando vieram os maiores ganhos na sua carreira?". Ela disse: "Quando finalmente comecei a manifestar meus sonhos nesse sentido. De repente, as pessoas começaram a me indicar a direção certa. Disseram-me o que fazer, de quais habilidades eu precisaria, com quem deveria falar, qual equipamento atletas profissionais usavam, quem eram os melhores técnicos. Aprendi que, se você abrir a boca e lançar aos quatro ventos o que quer fazer da vida, com certeza alguns idiotas aparecerão e gritarão de volta todas as razões pelas quais você não é capaz de fazê-lo. Mas os verdadeiros líderes aparecem e querem ajudar. A vida é maravilhosa nesse sentido".

As pessoas que estão na sua vida pelas razões certas ouvirão a sua verdade. Aplaudirão sua ambição. Ficarão felizes em conhecer a pessoa por trás do rosto. Agradecerão por compartilhar, por serem reais, por confiar nelas. Confie aos outros a sua verdade, e os valores preciosos da amizade e do amor verdadeiros revelam-se como tesouros perdidos.

Para encontrar ainda mais coragem, lembre-se de que você deve isso àqueles que o apoiaram no passado. Fique firme em reconhecimento à força que eles lhe deram. Como um presente para todos aqueles que foram bons para você, não reclame; aja. Não critique as pessoas; torça por elas. Não se conforme; viva a sua verdade. Não seja egoísta; sirva. Não tome o caminho mais fácil; lute por crescimento e por uma vida extraordinária.

E, quando as coisas estiverem desmoronando, seja fiel ao melhor de você, pois esses são os momentos nos quais forjamos a pessoa que nos tornaremos.

As simples conversas

A coisa mais importante em se conectar de maneira autêntica com os outros é compartilhar seus verdadeiros desejos com eles. Eles não precisam aprovar, ajudar, nem mesmo debatê-los com você. Não tem nada a ver com eles, mas com você ter a coragem de se abrir com os outros, do mesmo modo como o universo permanece aberto para você. Tente fazer isto. A cada dia, revele aos outros um pouco mais do que você está pensando, sentindo, sonhando. Mesmo que você não tenha o apoio imediato dos seres humanos à sua frente, quem sabe? Talvez uma força distante seja desbloqueada e as ondulações necessárias no tempo, na sorte e no destino convirjam para deixar à sua porta uma dica sobre o próximo passo a ser dado — tipo um mapa do tesouro, descoberto por sua própria coragem.

Esse hábito não se constrói a partir de uma única conversa importante com todos aqueles que você conhece. Você não tem que se sentar diante de todos que ama e lhes dizer todas as razões pelas quais você tem se mantido longe deles e da vida. Não é preciso gravar um vídeo explicando toda a sua vida e filosofia. No lugar, faça disso uma prática diária para compartilhar seus pensamentos, metas e sentimentos com os outros. Todos os dias, compartilhe com alguém *algo* sobre o que você *realmente* pensa e deseja na vida. Você pode dizer: "Sabe, querido, hoje estava pensando em começar a fazer X porque adoraria Y". Por exemplo:

- Estava pensando em pesquisar como se escreve um livro, porque acho que tenho uma história que vale a pena contar.

- Estava pensando em começar a ir à academia todo dia de manhã, porque adoraria me sentir mais animado e vivo.
- Estava pensando em procurar outro emprego, porque adoraria me sentir mais apaixonado e valorizado.
- Estava pensando em fazer contato com novos treinadores, porque estou pronto para competir em um nível mais alto.

São declarações simples. É uma fórmula simples. O que você quer compartilhar? Seja o que for, compartilhe. Então tome uma atitude ousada todos os dias para transformar isso em realidade.

Estímulos para a performance

1. Algo que realmente quero fazer que não compartilhei com pessoas suficientes é...

2. Se eu fosse ser mais "eu" no meu dia a dia, começaria a...

3. Quando me expuser e alguém zombar de mim, apenas farei...

4. Um grande sonho que vou contar às pessoas e para o qual vou pedir ajuda é...

PRÁTICA TRÊS
ENCONTRE ALGUÉM POR QUEM VALE A PENA LUTAR

Não sei qual será o destino de vocês, mas de uma coisa eu sei: os únicos que serão realmente felizes são aqueles que terão buscado e descoberto como servir.
Albert Schweitzer

Em 2006, eu estava sem dinheiro. Tinha feito aquilo que venho tentando inspirar você a fazer: tomei atitudes. Larguei meu trabalho para ser escritor e instrutor. Contei a todos a respeito do meu sonho.

Muitas pessoas acharam que eu era louco — incluindo, às vezes, eu mesmo. Não sabia como escrever ou publicar um livro. Ninguém me conhecia e eu não tinha contatos que pudessem me apoiar. Facebook, YouTube e iTunes ainda estavam na infância. Fazer-se ouvir era difícil.

Eu só queria compartilhar com as pessoas o que aprendera com meu acidente de carro: que no fim nós nos faremos perguntas para avaliar se fomos felizes na vida. Se você for capaz de descobrir as perguntas que fará, então poderá acordar todos os dias e viver com a intenção de ficar contente com as respostas no fim de tudo. Aprendi que, no meu caso, essas perguntas eram: "Eu vivi? Fui capaz de amar? Fiz a diferença?".

Fiquei acordado até tarde todas as noites, aprendendo sozinho a construir sites e a fazer marketing on-line, porque queria alcançar muitas pessoas com essa simples mensagem.

Eu estava morando no apartamento da minha namorada, porque estava completamente sem dinheiro. Escrevia em uma "mesa de trabalho" dobrável que peguei emprestada da antiga sala de costura da minha mãe. O apartamento era tão pequeno que eu usava a cama como um aparador, onde empilhava todas as minhas contas, anotações e medos.

Foi um momento difícil para mim pessoalmente. Aquele que se tornaria "o cara" da motivação e dos hábitos de alta performance tinha muito pouco de ambos. Eu sabia o que queria: escrever, treinar. Tinha esta citação de Horácio na porta da geladeira: "Em tempos de estresse, seja ousado e valente". E, no entanto, muitos dias se passaram sem que eu fizesse nada para avançar em algo que desejava.

Eu me lembro de dias sentado em um café, observando outras pessoas digitarem em computadores e pensando: *Que grande impostor eu sou. Olhe para eles trabalharem. Mal estou fazendo alguma coisa.* Eu acordava e andava pelo parque dizendo a mim mesmo que precisava entrar em ambientes mais inspirados, dizendo a mim mesmo que uma caminhada clarearia minha mente e me faria escrever melhor. Passei semanas e meses circulando pelo parque, e minha cabeça estava tão confusa como sempre. Minha motivação não subira para o nível dos meus sonhos.

Nem meus hábitos. Eu ia definir todos aqueles alarmes e gatilhos mentais para acordar em horas certas todos os dias e começar a escrever — depois, é claro, de preparar a xícara de chá verde perfeita, cozinhar a melhor omelete, ativando o modo perfeito para escrever. Segui os hábitos, às vezes, e eles me levaram a mais louça suja do que a páginas escritas. Nem todos os bons hábitos levam a resultados admiráveis — principalmente quando falta um ingrediente-chave.

E, então, um momento muito simples mudou tudo.

Certa noite, vi minha namorada entrar no quarto e, tentando não me incomodar, nem bagunçar as contas ou notas que eu espalhara pela cama, entrou silenciosamente sob as cobertas.

Vi o amor da minha vida dormindo sob o peso das minhas contas. Isso partiu meu coração.

Olhei ao redor do minúsculo apartamento com o qual eu não contribuía em nada financeiramente porque não tinha um centavo — um espaço que não tinha nada além do amor entre nós. Um apartamento onde me sentei inútil, triste, incapaz de terminar páginas e capítulos e a missão com a qual sonhei. Então pensei: *Esta não é a vida que quero para nós. Ela merece mais.*

Naquele momento, algo dentro de mim deu um baque, se abriu ou fez sentido. Talvez o meu nível de performance até esse ponto tenha sido o.k. para minhas preferências ou necessidades na vida. Mas eu não deixaria minha fraca motivação ou maus hábitos diminuírem a vida dessa mulher que acreditava em mim quando todo mundo achava que eu era louco, a mulher que comprava comida para a gente, a mulher que, muito cedo em nosso relacionamento, admitia timidamente, "eu te amo".

Você sabe quando é coragem, porque de alguma forma há uma decisão de comprometimento total. Muitas vezes, ela não vem de você. Vem de querer servir outra pessoa, amar outra pessoa, lutar por outra pessoa.

Ou eu me tornaria um escritor e treinador de sucesso, mantendo o foco em ajudar as pessoas, quaisquer que fossem os obstáculos, *lutando por essa mulher*, até que eu acabasse tendo sucesso, ou... ou o quê? Não havia outra escolha.

A partir daquele momento, decidi seguir meus sonhos com mais foco e intensidade. Não desperdiçaria meus dias vagando, perdido em distrações. Decidi pensar em coisas maiores, parar de deixar meu pequeno negócio me deixar com a cabeça fechada. Decidi lutar por minha arte e amplificar minha voz para poder fazer uma diferença maior. Decidi não me preocupar com as críticas e, em vez disso, dedicar todo o meu coração e esforço àqueles que desejavam positividade e progresso na vida. E decidi me casar com aquela garota.

Lutar pela vida que eu queria para nós me manteve motivado e contribuindo nos mais altos níveis desde então.

Minha história não é tão incomum. Enquanto escrevia este capítulo, voltei às minhas entrevistas com os profissionais de alta performance do topo da pirâmide (aqueles com as pontuações médias mais altas nos AP6). Descobri que um assunto comum era semelhante à história que acabei de compartilhar:

> *Faremos mais pelos outros do que por nós mesmos.*
> *E, ao fazermos algo pelos outros, encontramos nossa razão para ter coragem e uma causa para atingir o foco e a excelência.*

Toda pessoa com a mais alta performance que entrevistei me contou sobre *alguém* que a inspirou a se destacar. Todas tinham um motivo, e esse motivo geralmente era uma pessoa, nem sempre um propósito ou um grupo de indivíduos. Na maioria das vezes, *apenas uma pessoa*. Às vezes, era mais de uma: filhos, funcionários, família, as necessidades da comunidade. Mais frequentemente, porém, era apenas *uma*.

Compartilho isso porque nossa cultura hoje enfatiza com frequência que encontremos o propósito de nossa vida. E é sempre essa grande e monumental causa que está destinada a "mudar o mundo" e "beneficiar milhões". Muitas pessoas procuram e algumas descobrem esse elevado propósito na própria trajetória. É certamente uma coisa maravilhosa de ter.

Historicamente, as pesquisas sobre coragem, em geral, sugerem que as pessoas fazem coisas por causas nobres além de si mesmas. Para indivíduos de alta performance, essa causa nobre costuma ser apenas uma ou algumas pessoas.

E assim, se você é um jovem que ouve dos outros para encontrar seu propósito nesse momento, não pense que precisa ir longe demais. Talvez alguém por perto precise que você esteja presente, e, ao fazer isso, você revelará alguns dos seus próprios poderes. E, se você é um adulto mais velho, lembre-se daqueles que estão ao seu redor, mesmo quando você procura a próxima montanha para escalar.

O que encontrei na minha pesquisa foi algo lindo, de tão óbvio: não importa o que trouxe a coragem desses indivíduos de alta performance à tona, era algo nobre. Você *admiraria a razão deles para fazer isso*. Havia bondade humana lá. Algumas respostas de suas entrevistas deixam isso claro:

- "Ela precisava de mim. Eu não poderia viver com outra escolha a não ser ajudá-la."
- "Não queria que eles sofressem."
- "Ninguém parecia se importar e lá estava eu."
- "Queria fazer isso por ele; era o que ele teria desejado."
- "Todo mundo parecia olhar para o outro lado, então me voluntariei."
- "Quero deixar um legado, então decidi desviar do meu caminho e correr atrás disso."
- "Essa ação foi uma maneira de deixar as coisas melhores do que quando as encontrei."
- "O amor tinha que vencer, então voltei."

Às vezes, a coragem parece ser um ato espontâneo. Mas o que descobri é que geralmente é uma expressão ou ação construída a partir de anos de preocupação profunda com algo ou alguém. Então comece a procurar coisas e pessoas com as quais você se importa. *Dê*. Preocupe-se profundamente com alguma coisa agora. Defenda algo agora. E então você estará mais propenso a encontrar coragem quando necessário.

Estímulos para a performance

1. Uma atitude corajosa que tomarei esta semana porque alguém que amo precisa é...

2. Outra atitude corajosa que tomarei esta semana porque uma causa na qual acredito precisa é...

3. Outra atitude corajosa que tomarei esta semana porque meu sonho exige isso de mim é...

CORAGEM ATRAVÉS DA COMPLEXIDADE

> *Coragem e perseverança têm um talismã mágico, diante do qual as dificuldades desaparecem e os obstáculos se dissipam no ar.*
> John Quincy Adams

Assim como o universo não se torna menos complexo, a vida não tende a ficar mais fácil. Você fica mais forte, no entanto. Aprende a se abrir mais, a enfrentar melhor os problemas e a ser mais verdadeiro e mais consciente em meio ao julgamento e às dificuldades. Logo, os obstáculos começam, sim, a parecer menores e você parece dominar mais o caminho. Por isso, não importa o que aconteça, confie em si mesmo e chegue mais perto. O próximo nível se abre após o próximo passo corajoso.

Depois de dar mais e mais passos, você olhará para trás com respeito por si mesmo. Permita-me retornar a algo que compartilhei na história que abriu este capítulo:

Os atos corajosos dos quais você se orgulha no fim de sua vida são aqueles nos quais você enfrentou incerteza e risco verdadeiros, onde foi preciso apostar, nos quais você fez algo por uma causa ou pessoa além de si mesmo, sem garantia de segurança, recompensa ou sucesso.

Sei que isso é verdade porque já enfrentei o fim da minha vida – duas vezes. Sei disso porque me sentei com pessoas morrendo em asilos e sei do que elas falam. Como elas relembram. O que gostariam de ter feito. O que importava para elas. De onde vêm o respeito por si mesmos, o orgulho e legado.

E aqui está o que aprendi: para a maioria das pessoas, atitudes corajosas são de fato acontecimentos raros. Mas nos lembramos dessas atitudes e elas – muito mais do que as pequenas coisas – moldam a noção que temos de nós mesmos e da nossa vida. Por isso, peço-lhe que considere as perguntas a seguir com frequência, de forma a preparar sua mente para ter ainda mais coragem. Somente nos condicionando agora serviremos verdadeiramente com graça e coragem quando chamados.

- O que na minha vida pessoal evitei fazer que pode envolver dificuldades mas também melhorar a vida da minha família para sempre?

- O que poderia fazer no trabalho que exigiria correr um risco mas também mudaria verdadeiramente as coisas para melhor e ajudaria as pessoas?
- Que decisão eu poderia tomar que demonstraria um compromisso moral com algo maior que eu?
- Como poderia enfrentar uma situação que normalmente me deixa nervoso ou ansioso?
- Que mudança eu poderia fazer que me assusta mas que ajudará alguém que amo?
- De que coisa boa poderia me afastar para fazer minha vida avançar?
- O que tive vontade de dizer às pessoas próximas a mim, e quando e como vou declarar essa verdade com toda a coragem?
- Quem precisa de mim e por quem vou lutar pelo restante deste ano?

Essas perguntas podem instigar algumas ações e pensamentos corajosos ainda hoje. Repita essas perguntas quantas vezes for necessário e pratique os hábitos deste capítulo, e você chegará a esta verdade: lá no fundo, longe de todo o barulho, onde o amor envolve seu coração e seus sonhos estão à espreita, você não tem medo.

Parte três

Manter o sucesso

Inimigos da alta performance: Fuja de três armadilhas

A culpa, querido Brutus, não está em nossas estrelas, está em nós mesmos.
William Shakespeare, *Júlio César*

TOME CUIDADO COM O SENSO DE SUPERIORIDADE

TOME CUIDADO COM A INSATISFAÇÃO

TOME CUIDADO COM A NEGLIGÊNCIA

"Olha ele lá!", diz Andre. "Don, o Terrível."

Olho em direção ao executivo bem-vestido do outro lado do bar, para quem Andre está apontando. "Por que você o chama assim?"

Andre franze a testa. "*Todos nós* o chamamos assim. Já chamavam ele assim muito antes de eu chegar aqui. Ele é o vice-presidente de vendas. É horrível trabalhar com ele. Todo mundo o odeia."

"Mas pensei que você tinha dito que ele é a estrela da performance na sua empresa."

"No momento, é. Ele é bem-sucedido, mas é um idiota completo. Esta festa hoje à noite está acontecendo só porque ele mandou tão bem que toda a equipe de vendas bateu suas metas com dois meses de antecedência. Quando você conversar com ele amanhã, tenho certeza de que ele ficará encantado em dizer como ele é incrível."

Estou surpreso ao ouvir Andre falar assim. Ele é um CFO muito centrado, sólido e simpático de uma empresa de manufatura. Fui coach dele em outra empresa por anos e nunca o ouvi falar mal de ninguém. Está nesse novo emprego há apenas seis meses, e é difícil imaginar que alguém na empresa já o tenha desagradado tão rápido.

Algo não está fazendo sentido. Vejo Don cercado pelos colegas de trabalho, e todos parecem se divertir. "Não entendi", digo para Andre. "Se ele é um idiota completo como você diz, então como continua progredindo? Será que em algum momento as pessoas não vão parar de apoiá-lo e ele vai cair em desgraça?"

Andre toma um gole do seu *single malte* e ri. "Ah, elas já pararam de apoiá-lo. Ele só não sabe disso ainda."

Na manhã seguinte, Andre me leva para a sede da empresa. Ele está ganhando o dobro do que no antigo emprego, mas quando entramos no prédio dá para sentir que ele não está feliz de estar ali. "Hoje você vai ver por quê", diz ele.

Entramos na sala de conferência, onde Don está verificando seu PowerPoint. Hoje, ele vai estar à frente da reunião trimestral de vendas, na qual se define o tom e o caminho para atingir as metas da empresa. Sua equipe de vendas inteira, com 144 pessoas, está presente. A comitiva toda de Cs que Andre me trouxe para treinar também está aqui — CEO, CTO, CMO. Trabalhei com todos eles por apenas algumas semanas, e todos me pediram para trabalhar com Don. Deram um jeito para que eu o encontrasse depois da sua apresentação e avaliasse se poderia ajudar.

Observo Don dar o que muitos considerariam uma apresentação espetacular de noventa minutos. Ele é estratégico, organizado e articulado. E tem um tipo de ginga que faz você querer ir para o campo de batalha com ele.

Após a apresentação, encontro com Don a sós. Pergunto: "Como você acha que foi sua palestra?".

"Foi boa na medida do possível. Você nunca está realmente satisfeito com um discurso, sabe? Sempre pensa em alguma outra coisa que poderia ter dito."

"Sim, entendo o sentimento. Como você acha que a plateia recebeu?"

"A maior parte do que eu disse entrou por um ouvido e saiu pelo outro. Mas é só uma reunião. É meu trabalho ficar em cima deles e pressioná-los de verdade para executarem o que é necessário. É preciso muito acompanhamento. Você sabe como é."

"Pareceu bastante simples para mim", digo. "Você acha que eles não absorveram?"

"Ah, cara, você sabe. É solitário estar no topo, então você só espera poder explicar bem o seu ponto de vista."

"É solitário estar no topo?"

"Você sabe o que quero dizer. Nem todo mundo nos entende, sabe? O melhor? Tenho certeza de que você aprendeu isso ao trabalhar com tantos vencedores. Talvez você possa me ajudar a transformar esses caras em campeões. Eles simplesmente não entendem, sabe?"

Não digo nada e só espero que ele continue.

Ele me olha intrigado. "Você sabe o que quero dizer, não é? Sabe?"

Tento me decidir se já temos uma relação que me permita lhe dizer a verdade. Ele não sabe que seu comportamento e a frase "solitário no topo" foram inevitáveis prenúncios de todas as grandes quedas que já vi.

"Ei, cara, você pode me dizer o que está pensando. Diga de uma vez. Estou com pouco tempo hoje. Consigo lidar com você, prometo", diz ele, rindo. "Nada que você vai dizer vai ferir meus sentimentos. Prometo."

"O.k., muito bem. Acho que você tem seis meses, no máximo, antes de destruir a sua carreira."

Este é um capítulo sobre fracasso. Mas não qualquer tipo de fracasso. É sobre a desastrosa queda pela qual profissionais de alta performance podem passar quando se tornam *tão bons* que se esquecem do que os fez bem-sucedidos.

Este capítulo é, na verdade, as "antipráticas" da alta performance. É sobre como pessoas como Don começam a pensar que se diferenciam das outras, e que são melhores, mais capazes e mais importantes — e como esses comportamentos destroem performances (e carreiras). É também sobre os problemas que surgem de abordagens como "nunca se acomode" ou "faça o que for necessário", que sugam a paixão e levam ao comprometimento excessivo. Este é um capítulo sobre os sinais de alerta — os pensamentos, sentimentos e comportamentos que abatem profissionais de alta performance que estão no céu.

Muito antes de conhecer Don, eu havia entrevistado indivíduos de alta performance a respeito do que, no passado, provocara o fim das fases vitoriosas. Entrevistei quinhentas pessoas que estavam entre os 15% mais bem avaliados, procurando por pistas. Queria saber por quanto tempo eles sentiram que haviam sustentado seu sucesso, se já haviam caído feio, e se achavam que já tinham subido a tais alturas novamente. Fiz-lhes perguntas abertas como "Quando foi que você teve um período inicial de sucesso — digamos, de três a cinco anos — e depois fracassou de uma hora para outra?". Fiz mais perguntas para descobrir o que os levou a fracassar, por quanto tempo estiveram em baixa, com que rapidez alcançaram o sucesso novamente e quais fatores os levaram à recuperação.

As histórias eram assombrosamente semelhantes às que eu ouvira trabalhando com profissionais de alta performance de todas as etapas da vida. Coletei as quinhentas entrevistas e histórias, depois fiz outras vinte entrevistas para aprender mais. Então, comparei todas essas descobertas com minhas experiências como coach de profissionais de alta performance nos últimos dez anos. Surgiram padrões evidentes:

1. Quando os profissionais de alta performance caíram em desgraça, os culpados mais frequentes (além de não terem praticado os hábitos que você aprendeu neste livro) se resumiram a três coisas.
2. Quando os profissionais de alta performance chegaram ao topo novamente, os hábitos neste livro foram o veículo para essa ascensão.
3. Quando descrevem uma jornada com tantos altos e baixos, fica claro que os profissionais de alta performance *nunca* mais querem cometer os mesmos erros. A queda foi *dolorosa a esse ponto*. Quando você fracassa no começo de uma jornada, é frustrante. Quando fracassa depois de fazer algo por tantos anos, parece imensuravelmente pior.

Então, quais foram as três causas que fizeram com que os profissionais de alta performance sofressem uma queda no meio de um sucesso prolongado? Vamos começar com o que *não* os levou ao fracasso:

- *Medo não foi o problema.* Para se tornarem profissionais de alta performance, as pessoas aprenderam a se sentir confortáveis com o que é desconfortável. As pessoas que entrevistei não relataram fracassar por medo, preocupação ou hesitação.
- *Competência não foi o problema.* Para ter sucesso em primeiro lugar, é preciso ser bom no que se faz. Ninguém disse: "Puxa, Brendon, eu não era capacitado o suficiente para estar no topo".
- *Outros indivíduos não foram o problema.* De quinhentas pessoas que responderam à minha pesquisa, apenas *sete* culparam outras pessoas por seus tropeços, mas, mesmo nesses casos, concluíram que a culpa foi delas mesmas. Profissionais de alta performance, principalmente aqueles que caíram e se levantaram, assumem pessoalmente a responsabilidade por sua jornada.

- *Criatividade não foi o problema.* Eu esperava que alguns profissionais de alta performance dissessem que haviam sido dispensados porque ficaram sem boas ideias. Isso não aconteceu.
- *Motivação não foi o problema.* No máximo, esses profissionais de alta performance estavam profundamente, se não desesperadamente, motivados a voltar ao topo. Pode-se dizer que eles tinham necessidade de atingir uma máxima performance.
- *Recursos não foram o problema.* Apenas 38 das quinhentas pessoas culparam dinheiro ou apoio insuficiente como a razão do fracasso. Falei com catorze dessas 38, e certamente a falta de dinheiro ou apoio era uma desculpa pronta. Mas, por trás dessa desculpa, elas aceitaram uma verdade nua e crua: elas estragaram tudo.

Esses problemas sem dúvida poderiam ser razões justas e compreensíveis para as pessoas falharem. Mas o que aprendi com profissionais de alta performance é que esses não são os verdadeiros pontos que pulverizam o desempenho prolongado. As verdadeiras armadilhas são *internas* — padrões negativos de pensamento, sentimento e comportamento, que lentamente matam nossa humanidade, nosso entusiasmo e nosso bem-estar. As armadilhas são a *superioridade*, a *insatisfação* e a *negligência*.

Se você pretende manter uma alta performance, é preciso manter seus hábitos de alta performance e evitar essas três armadilhas.

ARMADILHA #1: SUPERIORIDADE

> *Existem dois tipos de orgulho, um bom e um ruim. O "orgulho bom" representa nossa dignidade e nosso respeito próprio. O "orgulho ruim" é o pecado mortal da superioridade que cheira a presunção e arrogância.*
> John Maxwell

Profissionais de alta performance enfrentam um conjunto único de armadilhas de caráter porque, por definição, têm um desempenho superior a muitas pessoas ao redor. Quando você está sendo mais bem-sucedido que os outros, é fácil ficar se achando. Você pode começar a pensar que é especial, que se diferencia dos outros, que é melhor ou mais importante do que as outras pessoas. Isso ficou evidente em minhas conversas com Don e no que os outros estavam comentando a respeito dele. Trata-se de um modo de pensar que você deve evitar a todo custo.

É claro que você provavelmente nunca diria a si mesmo: "Um dia, quero sentir que sou melhor do que as outras pessoas". Ninguém quer entrar nas filas dos egocêntricos, narcisistas, arrogantes ou elitistas. Afinal, você provavelmente conheceu alguém que realmente acreditava que era superior a você ou a outras pessoas. Provavelmente você pode pensar em cinco pessoas assim agora mesmo, e aposto que você não tem uma conexão positiva com nenhuma delas. A superioridade não tem conotação positiva em uma mente sadia.

Mas não estou aqui para falar sobre "essas" pessoas. Estou aqui para alertar *você* de que, à medida que *você* obtiver mais sucesso, rapidamente poderá cair no mesmo erro fatal. Na verdade, estou aqui para sugerir que você, como todos os humanos, *já* é culpado por pensamentos e ações sutis que pendem para sentimentos de superioridade. Você pode não estar demonstrando um ego bombástico, mas há inúmeros tons e graus de superioridade. Por acaso, você pensou recentemente que alguns colegas de trabalho são uns idiotas e que as suas ideias são sempre melhores? Então! Isso configura superioridade. Não pedir à equipe que analise sua grande apresentação e descubra seus erros ou omissões porque você "sabe o que está fazendo"? Hum... Ser ultrapassado no trânsito, depois disparar para ultrapassar o outro cara só para mostrar quem manda — opa. Defender seu ponto diversas e diversas vezes para o seu cônjuge, mesmo que ele tenha sido claro sobre seu posicionamento e que não esteja arredando o pé? Certo. Deixar de rever seu trabalho porque é *sempre* bom o bastante? Bingo! Diminuir alguém para você parecer melhor? Ops. Não levar em consideração as ideias de outra pessoa porque ela não trabalhou o mesmo tempo que você em uma tarefa? Algo aqui lhe parece familiar?

Está vendo só? A superioridade nos tira do nosso caminho um centímetro por vez. Quando ela exerce uma firme influência sobre nós, começamos a agir como idiotas. Paramos de pedir ajuda ou contribuições às pessoas, porque achamos que estamos sempre certos. Perdermos ciência das contribuições e capacidades dos outros. Acabamos trabalhando sozinhos em tudo e destruímos o senso de relação e parceria que faz com que grandes conquistas sejam divertidas e valiosas. Dispensamos as pessoas e falamos em tons de condescendência. Viramos presas de confirmações enviesadas com mais frequência — interpretando o que vemos como confirmação de nossas próprias crenças, enquanto negligenciamos ou descartamos as evidências contra elas.[1] Nós nos perdemos em pensamentos de superioridade que acabam destruindo nossos relacionamentos e nossa performance.

A boa notícia é que você pode aprender a identificar exatamente *quando* e *como* esses pensamentos surgem na mente e, com esse conhecimento, evitar tomar parte deles. *Quando* é a parte fácil. As raízes da superioridade sempre começam a crescer no solo da diferenciação e da certeza. O momento de maior perigo é aquele em que você passa a achar que se diferencia dos outros, ou que está certo sobre qualquer coisa.

Veja como saber quando a superioridade se infiltrou em sua mente:

1. Você acha que é melhor que outra pessoa ou grupo.
2. Você é tão incrivelmente bom no que faz que não acha que precisa de feedback, orientação, diferentes pontos de vista ou apoio.
3. Você sente que merece automaticamente a admiração ou a concordância das pessoas por quem você é, pela posição que ocupa ou pelo que conquistou.
4. Você sente que as pessoas não o entendem, então todas essas lutas e fracassos certamente não são sua culpa — é que "eles" simplesmente não são capazes de entender a sua situação ou as demandas, obrigações ou oportunidades com as quais você tem que lidar diariamente.

Quando qualquer uma dessas realidades é uma constante em sua vida, você já começou a cair, mesmo que ainda não perceba. O que esses pensamentos têm em comum é um senso de diferenciação. Você se sente tão mais capaz ou realizado do que os outros que, na sua cabeça, você está no topo e todo mundo está abaixo.

É essa diferenciação, esse afastamento que alimentou a crença de Don de que "é solitário no topo". Mas Don não está sozinho. Muita gente acredita nessa ideia bizarra. As pessoas dizem isso porque acham que os outros não são, sob nenhuma hipótese, capazes de compreender a vida delas. O problema é que esse pensamento é incorreto e obscenamente destrutivo. Se você já se sentiu como se o mundo não pudesse entendê-lo, então — e não vou me preocupar em procurar uma maneira gentil de dizer isto — é hora de estourar a bolha em que você vive. Temos milhares de anos da história humana registrada, e mais de sete bilhões de pessoas vivem neste planeta hoje. São muito grandes as chances de que alguém, em algum lugar, tenha passado pelo que você está passando e possa facilmente entender sua situação e aconselhá-lo para melhor atravessá-la.

Todo isolamento é, em última análise, autoimposto. É uma verdade difícil de transmitir a pessoas que sentem que ninguém é capaz de entendê-las ou de compreender sua situação. Nem sei quantas vezes tive que dizer a alguém para abandonar seu senso de diferenciação em situações verdadeiramente difíceis:

- Você não é o primeiro empreendedor a enfrentar a ruína financeira.
- Você não é o primeiro pai a perder um filho.
- Você não é o primeiro gerente a ser enganado por um funcionário.
- Você não é o primeiro cônjuge a ser traído.
- Você não é o primeira pessoa esforçada a perder seu sonho.
- Você não é o primeiro CEO a administrar uma grande empresa global.
- Você não é a primeira pessoa saudável a se encontrar de repente lutando contra o câncer.
- Você não é a primeira pessoa a lidar com a depressão ou com um vício seu ou de um ente querido.

Quando enfrentamos qualquer uma dessas dificuldades, é fácil *sentir* que somos os únicos a estar passando por um problema. Mas esse sentimento é pura ilusão. Não há nenhuma emoção ou situação humana que alguém, em algum lugar, não seja capaz de entender se você se mostrar vulnerável e for verdadeiro e aberto para compartilhar seus pensamentos, sentimentos e desafios. Sim, você pode continuar dizendo a si mesmo que sua esposa não é capaz de entendê-lo, e se você nunca tentar essa será uma profecia autorrealizável.

A partir do seu silêncio, a falta de compreensão dos outros só aumenta.

Sim, você pode dizer a si mesmo que ninguém da sua equipe "entende", mas isso é apenas o seu ego cegando-o para o valor que os outros podem adicionar. Não levar os outros em consideração não faz de você uma pessoa superior; você está apenas escolhendo estar mais distanciado, basicamente se tornando mais suscetível ao fracasso.

Sei que quando você está empacado nas dificuldades essas frases podem parecer muito críticas ou insensíveis à sua realidade. Mas com todo o respeito compartilho essas ideias com você porque já vi muitas pessoas boas perderem tudo, não por má intenção, mas por um sentimento de diferenciação que logo faz com que dispensem os outros ou não peçam ajuda. Nunca é demais lembrar que todos somos uma família humana e que existem apenas duas histórias na narrativa da humanidade, que todos podemos conhecer e às quais podemos nos conectar. Você deve se lembrar de que essas duas histórias são *esforço* e *progresso*.

As pessoas conseguem entender o seu esforço. São capazes de entender suas vitórias e suas escolhas difíceis, ainda que elas mesmas nunca tenham sido obrigadas a fazê-las. Se você não acredita nisso, então está contando a si mesmo uma história que não é natural — que está desconectada da realidade de sete bilhões de pessoas que têm coração, dores e sonhos.

Muitas vezes, quando encontro profissionais de alta performance que são tão bons que estão de fato no topo de sua própria cadeia alimentar — o CEO, o atleta campeão mundial, a pessoa mais popular na escola, a mulher mais inteligente da sala —, terei que ir além do argumento da unicidade. Terei que lembrá-los de que alguém, em algum lugar, é mais inteligente, ganha mais, serve melhor, treina mais e afeta positivamente mais pessoas do que eles. Não digo isso para diminuí-los enquanto exemplos a serem seguidos, mas para conectá-los a outra realidade: quem quer que você seja, o que parece ser um grande problema para você, o que pode estar afastando você dos demais que fazem parte do seu círculo de influência, pode ser brincadeira de criança para um peixe maior em outro lago. Essa perspectiva pode se provar útil em trazer esperança. Alguém lá fora já resolveu o dilema, dominou aquilo que você acredita que faz de você tão diferente dos outros. Se você puder encontrá-lo, terá um mentor, uma solução e um caminho de volta à realidade e à humildade.

Por ser tão corrosiva, vale trazer mais alguns pontos sobre a síndrome do "solitário no topo":

Primeiro, poucas vezes conheci um profissional de alta performance que acha que está 'no topo'. A maioria acha que está apenas começando.

Eles entendem que ainda são aprendizes da vida e sentem que estão apenas a alguns passos no caminho da maestria, não importa quão bem-sucedidos sejam. Esse é um comportamento amplamente defendido pelos profissionais com melhor pontuação em nossas avaliações que entrevistei.

Em segundo lugar, aqui está um lembrete especial se você tiver começado a ignorar as capacidades de outras pessoas. Você não pode maximizar o seu potencial diminuindo os outros. O sucesso alcançado na vida não se justifica por você ser tão especial assim, mas por ser privilegiado.[2] A verdade é que grande parte da diferença que se pode observar na sua performance, em relação à de outras pessoas, se resume aos hábitos que temos discutido — e que qualquer um pode começar a implementar —, ampliada por exposição, treinamento, prática e acesso a mentores, coaches ou exemplos a serem seguidos, todos orientados pela excelência. É por isso que muitas vezes tenho que lembrar àqueles que possuem mentes dadas à superioridade: você não é melhor que ninguém. Você provavelmente acabou sendo mais exposto ao assunto; teve mais informações ou oportunidades ao seu alcance; foi mais bem treinado; teve a oportunidade de colocar mais paixão nas coisas ou praticá-la deliberadamente por mais tempo; teve a oportunidade de receber bom feedback e orientação. Essas coisas não pertencem à sua essência. Essas coisas, se dadas a outras pessoas, as ajudariam a se elevar ao seu nível. Não é verdade? (Se você não responder sim, por favor, dê os parabéns ao seu ego.)

Isso não é só a minha opinião. Em quase todos os estudos sobre performance de experts, a principal coisa que fez a diferença não foi o talento inato, mas as horas de exposição ao assunto e a prática deliberada. No mundo do talento, da expertise ou da performance prolongada e de alto nível, não há mais um debate sobre natureza versus criação, ou o inato versus o adquirido. O mito do humano naturalmente superior foi desconstruído e obliterado por pesquisas em dezenas de campos.[3]

Isso justifica o mais simples dos lembretes: *não considere os outros inferiores a você ou diferentes de você*. Sua frustração com as pessoas vem do *esquecimento* de que quase todos poderiam ter sucesso em um nível mais alto se tivessem mais exposição, treinamento, prática e acesso a mentores, coaches ou exemplos a serem seguidos, todos orientados pela excelência. Lembre-se, *tudo é treinável*. Isso não significa que todos precisarão de treinamento, trabalharão pesado, alcançarão o primeiro lugar ou terão garra do mesmo modo que você. Mas todo mundo é capaz de obter sucesso. Todos podem vencer na vida. Então, vamos ser sinceros: *você já foi uma pessoa desorientada também, ou já se esqueceu disso?* Mas você melhorou, então dê aos outros a mesma oportunidade. Ao lembrar que você também teve dificuldades e que os outros podem melhorar drasticamente, você passa a ser mais solidário. É quando você começa a rechaçar qualquer indício de complexo de superioridade.

Mas, mesmo sabendo disso, ainda não vencemos a luta. Pensamentos de diferenciação são apenas os brotos da superioridade. Se quiser assistir ao complexo florescer, basta cultivar esses pensamentos no solo da *certeza*. Imagine como ficam insuportáveis as pessoas que têm *certeza* das coisas que discutimos até agora:

1. Elas têm *certeza* de que são melhores que outra pessoa ou grupo.
2. Elas têm *certeza* de que são as melhores no que fazem, por isso estão certas de que não precisam de feedback, orientação, pontos de vista diversos ou apoio.
3. Elas têm *certeza* de que merecem a admiração ou a concordância dos outros por serem quem são, de onde vieram ou o que ganharam ou realizaram.
4. Elas têm *certeza* de que os outros não as entendem, e quaisquer brigas e fracassos *certamente* não são culpa delas.

Meu palpite é que você não ficaria exatamente estimulado por trabalhar com uma pessoa como essa. Indivíduos assim não ficam apenas afastados dos outros e, portanto, não levam em consideração sua capacidade de entender ou ajudar; eles também se acham *superiores* aos outros. Você sabe que está pensando dessa maneira no momento em que começa a ouvir a si mesmo dizendo: "Qual o problema desses idiotas?". Quando alguém comete um erro e pensa *que imbecil!* antes de perguntar se tinham clareza, informação ou apoio suficientes. Quando alguém não trabalha tão duro quanto você e o seu pensamento é: *Por que ele é tão preguiçoso? O que há de errado com ele?*. Quando você começa a achar que os outros estão errados ou inadequados à vida, então você caiu tão feio na armadilha da superioridade que está correndo o risco de destruir seu relacionamento com os outros e sua capacidade de liderar.

Pessoas de mentalidade superior têm certeza de que são melhores, mais capazes, mais merecedoras.[4] E é essa certeza que fecha a mente para o aprendizado, para o relacionamento com os outros e, em última instância, para o crescimento. Quanto mais certeza você tiver em relação a algo, maior a probabilidade de ficar cego para novas perspectivas e oportunidades. O momento em que alguém tem certeza absoluta é aquele em que a superioridade venceu. Por todas essas razões, devemos ter cuidado com a diferenciação e a certeza.

Então, qual é a solução? Descobri que o primeiro passo é sempre a conscientização. Você precisa estar alerta e se controlar quando começar a pensar que é diferente dos outros por qualquer motivo. Em segundo lugar, é preciso desenvolver hábitos que o ajudem a *permanecer humilde* e aberto, mesmo que seja cada vez melhor naquilo que faz.

A humildade é uma virtude fundamental que permite o crescimento de muitas outras virtudes. Está associada a resultados positivos como fidelidade conjugal, cooperação, compaixão, fortes laços sociais, aceitação geral do grupo, otimismo, esperança, determinação, conforto com a ambiguidade e abertura à experiência. Também está ligada à nossa disposição em admitir lacunas no nosso conhecimento e à tendência para se sentir culpado depois de cometer um erro.[5]

Como se manter humilde?

O primeiro passo é desenvolver uma mentalidade mais aberta e orientada para a análise, invertendo os exemplos anteriores:

1. Para evitar pensar que você é superior aos outros, peça a opinião de outras pessoas para melhorar o que você faz: *O que você faria se pudesse melhorar minha ideia?* Faça essa pergunta quantas vezes forem necessárias, e você descobrirá tantos furos nas suas ideias que qualquer senso de superioridade começará a se dissolver sob a dura luz da verdade. A aprendizagem é a bigorna na qual a humildade é forjada.
2. Se achar que sua opinião não está sendo desafiada o suficiente ou que seu crescimento chegou ao limite, contrate um coach, um instrutor ou um terapeuta. Sim, *contrate* alguém. Às vezes, seu grupo de colegas imediatos não consegue enxergar além do conhecimento que tem a seu respeito. Às vezes, não estão qualificados ou disponíveis para ajudá-lo em um desafio ou período específico da vida. Profissionais podem ajudá-lo a explorar questões, a enxergar com mais clareza e a aprimorar ferramentas que comprovadamente favoreçam o seu crescimento. Se não puder contratar alguém, encontre um mentor e ligue para ele — ou

o encontre — pelo menos duas vezes por mês. Constância em receber feedback é a marca do crescimento consistente.
3. Para evitar o pensamento automático de que você merece a admiração ou a aceitação das pessoas apenas por conta de quem você é, de onde veio ou do que realizou, lembre-se de que a confiança é conquistada ao cuidar dos outros sem se gabar. Desafie-se a perguntar mais às pessoas sobre quem elas são, de onde vêm e o que querem alcançar. Antes de interagir com outras pessoas, diga a si mesmo: "Estou começando do zero com essa pessoa. Se este fosse meu primeiro encontro ou a primeira interação com ela, que perguntas eu poderia fazer para aprender mais sobre sua personalidade?".
4. Em vez de acreditar que as pessoas não entendem você e que elas são responsáveis pelas brigas e pelos fracassos em sua vida, assuma a responsabilidade por suas atitudes refletindo sobre o seu papel. Depois de um conflito, pergunte-se: "Estou distorcendo essa situação de alguma forma para fazer com que eu me sinta um herói incompreendido? Estou inventando uma história para me sentir melhor? Estou tentando dar desculpas ou me fazer de vítima para proteger meu ego? Quais foram as minhas atitudes que contribuíram para os problemas em questão? O que eu poderia não saber a respeito dessa pessoa ou de sua situação?".
5. Lembre-se de seus privilégios sempre. A gratidão e a humildade demonstraram que "se reforçam mutuamente", o que significa que, quanto mais grato você é, mais humilde se sente. E, quanto mais humilde se sente, mais agradecido você é.[6]

Essas sugestões ajudarão a mantê-lo humilde, eficaz e respeitoso. É assim que você sustenta seu sucesso e constrói uma vida que seja motivo de orgulho.

Um último ponto a respeito da superioridade, do ponto de vista da liderança. Em nossas entrevistas, nem todos os profissionais de alta performance que não conseguiram manter o mesmo patamar de sucesso culparam uma percepção interna de superioridade. Não disseram que começaram a pensar que eram diferentes ou melhores que os outros. A questão para eles foi que *outros* indivíduos começaram a vê-los como se agissem de maneira superior. Os profissionais de alta performance ficaram tão bons que simplesmente se desligaram dos outros porque de fato não achavam que precisavam de ajuda. Não se envolviam em nada, e uma suposição de desinteresse e superioridade cresceu para preencher esse vácuo de atenção. Nunca se esqueça de que as pessoas podem vê-lo como superior quando você não se envolve com elas, mesmo que não seja sua verdadeira intenção ou que você tenha um espírito assim. Essa é apenas mais uma maneira de as sugestões compartilhadas ajudarem você a manter a verdade e a aparência de ser um líder humilde e comprometido.

Estímulos para a performance

1. Uma situação recente na qual me vi sendo excessivamente crítico ou não levando os outros em consideração foi...

2. Os pensamentos que eu tinha sobre mim mesmo naquela situação e sobre os outros envolvidos foram...

3. Se eu tivesse imaginado a situação de um ponto de vista mais humilde e grato, provavelmente teria percebido que...

4. A melhor maneira de lembrar que todos estão lidando com as dificuldades da vida e que somos mais parecidos do que diferentes é...

ARMADILHA #2: INSATISFAÇÃO

> *Fique satisfeito com o sucesso inclusive em relação ao que menos importa,*
> *e pense que até mesmo esse resultado não é insignificante.*
> Marco Aurélio

Eu estava sozinho no escuro dos bastidores e comecei a ter uma ansiedade terrível. Um músico famoso estava lá na frente, dizendo ao público de milhares de pessoas: "Jamais fique satisfeito!". Acho que ele disse essa frase umas dez vezes em quinze minutos. Ele atribuiu à sua insatisfação o status de "combustível emocional" necessário para continuar sonhando, inovando e incentivando seus colegas.

Ah, não, pensei, o coração acelerado. *O que vou fazer?*

Eu era o próximo a falar. O segundo slide da minha apresentação, que logo seria projetado nos imensos telões, tinha apenas duas palavras: FIQUE SATISFEITO.

O músico estava literalmente apresentando a antítese do que eu estava prestes a ensinar! Não que sua mensagem estivesse errada. Se ele associou a insatisfação à sua carreira de sucesso, quem era eu para questionar? As pessoas explicam suas performances da forma que lhes parece verdadeira.

A questão para mim era que ele estava dizendo que *todos* deveriam se recusar a ficar satisfeitos na vida e na carreira, porque essa insatisfação os levaria a um sucesso maior. Isso, já sabemos, está errado. Profissionais de alta performance em geral não estão insatisfeitos com eles mesmos, com sua vida ou com seu trabalho. Lembre-se apenas de algumas descobertas que compartilhei neste livro: indivíduos de alta performance são, de fato, mais felizes do que a maioria das pessoas. Sentem-se satisfeitos e bem recompensados na carreira, e cultivam experiências que são mais positivas do que negativas, com o prazer muitas vezes ocupando o centro de suas iniciativas.

Enquanto eu pensava nisso, o mestre de cerimônias me apresentava para o público. Não havia tempo para mudar minha apresentação. Eu teria que fazer o que foi preciso em muitas vezes na minha carreira: quebrar um mito poderoso e popular sobre performance.

Há uma percepção cultural de longa data que diz que nunca deveríamos estar satisfeitos com nosso trabalho, porque a satisfação de alguma forma levaria ao comodismo. Mas a satisfação realmente drena nossa motivação ou enfraquece nossa determinação pela excelência?

Tendo pesquisado e trabalhado como coach de muitos dos profissionais com as melhores performances do mundo, descobri que a resposta é não. A satisfação *deve* acompanhar a busca da performance ideal.[7]

Aqueles que nunca estão satisfeitos nunca estão em paz. Não conseguem se sintonizar — o ruído de uma mente insatisfeita impede que encontrem um ritmo que os faça se sentir vivos e eficazes. Se não tenho satisfação no momento presente, então não estou sentindo conexão ou gratidão em relação a esse momento. Insatisfação é desconexão, de modo que as pessoas que sentem isso não experimentam todo o comprometimento e o prazer sobre os quais profissionais de alta performance falam de maneira tão consistente. A insatisfação faz com que elas fiquem obcecadas com o que é negativo, levando, por sua vez, ao hábito de deixar passar o que está funcionando e deixar de elogiar ou valorizar os outros. Esse foco negativo impede o tipo de gratidão que torna a vida mágica e a liderança possível. A ideia de que "nada é bom o suficiente", de "nunca se acomode", também as compele a descartar rapidamente o que está na frente delas e a passar para a próxima coisa ou interação. E, com isso, nenhuma lembrança de realização ou apreço verdadeiro é forjada em sua mente, e então elas viram apenas fantasmas ocupados e vazios, que estão constantemente em busca de viver um dia dos sonhos quando alcançassem a perfeição.

Por fim, a escura, exaustiva e negativa prisão emocional que é a insatisfação constante prejudica a performance. A insatisfação perene é o primeiro passo para o caminho da infelicidade.

A mentalidade daqueles que, apesar de muito empenhados, estão sempre infelizes, daqueles que "nunca se acomodam", é semelhante àquilo que os pesquisadores chamam de *perfeccionismo mal adaptativo*.[8] Esse é o tipo de perfeccionismo no qual você tem padrões altos — o que geralmente é uma coisa boa —, mas está sempre se punindo por qualquer imperfeição (uma coisa ruim). Isso pode causar uma ansiedade cognitiva tão alta ao cometer erros que a performance ideal é praticamente impossível. A preocupação obsessiva com erros tem sido associada a vários resultados negativos, incluindo ansiedade, falta de autoconfiança, orientação negativa e reações negativas a erros básicos durante uma competição.[9] E o que acontece é que, não importa o que faça ou realize, você está sempre insatisfeito. É um círculo vicioso, e é por isso que, como mostra a pesquisa, está frequentemente relacionado à depressão.[10]

Se a insatisfação é tão prejudicial para a performance, por que tantas pessoas pensam que é preciso estar insatisfeito para ter sucesso? Porque parece natural e automático. É *fácil* ficar insatisfeito, porque perceber o que está errado em uma situação é um hábito da evolução. Muitas vezes chamado de viés da negatividade, essa busca incessante por erros e anomalias ajuda nossa espécie a sobreviver.[11] Quando nossos ancestrais distantes ouviam um ruído em um matagal e os grilos paravam de cricrilar, um alarme soava informando que algo estava errado. Isso é uma coisa boa. Mas, se aplicado em excesso na vida cotidiana moderna, esse mesmo impulso não nos ajuda a sobreviver — ele causa sofrimento.

Alguns podem argumentar que nosso cérebro está programado para procurar erros, mas essa não é a única configuração. Seu cérebro é programado tanto para a felicidade quanto para a negatividade ou o medo.[12] Se isso não fosse verdade, então como explicar o fato de que, em todo o mundo, a maioria das pessoas é relativamente feliz na maior parte do tempo?[13] Nossa tendência natural é buscar emoções e experiências positivas. Quando o fazemos, isso aumenta nosso aprendizado e nossa capacidade de ver novas oportunidades.[14] Também leva a estados de fluxo que resultam em resultados objetivos de performance superiores.[15] Essa tendência deve ser estimulada e fortalecida, porque a vida floresce e a alta performance se torna mais provável.

A razão pela qual insisto tanto contra a crença no "nunca fique satisfeito" vai além da pesquisa empírica. Esse pensamento simplesmente tem pouco ou nenhum valor prático, porque a ênfase está no lugar errado. Está apontando para uma declaração em vez de para uma direção positiva. Quando você fala com pessoas que gostam dessa instrução, e pede que elas a transformem em uma lição positiva, elas dizem coisas como "Fique motivado"; "Observe o que não está funcionando e melhore isso"; "Preocupe-se em aperfeiçoar os detalhes"; "Foque em metas maiores à medida que você cresce"; "Continue andando para a frente". A verdade é que você pode fazer todas essas coisas e *ainda* assim ficar satisfeito. Buscar excelência e experimentar satisfação não são mutuamente excludentes.

Estar satisfeito, então, não é igual a "se acomodar". Significa simplesmente aceitar aquilo que é e sentir prazer em relação a *isso*. É permitir-se sentir contentamento se algo está ou não completo ou "perfeito". Por exemplo, enquanto escrevo este livro, estou satisfeito, embora tenha tentado melhorar, mesmo que esteja a apenas algumas semanas do prazo, mesmo que não tenha certeza de como ele ficará no fim. Ao gravar meus vídeos, fico satisfeito, embora saiba que poderia fazer melhor com mais tempo ou prática e que, independentemente do que eu fizer, muitas pessoas não gostarão do resultado. Ao servir meus clientes, fico satisfeito, apesar de talvez não conseguirmos atingir uma solução ideal. Essa sensação de satisfação não significa que eu tenha tudo planejado. Não quer dizer que eu não me importe com os detalhes, nem force os limites e torça para que todos melhorem mais e mais. Acabei de fazer o que considero uma simples escolha na vida: trabalhar duro e estar satisfeito, em vez de só reclamar e estar insatisfeito. Assobiar durante o trabalho, ou cerrar os dentes, bufar e xingar? É uma escolha.

Mas como responder àqueles que dizem "Brendon, eu me tornei muito bem-sucedido mesmo estando insatisfeito durante todo o processo"? Simplesmente digo assim: o caminho à sua frente não precisa mais ser tão negativo, e se você permitir que a insatisfação seja sua abordagem, sua cruz, sua marca, então você terá mais probabilidade de perceber uma queda na sua performance em breve. Todos nós precisamos de um retorno de satisfação e realização em algum momento. Se você continuar se enganando, então essa negligência será seu calcanhar de aquiles.

E vamos ser honestos: talvez a insatisfação não tenha sido *realmente* o que fez você ser bom em primeiro lugar. O que você está relacionando ao seu sucesso pode não ser a causa certa. E se na verdade um olho para os detalhes, uma paixão profunda ou um desejo de inspirar os outros a crescer tiver sido o que de fato o moveu durante todos esses anos? E se você estivesse simplesmente praticando um dos hábitos de alta performance sem saber? Pergunto isso porque muitas vezes damos crédito às emoções e experiências negativas que se sobressaem e deixamos passar as verdadeiras causas do sucesso. É como quando alguém diz: "Tenho sucesso porque durmo apenas quatro horas por noite". Não, dormir pouco não fez de você uma pessoa bem-sucedida — cinquenta anos de ciência do sono comprovam que você estava cognitivamente *prejudicado*, não otimizado.[16] Você conseguiu, *apesar* da privação de sono, porque outros atributos positivos compensaram esse déficit. Nessa mesma linha, acredito que a insatisfação não foi a força que o ajudou a ascender.

Estou ciente de que, não importa o que eu faça, não poderei convencê-lo de nada se você acredita que a insatisfação o ajudou a ter sucesso. Mas talvez eu possa convidá-lo a refletir acerca da possibilidade de se sentir melhor, caso se permitisse relaxar mais de vez em quando, ser menos exigente consigo mesmo, parabenizar a equipe por um grande esforço, reconhecer que você está bem e que as coisas estão seguindo seu caminho. Quando você consegue viver o momento presente e ficar satisfeito com o que está fazendo, torna-se capaz de alcançar uma fluidez e um potencial maiores. As pessoas ao seu redor vão desfrutar, valorizar e recomendar você ainda mais. Breve, no lugar de toda essa insatisfação, haverá uma sensação de conexão e prazer verdadeiros, e quando isso acontecer você atingirá um nível totalmente novo de domínio e performance. As pessoas que experimentam um sentimento de prazer — em vez de insatisfação — têm uma performance melhor em quase todos os campos de atuação. O prazer não é permissivo; é crucial para a criatividade, a saúde, a cura e a felicidade.[17] Fluidez e prazer são as portas de entrada para o domínio. Então não se aflija. *Você não perderá paixão por se sentir melhor.*

Todos esses pontos são ainda mais importantes se você for um líder. Permitir maior satisfação ao se esforçar não se trata apenas de como *você* pode se sentir melhor. É também sobre como os *outros* ao redor se sentem. Ninguém quer trabalhar com uma pessoa que esteja eternamente insatisfeita consigo mesma ou com os outros. Descobrimos que os líderes que estão sempre presos detectando erros e se esquecem de celebrar as pequenas vitórias também fracassam na hora de reconhecer progresso, elogiar a equipe, estimular a reflexão e apoiar as ideias de outras pessoas. Em outras palavras, não são exatamente agradáveis de ter por perto. É por isso que aviso os profissionais de alta performance: se você se tornar um indivíduo constantemente insatisfeito, destruirá sua influência sobre os outros, e, como a essa altura já sabemos, a influência é fundamental para seu sucesso a longo prazo.

Então, como evitar essa insatisfação que consome a performance? Sugiro um lembrete geral: a vida é curta, então escolha aproveitá-la. Em vez de descontentamento, traga alegria e integridade ao que você faz. Prometo que você vai começar a se sentir mais vivo, motivado e realizado.

Se é difícil imaginar uma vida livre de insatisfação, você pode pelo menos começar a se livrar dela com táticas diárias e semanais que o ajudam a valorizar os privilégios da vida com mais frequência. Isso é particularmente válido se você tiver passado da insatisfação em relação à sua performance para a autoaversão. Se for esse o caso, é a hora de fazer as pazes consigo mesmo. Você já passou por muita coisa. O ontem já acabou, e a luz do sol desta manhã pertence a um novo dia.

> *Neste exato momento, você pode respirar fundo e, finalmente, depois de todo esse tempo, dar amor e valor a si mesmo.*

Para ajudar nessa jornada, experimente as seguintes dicas:

- Passe a escrever em um diário toda noite. Anote três coisas que correram bem ou melhor do que o esperado no dia. Escreva sobre qualquer bênção ou progresso pelo qual você se sente grato. É um conselho muito simples, mas essencial, para garantir que um profissional de alta performance mantenha esse desempenho: comece a perceber o que está indo bem, valorize as bênçãos recebidas, aproveite a jornada e registre suas vitórias.
- Reúna sua família ou equipe uma vez por semana, apenas para conversar sobre o que está funcionando, o que tem feito as pessoas se sentirem animadas, que diferença suas iniciativas estão fazendo na vida delas.
- Comece reuniões pedindo aos outros que compartilhem algo importante que tenha acontecido e que possa proporcionar à equipe um sentimento de alegria, orgulho e realização.

São passos simples, mas serão importantes para as pessoas que você ama e lidera.

Lembro-me de terminar minha apresentação naquele dia — aquela na qual precisei corrigir com muito tato a afirmação do famoso músico de que "nunca fique satisfeito" era um pensamento que todo o público deveria adotar. Andei com cuidado pelos bastidores, imaginando que, se ele ainda estivesse lá, ficaria chateado. E ele ficou. Lá estava o músico de braços cruzados. Ele disse: "Eu ouvi sua palestra. Tenho certeza de que você está bem satisfeito então!".

Eu ri, encabulado. "Sim, tento ficar, mas espero que isso não o aborreça. Tentei não desmentir sua mensagem sobre como é importante sempre se esforçar para continuar melhorando. Você pelo menos está satisfeito com a sua palestra? Parece que o público gostou."

"Não", disse ele, bufando. "Não estou satisfeito, e acho que eu não deveria estar nem que você deveria estar. Tenho a humildade de saber que posso fazer melhor."

"Concordo", respondi. "Todos nós podemos fazer melhor. Dos caminhos que vi, o único que funciona a longo prazo é começar a gostar do que estamos fazendo — que parece ser o seu caso. Você ama o que faz, certo?"

"Sim, amo."

"E você disse ao público que acredita estar no caminho que deveria seguir na vida?"

"Disse."

"O.k. E você não se sente realizado?"

Ele pensou por um momento e respondeu: "Suponho que ainda não".

"E quando isso vai acontecer?", perguntei. "Se você ama o que está fazendo e sente que está no caminho certo, quando é que vai se sentir bem em relação a isso?"

Ele descruzou os braços. "Boa pergunta. Quem sabe? Talvez em breve."

Três meses depois, saiu nos tabloides que ele havia se internado em um centro de tratamento de depressão.

Se o seu objetivo é manter uma alta performance, por favor, permita-se sentir as vitórias novamente.

Não espere apenas chegar em algum lugar e finalmente se sentir satisfeito. *Esforce-se e esteja satisfeito ao mesmo tempo.*

Estímulos para a performance

1. As áreas da minha vida em relação às quais venho me sentindo constantemente insatisfeito são...

2. Algumas coisas boas que também aconteceram nessas áreas são...

3. Algo que posso dizer a mim mesmo na próxima vez que me sentir insatisfeito, para fazer com que eu note as coisas boas e continue seguindo em frente, é...

4. Alguém que provavelmente me vê insatisfeito com mais frequência do que eu gostaria é...

5. Se eu fosse inspirar essa pessoa a acreditar que é possível aproveitar a vida trabalhando duro e sendo bem-sucedido, teria que mudar esses comportamentos...

ARMADILHA #3: NEGLIGÊNCIA

> *Se as coisas não estão indo bem com você, comece a se esforçar para corrigir a situação, examinando cuidadosamente o serviço que está prestando e, principalmente, o espírito com o qual você o está prestando.*
> Roger Babson

A negligência, assim como as outras armadilhas já descritas, foge do seu controle. Você não diz a si mesmo: "Vou negligenciar minha saúde, minha família, minha equipe, minhas responsabilidades, minhas verdadeiras paixões e sonhos". É mais como se a paixão ou o excesso de coisas a fazer o ceguem para o que é importante, por tempo suficiente para que as coisas desmoronem.

Dessa forma, muitas vezes não é o que você faz que o afasta da alta performance, mas o que *não* faz. Durante a busca focada por realização e domínio em uma área da vida, você tira os olhos das outras áreas. Essas áreas logo começam a brigar por mais atenção. Essa é a história daqueles que trabalham tanto que se esquecem das necessidades do cônjuge. Em pouco tempo, o casamento está conturbado, o indivíduo de alta performance se sente péssimo e o desempenho diminui. Neste exemplo, troque a negligência em relação ao cônjuge pela negligência de sua saúde, seus filhos, suas amizades, sua espiritualidade ou suas finanças e você terá ainda a mesma história: a obsessão em uma área da vida prejudica outra área, desencadeando uma cascata negativa de acontecimentos e sentimentos que acabam ameaçando o profissional de alta performance.

Mais uma vez, ninguém *pretende* negligenciar partes importantes da vida a longo prazo. Pelo menos, não os profissionais de alta performance entrevistados por mim que não conseguiram manter o progresso. Na realidade, a maioria declarou uma sensação de surpresa ao se dar conta de que as coisas em algum momento saíram do controle. "Eu sabia que estava fazendo malabarismos com bolas demais", dizem com frequência, "mas não havia percebido que estava indo tão mal até..." É essa última palavra: *até*. Não sei dizer quantas vezes ouvi essa palavra enfatizada com um tom de dor e arrependimento.

Quero que você evite esse destino. A boa notícia é que é tecnicamente fácil evitar a negligência. A má é que exige uma mudança mental complicada e, muitas vezes, drástica. Antes de compartilhar *como* fazer isso, deixe-me trazer duas características que explicam *por que* os profissionais de alta performance negligenciam algo importante para eles antes de mais nada.

Ao conduzir minhas entrevistas, o que achei fascinante foi que os profissionais de alta performance não atribuem sua negligência às mesmas coisas que os de baixa performance. Para profissionais de baixa performance, a culpa geralmente é das outras pessoas ou da falta de tempo. "Eu não tinha tanto apoio, então não conseguia fazer tudo, e precisava sacrificar alguma coisa." Ou: "Não há horas suficientes no dia para fazer tudo". Sem dúvida, todos nós poderíamos justificar com essas razões a negligência em alguma área de nossa vida.

O fato é que os profissionais de alta performance raramente fazem isso. Por outro lado, quando refletem sobre um momento em que negligenciaram algo e prejudicaram seu desempenho, colocam a maior parte da culpa nos próprios ombros. Eles assumem responsabilidade pessoal. A negligência foi uma falha deles mesmos. Descobri que suas explicações para a negligência podem ser categorizadas em duas áreas: estar desatento e ir longe demais.

Estar desatento

A desatenção é a desculpa menos usada das duas, embora seja um culpado implacável. Isso significa que você está tão focado em uma área que *não tem consciência* dos problemas que crescem em outra. Os profissionais de alta performance que começaram a perder a explicaram dizendo: "Eu estava tão obcecado com o trabalho que, sinceramente, não percebi que estava ficando tão gordo". Ou: "Um dia, ela apenas se levantou e saiu. Fui pego de surpresa e me odiei por isso". Ou: "Foi quando percebi que minha equipe vinha me dizendo as mesmas coisas havia meses, mas eu estava ocupada demais para prestar atenção".

Ouvir profissionais de alta performance relatar negligência em razão da desatenção é sempre doloroso. Eles têm um tom inconfundível: *não suportam* o fato de terem tirado os olhos de outras coisas que importavam. Observar os problemas depois que eles já passaram torna tudo dolorosamente mais claro, principalmente para um profissional negligente que perdeu a alta performance e que olha fixamente para a autoaversão e o arrependimento.

Isso é tão doloroso, em parte, porque as coisas que eles acreditam ter ajudado em sua escalada para o sucesso — trabalho pesado, foco e persistência — tornaram-se as mesmas coisas que causaram seu fim. Pesquisadores observaram de que modo a tenacidade e a coragem, mantidas por muito tempo, às vezes realmente minam o bem-estar e a boa saúde, podem nos fazer perder caminhos alternativos para uma meta e até mesmo negligenciar oportunidades de colaboração.[18] O intenso trabalho pesado, sustentado por tempo demais, transforma as pessoas em workaholics, criando conflitos entre trabalho e casa, o que prejudica o bem-estar tanto do profissional quanto dos membros de sua família.[19]

É por isso que sou contundente ao alertar para que você não seja vítima da desatenção. Ninguém quer ser aquela pessoa que é surpreendida pelo que deveria ser óbvio. Há sempre sinais de alerta ao longo do caminho em direção ao desastre. Temos apenas que prestar atenção.

Os capítulos sobre clareza e influência vão ajudá-lo a evitar a desatenção. Além disso, talvez seja válido relembrar e implementar a atividade das áreas da vida, do capítulo sobre produtividade:

> A solução é manter as coisas em perspectiva, com um olho na qualidade ou no progresso das principais áreas da vida. Uma simples avaliação semanal do que estamos buscando nas principais áreas de nossa vida nos ajuda a reequilibrar ou pelo menos planejar um maior equilíbrio.
>
> Descobri que é útil organizar a vida em dez categorias: saúde, família, amigos, relacionamento íntimo (parceiro ou casamento), missão/trabalho, finanças, aventura, hobby, espiritualidade e emoção. Quando estou trabalhando com clientes, costumo fazer com que classifiquem a felicidade em uma escala de um a dez, e também escrevam seus objetivos em cada uma dessas dez esferas todos os domingos à noite.

Pode haver outras áreas que você deseja monitorar por si mesmo, ou diferentes atributos ou metas que deseja atingir, por isso incentivo você a criar suas próprias categorias, pontuações e estímulos para reflexão. O objetivo é revisá-los regularmente, pelo menos uma vez por semana. Nossos clientes acharam isso extremamente útil, não apenas para evitar a negligência em uma área, mas para alcançar um maior equilíbrio geral na vida.

Ir longe demais

Agora você tem uma nova ferramenta para evitar a desatenção enquanto continua a crescer. A próxima questão, ir longe demais, é um pouco mais complicada de lidar.

Uma das razões pelas quais profissionais de alta performance se tornam tão eficazes é que eles são mais disciplinados ao definir em quais prioridades vão focar. Como você aprendeu no capítulo sobre produtividade, eles identificam seu principal campo de interesse e, em seguida, concentram-se na produção de um resultado de qualidade prolífica. Isso é o que os leva ao próximo nível e os mantém crescendo e agregando valor. Mas quando esse foco diminui, por irem longe demais, o mesmo acontece com suas performances.

De acordo com os profissionais de alta performance que não conseguiram manter o sucesso, acabar indo longe demais foi um problema que resultou de um desejo insaciável por mais, somado a uma noção equivocada daquilo que é possível ser realizado em um curto espaço de tempo, o que gerou um excesso de comprometimento. Em outras palavras, foi uma questão de *tentar conquistar coisas demais, rápido demais, em áreas demais*.

A lição que aprenderam foi clara: quem é bom quer assumir mais responsabilidades. Mas cuidado com o impulso. Alta performance não é fazer mais apenas pelo mais, só porque você pode. É frequentemente fazer menos — concentrar-se apenas naquelas poucas coisas que importam e proteger seu tempo e seu bem-estar para que possa realmente engajar as pessoas ao redor, apreciar seu ofício e lidar com as responsabilidades de maneira mais confiante. Fazendo isso, você não acabará indo longe demais. Se expandir demais suas ambições, seu apetite logo superará suas habilidades. Daí a importância de lembrar-se de que a prioridade é manter as prioridades em primeiro lugar.

Geralmente consigo perceber se alguém está prestes a falhar fazendo uma pergunta simples: "Você realmente se sente excessivamente comprometido, neste momento?".

Descobri que novos empreendedores *quase sempre* respondem que sim. Seu sucesso inicial veio de dizer sim a quase tudo que lhes foi oferecido, porque eles ainda estavam testando suas capacidades, descobrindo seus pontos fortes, tentando encontrar a coisa certa, na esperança de não perder nenhuma oportunidade. Temiam deixar algo passar, e, em algum momento, superestimaram sua capacidade de lidar com as coisas. O outro grupo que diz sim à pergunta? Profissionais de alta performance em decadência.

Aqui está a difícil mudança de mentalidade que você terá que fazer quando atingir a alta performance. De certa forma, vai parecer a antítese do que você tem feito, uma abordagem perigosa e oposta, mas é de uma importância vital:

*Diminua a velocidade, seja mais estratégico
e diga não com mais frequência.*

Eu sei, dizer a alguém que está de vento em popa para desacelerar parece desanimador. Mas faça um favor a si mesmo e leia a frase novamente. Então, dê-se um presente e leia a frase novamente *em voz alta*. É importante que ela de fato faça sentido para você.

Naturalmente, a alta performance traz um ânimo e um ímpeto extraordinários. Você pode começar a sentir como se tudo estivesse indo a seu favor, principalmente quando todas as novas atenções e oportunidades impulsionam novas ambições e conferem novas liberdades. O esforço que permitiu o seu suado sucesso parece gratificante e ainda necessário. Mas essa mentalidade de esforço excessivo vai esgotá-lo, e, se você continuar a assumir responsabilidades demais, corre o risco de perder tudo. Sim, você é capaz de fazer coisas incríveis. Sim, você quer conquistar o mundo. Sim, você é o máximo. Mas não se comprometa demais só porque é bom no que faz. Para deixar de ser o máximo e ficar completamente esgotado é um pulo.

Então *desacelere*. Seja paciente. Você tem muitas habilidades e muito tempo para continuar construindo, agregando valor, inovando. Você pode melhorar em seu campo de interesse primário de forma deliberada e paciente. Pegue o caminho mais longo, e a vida parece menos um martírio e mais uma brincadeira.

Embora diminuir a velocidade pareça menos sedutor do que "não se acomode" ou "não perca nenhuma oportunidade", não deixa de ser o conselho de mais de *três quartos* dos profissionais com quem falei que perderam a alta performance. Tentar ir mais rápido e fazer mais coisas parecem o correto a fazer quando você é bom e tem certeza, mas podem fazer você levar um tombo daqueles.

Então, o que exatamente queremos dizer com "desacelerar"? Primeiro, em vez de viver um estilo de vida reativo, você se apropria do seu dia. Quando os sucessos se acumulam, é fácil gastar tempo respondendo a convites, ligações e pedidos de pessoas bem-intencionadas. De repente, o dia passou e você não fez nada. Você se sente bem, mas nada está realmente acontecendo, exceto novas reuniões. Desacelerar significa reservar tempo para se preocupar com a sua programação — fazendo o que você aprendeu neste livro sobre como revisar seu cronograma e suas tarefas todas as noites, todas as manhãs, todas as semanas.

Significa também dizer não às coisas boas que estenderiam demais o seu dia. Se uma boa oportunidade aparecer, mas vai lhe tirar algumas noites de sono, isso o forçará a cancelar passos estratégicos que você planejou há muito tempo, ou tomar o tempo que seria dedicado à sua família, então basta dizer não. Abarrotar tanto o seu dia de modo que você não tenha tempo para pensar ou descansar só deixa você cansado e irritado. E nenhum profissional de alta performance atribuiu seu sucesso à fadiga e ao mau humor.

É por isso que encorajo todos os profissionais de alta performance que querem continuar crescendo a *primeiro* dizer *não* a quase todas as oportunidades em sua mente, depois a se forçar a justificá-las antes de dizer um sim. O "sim" coloca você no jogo. Assumir muitas responsabilidades e buscar muitos interesses o ajudaram a descobrir o que é importante para você. Mas, agora que você está tendo sucesso, responder sim com mais frequência pode começar a prejudicá-lo. "Não" o mantém focado.

Para ajudá-lo a discernir entre sim e não, é preciso começar a pensar de maneira muito mais estratégica. Pensamento estratégico significa reduzir as coisas ao essencial e planejar sua realização ao longo de meses e anos. Isso é difícil, mas você tem que pesar as oportunidades de forma diferente agora, medindo-as a partir de um horizonte muito mais amplo. Você não pode pensar em como uma oportunidade é atrativa neste mês. É preciso agir de acordo com um plano — seus cinco passos — que já está em vigor pelos próximos meses. Se a coisa nova com a qual você quer se comprometer não o direciona de modo estratégico para suas metas finais, ela deve ser adiada. A maioria das oportunidades na vida que realmente valem a pena e têm significado ainda estará aqui daqui a seis meses. Se é difícil acreditar nisso, é só porque o sucesso é algo novo na sua vida. Então desacelere; diga não mais frequentemente;

seja mais estratégico. Não esteja desatento para o que realmente importa, ou vá longe demais no que não importa; diminua a velocidade do seu ímpeto, conquistado com tanta dificuldade.

NÃO SE ESQUEÇA DO QUE O TROUXE AQUI

> *Às vezes, estamos tão preocupados em dar a nossos filhos o que nunca tivemos que negligenciamos dar a eles aquilo que tivemos.*
> James Dobson

Um último lembrete simples: não se esqueça dos hábitos positivos que o trouxeram a este patamar de sucesso, e não ignore os hábitos que agora sabe que o levarão ao próximo nível. Muitas vezes, achamos que a negligência é o mesmo que subestimar nossos problemas. Mas também é esquecer de continuar a fazer o que estava funcionando. Você pode achar útil perguntar: "Quais são as cinco principais razões pelas quais cheguei tão longe na vida até agora?". Coloque essas cinco coisas na sua lista de revisão de domingo também. Pergunte: "Continuo a fazer as coisas que me tornaram bem-sucedido?".

Um profissional de alta performance me disse que a melhor maneira de evitar negligenciar algo importante para nós é ensinar os outros a valorizar essa mesma coisa. Se estiver ensinando a seus filhos o valor da paciência, por exemplo, você tende a não deixar de lado essa virtude (ou seus filhos). O que você pode ensinar aos outros para que eles o lembrem de se manter atento a isso?

> **Estímulos para a performance**
>
> 1. Uma área na qual estou negligenciando alguém ou algo importante em minha vida é...
>
> 2. Uma área na qual essa negligência me causará arrependimento futuramente é...
>
> 3. Uma área na qual posso agora retornar a meu foco, realocando minha atenção às coisas que importam, é...
>
> 4. Algumas áreas da minha vida nas quais me sinto excessivamente comprometido são...
>
> 5. As coisas para as quais preciso aprender a dizer não com mais frequência são...
>
> 6. Uma oportunidade que realmente quero buscar agora, mas que eu poderia programar para revisitar daqui a uns meses, é...
>
> 7. Os principais fatores que alavancam meu sucesso e nos quais eu deveria estar focado agora, apesar de todos os outros assuntos e oportunidades interessantes, são...
>
> 8. A estratégia que usarei para me lembrar de não assumir muito é...

DURAS VERDADES

Os verdadeiros responsáveis por nossa falta de sucesso não são a falta de valor ou de inteligência, mas sim, em última instância, a forma como *administramos nossa atenção*. Você se sente diferente dos outros, então deixa de dar atenção a feedbacks, pontos de vista diferentes, novas maneiras de fazer as coisas. Você se torna tão bom que começa a perceber apenas o que está errado, e um estado constante de decepção drena sua paixão. Você decide racionalmente negligenciar uma área da sua vida para que possa progredir, dizendo que "vai valer a pena", então você deixa de se concentrar no que realmente importa.

Nenhuma dessas situações precisa ser a sua realidade.

Superioridade, insatisfação e negligência são seus inimigos. Se deixar que invadam sua vida, você perderá. Esteja atento, evite-os e pratique seus AP6, e tudo vai ficar bem.

A verdade é sempre dura quando nos vemos agindo negativamente de acordo com o que discutimos neste capítulo. Mas se manter o sucesso é importante para você, fica aqui meu incentivo a revisitar este capítulo com frequência. Isso vai mantê-lo humilde, satisfeito e focado. E permitirá que você e outros aproveitem o que deveria ser uma vida extraordinária e uma prazerosa escalada até a alta performance.

A coisa mais importante

Eles são capazes de pensar que são capazes.
Virgílio

"Você está sempre *elétrico* desse jeito?", pergunta Aurora.

"Como assim?"

"Assim, desse jeito... animado. Feliz."

Paro para pensar por um momento e começo a rir. "Sim, sou irritante nesse nível mesmo. Por quê?"

Aurora observa as 15 mil pessoas reunidas no auditório. Estamos na última fila lá no alto, olhando para o palco. Dentro de uma hora, nós dois teremos o privilégio de palestrar aqui.

"Mas você não está nervoso?", pergunta ela. "Sinto que vou passar mal a qualquer momento. Não consigo manter os pensamentos em ordem."

Um assistente de produção nos interrompe e pergunta se pode nos levar até uma sala reservada do auditório. Enquanto andamos, Aurora continua. "Você parece tão relaxado. Como você consegue ficar tão confiante?"

As perguntas dela me surpreendem, porque também estou nervoso, e acreditava que isso estivesse aparente. Essa não é só a minha primeira vez falando para tantas pessoas, mas também é a primeira vez que faço essa apresentação específica. Explico isso para Aurora e digo: "Para ser sincero, não sei exatamente como avaliar a reação deles à minha palestra".

"Então por que você parece tão calmo?"

"De maneira alguma eu diria que estou calmo! Também estou extremamente nervoso, mas na verdade não estou pensando nisso. Vou me preocupar com essas 15 mil pessoas quando chegar até elas. Estava apenas aproveitando minha conversa com você."

"É gentil da sua parte dizer isso, Brendon. Me desculpe, estou sentindo que vou ser um desastre."

"Por quê? Você já foi um desastre na frente de tantas pessoas em algum outro momento?"

Ela ri. "Não, você sabe disso."

Na verdade, Aurora nunca se dirigiu a uma grande multidão. Como ginasta de nível internacional, já esteve na frente de milhares de pessoas — ela apenas não fez uma apresentação formal remunerada. Ela teve a oportunidade de falar aqui porque é uma heroína de sua cidade natal, e recentemente subiu ao pódio nas Olimpíadas.

Chegamos à sala, e Aurora se senta em uma cadeira de maquiagem. Ela bate papo com Lisa — a maquiadora — por um tempo e então pergunta: "No que eu deveria estar pensando então, Brendon? Este é o seu mundo, não o meu".

"Bem, no que você está pensando agora?"

"Que vou ser um desastre!"

"Mas, novamente, você nunca foi um desastre falando na frente de tantas pessoas, certo?"

"Certo."

"Então, por que tentar se convencer disso?"

"Não sei. É o que estou sentindo, só isso."

"Eu entendo. Mas você já sabe que isso não vai adiantar. Deixe-me fazer uma outra pergunta. *Por que*, acima de tudo, você quer estar aqui?"

"Só quero compartilhar minha história com eles e talvez inspirar alguém."

"Ótimo. Bem, você conhece a sua história, certo? Você falou sobre ela em entrevistas, sei lá, um milhão de vezes, não é?"

Antes que ela possa responder, Lisa nos conta que ouviu a história de Aurora na ESPN.

"Todos nós conhecemos sua história, Aurora", digo. "E você também. Você já sabe o que dizer, então agora trata-se apenas de *quem você quer ser* naquele auditório e *como quer se conectar*. Quando você está no seu melhor durante uma apresentação de ginástica, como você se descreveria?"

"Feliz. Confiante. Fico animada."

"Quando você estava competindo, o nervosismo acompanhava qualquer uma dessas emoções?"

"Sem dúvida."

Abro um sorriso. "Então você já passou por isso antes. Você sabe o que fazer e como agir. Acho que a única questão que realmente importa é como você quer se conectar com esse público..." Inclino-me para a frente e falo de modo quase sarcástico. "Como a *ginastinha nervosa* que sente como se não conseguisse dar uma simples estrela, ou como a mulher que mostrou ao mundo seus superpoderes nas Olimpíadas."

Meu tom pega Aurora desprevenida, mas faz Lisa rir.

"Você tem que ser coerente com quem você é", continuo. "Você não é uma garotinha de olhos arregalados perdida em um palco. Você é uma campeã. Agora, como esta campeã sentada aqui na minha frente quer se conectar com o público hoje?"

"Quero mostrar o amor que tenho por eles. Quero que saibam que ganhei uma medalha por causa do apoio deles."

"Então mostre a eles esse amor. Deixe que *essa* seja a sua emoção. Deixe que essa seja a sua mensagem. Isso parece verdadeiro para você?"

Aurora se levanta e me dá um beijo na bochecha. "Você está certo, Brendon. Eu sou 45 quilos de amor. Vamos levar amor para essas pessoas."

Analisamos mais de cem variáveis para tentar descobrir quais são os hábitos mais importantes para os profissionais de alta performance. Fizemos praticamente todas as perguntas imagináveis sobre como eles se tornaram tão extraordinários. Também buscamos descobrir o que é mais importante para aumentar as pontuações gerais no HPI e as pontuações específicas de acordo com os diferentes hábitos, relacionadas à alta performance. E até agora nada que descobrimos se relaciona mais à pontuação de alta performance do que a *confiança*. Ela é o ingrediente secreto que faz você enfrentar desafios.

Você já sabe como a confiança é importante porque compartilhei neste livro que, junto com *comprometido* e *alegre*, *confiante* é uma das três palavras que os profissionais de alta performance mais usam para descrever seu constante estado emocional. Suas descrições também se alinham aos dados, já que profissionais de alta performance no mundo todo concordam expressamente com a seguinte afirmação mais do que as outras pessoas: *Estou confiante de que posso alcançar meus objetivos apesar dos desafios ou da resistência*. Acontece que esse tipo de confiança está considerável e significativamente relacionado com a alta performance geral, bem como com cada um dos seis hábitos de alta performance isolados. Quando alguém se sente mais confiante, tem maior clareza, energia, produtividade, influência, necessidade e coragem de maneira constante.[1]

Descobrimos também que os indivíduos com um nível mais elevado de confiança tendem a ser mais felizes na vida de modo geral, a gostar de assumir novos desafios e a sentir que fazem a diferença no mundo.[2] Pense nisso por um momento. A confiança é uma poderosa porta de entrada para grande parte daquilo que desejamos na vida.

Essas descobertas também se alinham com quase quarenta anos de pesquisa afirmando que esse tipo de confiança — frequentemente chamado de *autoeficácia* — é o prelúdio de uma felicidade e uma performance excepcionais.[3] Mas isso vai além de se destacar e se sentir bem. Uma meta-análise de 57 estudos transculturais envolvendo mais de 22 000 indivíduos sugere que, quanto mais confiante você se sente, menor a probabilidade de sentir-se esgotado no trabalho.[4] Em um mundo repleto de preocupações acerca do excesso de trabalho, cultivar a confiança poderia ser a salvação. Por que ela nos ajudaria a evitar esse esgotamento? Profissionais de alta performance me dizem que quem se sente mais confiante está mais disposto a dizer não e tem mais certeza em relação àquilo em que deve focar, o que o torna mais eficiente e menos propenso a distrações.

Outro estudo, com resultados em sintonia com outros 173 estudos abrangendo mais de 33 000 indivíduos, sugere que a autoeficácia está fortemente relacionada a comportamentos positivos no que se refere à saúde. Quanto mais acreditar em sua capacidade de ter uma boa performance, maior a sua probabilidade de fazer coisas que protejam, restaurem e melhorem a sua saúde.[5] Você provavelmente concluiu isso ao longo da vida. Quando você se sente bem consigo mesmo, é mais provável que pratique atividades físicas.

Todas essas descobertas levam a uma conclusão contundente no desempenho humano: ficar mais confiante é bom para sua saúde; diminui o esgotamento; e faz você se sentir feliz, mais satisfeito e mais disposto a assumir novos desafios. Por essas razões, gosto de dizer que *nada se correlaciona como a confiança*.

Mas isso não quer dizer que a confiança por si só *leve* à alta performance. Você pode ter toda a autoconfiança do mundo, mas, se não praticar os hábitos de alta performance, as chances de sucesso a longo prazo não serão tão grandes. A partir da nossa pesquisa, fica claro que, para se tornar extraordinário, você precisa de muita confiança *e* dos hábitos de alta performance.

Mas de onde vem o tipo de confiança que melhora a performance? O que, especificamente, os profissionais de alta performance fazem para conquistar e manter a confiança ao lidar com os desafios da vida e ao assumir objetivos ainda maiores?

OS 3 C'S DA CONFIANÇA

> *A autoconfiança é o primeiro requisito para grandes empreendimentos.*
> Samuel Johnson

Uma vez que descobrimos que a confiança era tão fundamental para a alta performance, procurei trinta pessoas com as maiores pontuações gerais de HPI dentre mais de vinte mil entrevistados que também concordaram veementemente com a frase: "Estou confiante de que posso alcançar meus objetivos apesar dos desafios ou da resistência". Eu já havia estudado muito da literatura acadêmica a respeito da confiança, e tínhamos muitas informações obtidas nas pesquisas, então queria ouvir o que os melhores profissionais de alta performance realmente falavam sobre isso. Eu me perguntava se eles se sentiam de alguma forma sobre-humanos, como se tivessem um tipo inato e incontrolável de confiança que nós, meros mortais, não temos.

Como você provavelmente pode imaginar, a resposta foi não. Profissionais de alta performance *têm sim* mais confiança do que a maioria das pessoas, mas não porque nasceram assim, ou por terem sorte ou alguma habilidade sobre--humana. O que descobri foi que, em comparação com os demais, profissionais de alta performance simplesmente *pensavam* em coisas que lhes davam mais confiança, *faziam* coisas que lhes davam mais confiança e *evitavam* coisas que drenavam sua confiança. Quase todos relataram que a confiança foi resultado de pensamentos e ações que tinham algum propósito. Ninguém nas entrevistas, nem qualquer outro profissional de alta performance que já treinei ou com quem trabalhei, disse: "Nasci confiante o bastante para lidar com os enormes desafios e responsabilidades que enfrento na minha vida atualmente".

Então, o que os profissionais de alta performance pensaram, fizeram e evitaram para desenvolver uma confiança tão grande?

É possível agrupar minhas descobertas em três áreas: *competência*, *coerência* e *conexão*. Como são tópicos importantes para o desenvolvimento de uma confiança de alta performance, tratarei deles como práticas, do mesmo modo que fizemos nos capítulos anteriores.

PRÁTICA #1: DESENVOLVA COMPETÊNCIA

Nossa capacidade é do tamanho de nossa confiança.
William Hazlitt

Embora a maioria das pessoas considere a confiança uma crença geral em si mesmo, o tipo de confiança que está mais ligada à melhoria da performance vem da crença nas habilidades de alguém em uma tarefa específica.[6] Isso significa que, quanto mais conhecimento, capacidade, habilidade ou talento — ou seja, competência — você tem em uma tarefa específica, mais provável é que você seja confiante e tenha uma boa performance. Ensino a respeito desse "ciclo competência-confiança" desde 1997, e sempre me surpreendo com quantas vezes esse assunto surge durante entrevistas com profissionais de alta performance.

A ideia aqui é que, quanto mais competência você tiver em qualquer tarefa, mais confiante você se sentirá ao realizá-la com mais frequência — e mais você vai se esforçar. A repetição e o esforço levam a mais aprendizado, o que lhe dá mais competência. Mais competência, então, gera mais confiança, e por aí vai. Dá para ver como isso acontece se você já foi para a academia em alguma ocasião. Na primeira vez lá, você não sabe exatamente o que fazer com todos os pesos e aparelhos. Então você está confuso com seu treino e talvez até um pouco sem jeito. Mas quanto mais vai à academia, mais você sabe. Em breve, você estará confiante em sua habilidade de usar os pesos e os aparelhos, e começará a se esforçar mais à medida que souber usá-los com mais perícia. Você não "nasceu confiante" na academia; você *se tornou* confiante. Não é um traço fixo de personalidade. É um músculo que você exercita por meio do esforço.

De um jeito ou de outro, todos os trinta profissionais com as mais altas performances falaram sobre o ciclo competência-confiança. Eles creditaram seu atual nível de confiança a seus *anos de foco, aprendizado, prática e desenvolvimento de habilidades*. De fato, para 23 dos trinta, a *primeira* referência ao discutir confiança foi isso. E nenhum deles mencionou ter tido a sorte de nascer transbordando confiança. Não falaram sobre autoestima de modo geral, como se nota em "Eu gosto de mim mesmo" ou em "Eu me sinto bem comigo mesmo". Falaram sobre como tinham chegado até ali e conquistaram a confiança necessária para se saírem bem na vida. Eles pensam: *Eu sei o que fazer e como agregar valor aqui.*

Para minha surpresa, os profissionais de alta performance atribuíram sua confiança a esse tipo de competência antes mesmo de mencionarem traços de caráter. Achei que eles falariam primeiro a respeito dos traços que lhes davam autoconfiança, depois daqueles que estimulavam o desenvolvimento da capacidade. Eu estava errado, e é por isso que digo que o "ciclo" nunca deixa de surpreender.

No capítulo sobre produtividade, falei sobre como se tornar supercompetente em qualquer capacidade por meio da prática do domínio progressivo. Então deixe-me passar para outra especificidade em relação a esse assunto. Profissionais de alta performance têm confiança não apenas por causa das capacidades adquiridas em uma área específica no passado, mas também pela confiança em sua habilidade de atingir competência em uma *situação futura*. Ou seja, eles relataram que sua confiança não estava relacionada a uma competência específica, mas a uma crença de que eles poderiam lidar de maneira adequada com as coisas no futuro — mesmo que não tivessem experiência. Sua confiança veio da crença no poder de *aprender em geral*.

> *Profissionais de alta performance são aprendizes, e sua crença de que podem aprender aquilo que for necessário para vencer no futuro lhes dá tanta confiança quanto suas capacidades atuais.*

Tendo aprendido tantas coisas no passado, eles acreditam que podem fazer isso de novo. Dessa forma, ficou claro que a voz interior de um profissional de alta performance está dizendo: "Acredito na minha capacidade de entender como as coisas funcionam". É um pouco cíclico, mas não menos verdadeiro: a competência-chave que dá confiança aos profissionais de alta performance é a capacidade de rapidamente compreender algo ou desenvolver determinada habilidade em novas situações. Em outras palavras, a competência que importa é a capacidade de se tornar competente.

É por isso que eu sabia que lembrar Aurora de seus superpoderes a ajudaria a se sentir um pouco mais confiante antes de sua palestra. Ela tinha descoberto muitas coisas na vida, e o simples fato de se dar conta disso poderia lhe fornecer um pequeno estímulo de confiança para lidar com essa situação também — mesmo que ela nunca tivesse feito aquilo antes.

Essa ideia é particularmente importante no esporte. Todos os dias, no campo ou no estádio, você conhecerá alguém que tem mais experiência e talvez mais talentos e vitórias. Você vai sentir com frequência que não é capaz de estar à altura, e muitas vezes isso será verdade. Mas só porque você não consegue acompanhá-los não significa que você não pode *aparecer*. Somente ao se fazer presente de maneira constante, mesmo quando você for o mais novato de todos, você em algum momento terá essa experiência e confiança.

Além de uma confiança às vezes desmedida em sua capacidade de descobrir as coisas no momento, os profissionais de alta performance também ganham mais confiança refletindo sobre vitórias do passado e aprendendo mais com elas do que as outras pessoas.

> *Profissionais de alta performance ponderam as lições extraídas de suas vitórias. Eles dão crédito a si mesmos e permitem que essas vitórias se integrem à sua psique, dando-lhes mais força.*

Essa é uma distinção essencialmente importante. Profissionais de baixa performance raramente refletem sobre as lições aprendidas, e, quando o fazem, são muito duros com eles próprios. E, mesmo quando ganham, raramente *incorporam* essa vitória à sua identidade. Saíram-se bem, mas não se sentem mais fortes por causa disso. Simplesmente não se permitem *sentir a vitória*. Não conseguiram obter aquilo que os jogadores chamariam de *power-*

-*up*. Durante conversas com eles, fica óbvio que não reconhecem o quanto aprenderam, quão longe chegaram, o que são capazes de fazer agora ou no futuro. Colocam-se para baixo mesmo quando chegaram longe. E assim eles não têm confiança.

É por isso que, ao se esforçar, é importante dar início a uma prática de refletir sobre seu progresso e seu novo aprendizado. Não espere até a véspera de Ano-Novo para pensar sobre todas as grandes coisas que você fez e aprendeu este ano. Recomendo que você passe pelo menos trinta minutos todos os domingos refletindo acerca da semana anterior. O que você aprendeu? Com o que lidou bem? Pelo que você merece se parabenizar? Por mais simplista que possa parecer, isso pode ajudá-lo e muito a ganhar mais confiança.

Estímulos para a performance

1. As competências — conhecimentos, capacidades, habilidades ou talentos — que tenho trabalhado duro para cultivar em minha vida são...

2. Se eu me desse algum crédito por aprender todas essas coisas, começaria a me sentir mais...

3. Algo que aprendi a fazer nos últimos anos e pelo que ainda não me dei crédito é...

4. Sinto que posso lidar com um grande desafio na minha vida agora, porque aprendo bem como...

5. Uma prática que vou começar a realizar toda semana para me ajudar a me sentir mais confiante é...

PRÁTICA #2: SEJA COERENTE

> *A autoconfiança é a primeira chave para o sucesso.*
> Ralph Waldo Emerson

Viver em coerência com o melhor de nós mesmos é uma das principais motivações da humanidade. Escrevi um capítulo inteiro sobre esse tópico em meu livro *O poder da energia*, e usaremos um trecho aqui para começar o debate:

No centro da coerência estão questões sobre como estamos realmente vivendo nossa vida, não apenas imaginando-a. O impulso para a coerência obriga você a se perguntar: "Estou sendo honesto com quem sou?". "Sou confiável – fiel a mim mesmo e aos outros?" "Coloco em prática aquilo que prego e que penso?" "Sigo aquilo que sei sobre mim mesmo?" "Tomo uma posição quando o mundo desafia quem posso me tornar?" Essas perguntas, e nossas respostas a elas, nos definem e determinam em grande parte nosso destino.

É difícil ser coerente. Naturalmente, diferentes partes de nós estão comprometidas em momentos distintos. Nossa identidade, personalidade, estados e padrões podem variar de um contexto para outro. Podemos ser uma estrela do rock no trabalho, mas um zelador em casa. Podemos ser divertidos, animados e brincalhões com nossos melhores amigos, mas tímidos e reservados na cama. Podemos ser agressivos em uma situação e, em seguida, não lançar mão da assertividade quando for importante. A variação em quem somos em qualquer contexto é natural e, apesar do que alguns podem querer fazê-lo acreditar, é saudável. A vida não seria nem um pouco saudável (para não dizer o tédio) se fôssemos exatamente os mesmos o tempo todo.

Para nos sentirmos mais coerentes, porém, teremos que ser mais conscientes sobre quem somos e que tipo de vida queremos ter. Precisaremos estar conscientes acerca da elaboração e da manutenção de nossa identidade.

Tudo isso requer escolha consciente e trabalho. Talvez alguém não tenha se apaixonado perdidamente por você quando você era mais novo, então você sempre teve a identidade de alguém que não é ou não pode ser amado. Agora, já adulto, você pode conscientemente escolher se apaixonar por si mesmo.

Talvez você nunca tenha recebido a atenção ou o respeito que desejava. Agora é a hora de dar isso tudo a si mesmo. Talvez ninguém nunca tenha incutido em você a confiança que o faria sentir que poderia moldar ou abalar o mundo com o seu poder. Dê essa confiança a si mesmo. Este é o caminho para construir sua própria identidade.

Nas minhas entrevistas, fica claro que os profissionais de alta performance abordaram suas vidas segundo o conceito do último parágrafo dessa citação. Não esperaram que os outros definissem quem eles deveriam ser. Em algum momento — muitas vezes um momento importante em sua vida — eles assumiram o controle, definiram quem queriam ser e começaram a viver de acordo com essa autoimagem.

> *Eles moldaram sua identidade por uma vontade consciente e alinharam seus pensamentos, sentimentos e comportamentos para apoiar essa identidade.*

Quanto mais dias eles vivem em coerência com quem escolheram se tornar, mais cultivam um sentimento geral de confiança na vida. Ouvi isso várias e várias vezes em entrevistas: "Decidi me libertar dos meus pais [ou do meu trabalho ou dos meus antigos relacionamentos] e fazer o que realmente queria". "Finalmente escolhi procurar um trabalho que tivesse mais a ver *comigo*." "Comecei a viver com maior propósito."

Também está claro que os profissionais de alta performance não se sentem mais como se estivessem fingindo ser algo que não são para chegar a algum lugar. Embora seis pessoas das trinta que entrevistei tenham mencionado isso como algo que fizeram anteriormente na vida ou na carreira, nenhuma alegou que ainda estivesse fingindo. Em vez disso, os profissionais de alta performance parecem acordar todos os dias e ter uma clara intenção de quem realmente querem ser, então saem para o mundo e dão a essa intenção foco e energia verdadeiros. Um senso de autenticidade, orgulho, autoconfiança e confiança vem dessas ações coerentes. Quando falei com Aurora, fiz o possível para lembrá-la de que ela era uma campeã, de modo que seus pensamentos e ações se realinhassem em direção a essa verdade. Às vezes, simplesmente encarar o poder que temos pode dar o estímulo de confiança de que precisamos.

Se você conseguir compreender o poder da coerência, poderá entender por que o hábito de *buscar clareza* é tão importante para a confiança. Você não pode ser coerente com algo que nunca definiu. Sem clareza e sem coerência não há confiança. É simples assim. É por isso que incentivo você a revisitar o capítulo sobre clareza e lembrar-se de preencher o Clarity Chart™ toda semana. Preencha as informações de cada semana com a intenção sobre quem você quer ser e, em seguida, alinhe suas ações com essa autoimagem para ganhar mais confiança.

Por fim, compartilharei algo que a maioria dos profissionais de alta performance dividiu comigo: a confiança vem da sua sinceridade consigo mesmo e com os outros. Você tem que evitar as pequenas mentiras que podem facilmente destruir o que forma o seu caráter. Se mentir sobre as pequenas coisas, você vai causar uma catástrofe quando for confrontado com coisas importantes. Seu coração e sua alma querem ter a certeza de que você viveu uma vida honesta. Se quebrar essa confiança, você corre o risco de se sentir incoerente e de arruinar sua performance. Viva de acordo com a sua verdade e diga a verdade, e você se sentirá coerente.

Estímulos para a performance

1. A pessoa que realmente quero ser na vida pode ser descrita como...

2. Três coisas que eu poderia fazer toda semana para viver de forma mais coerente com essa visão que tenho de mim são...

3. Três coisas que eu deveria parar de fazer na minha vida de uma vez por todas para que eu possa viver em maior coerência com a imagem ideal que tenho de mim mesmo são...

PRÁTICA #3: DESFRUTE DA CONEXÃO

> *Você consegue fazer mais amigos em dois meses ao se interessar por outras pessoas do que em dois anos tentando fazer as pessoas se interessarem por você.*
> Dale Carnegie

Como você sabe, os profissionais de alta performance adoram exercer influência sobre os outros. Gostam de se conectar com as pessoas e de aprender como elas pensam, que desafios enfrentam e pelo que estão lutando neste mundo. Também gostam de compartilhar essas coisas com os outros. Lembre-se de que isso não significa que todos os indivíduos de alta performance sejam extrovertidos. Uma pessoa introvertida é tão propensa a ter uma alta performance quanto uma extrovertida. Um estudo recente entre mais de novecentos CEOs descobriu que pouco mais da metade dos profissionais com as performances mais altas era introvertida.[7] Com as chances praticamente divididas meio a meio, nota-se que não é a personalidade que dá alguma vantagem.

Na medida em que a alta performance não está fortemente relacionada à personalidade, o que, exatamente, torna os profissionais de alta performance tão interessados em outras pessoas? Por que têm tanta curiosidade em relação aos outros? O que lhes dá confiança para conversar com os outros, fazer perguntas, envolver-se?

Os profissionais de alta performance simplesmente aprenderam o imenso *valor* de se relacionar com os outros. Descobriram que é ao se conectarem com os outros que aprendem mais sobre si mesmos e sobre o mundo. É a conexão deles com os outros que inspira maior coerência e competência. Você também sabe disso. Quanto mais trabalhar com as pessoas, mais você aprende sobre si mesmo. E, quanto mais trabalhar com os outros, mais você aprende novas maneiras de pensar, novas habilidades, novas maneiras de servir. Esse êxito de aprendizado é o que os profissionais de alta performance me disseram que os incentiva muito a se envolver.

É um diferencial importante, principalmente se você não se considera uma pessoa sociável. Não importa se você lida naturalmente com os outros. O que importa é o seguinte: "Você quer aprender com os outros? Vai dedicar o tempo necessário para isso? Tentará de verdade se envolver com alguém e aprender sobre como essa pessoa pensa, do que ela precisa, pelo que ela luta?". Se puder evocar essa curiosidade e conversar com pessoas suficientes com essa intenção, você ganhará confiança. Pelo menos, foi isso que os profissionais de alta performance compartilharam conosco.

A confiança dos profissionais de alta performance vem, desse modo, de uma mentalidade que diz: "Sei que vou me sair bem com as outras pessoas, pois estarei genuinamente interessado nelas porque quero aprender". Durante as entrevistas que realizei, ninguém disse o contrário: "Sei que vou me sair bem com os outros porque farei com que genuinamente se interessem por *mim*, porque quero lhes ensinar quem eu sou". Eles não estão pensando em seu *elevator pitch* ou no que têm para dizer a todos tanto quanto no que estão fazendo em relação ao que podem aprender ou a como podem servir. A confiança vem mais da conexão do que da projeção.

Estímulos para a performance

1. A principal razão pela qual quero me tornar melhor com as pessoas é...

2. Sei que vou me tornar mais confiante com as pessoas quando eu...

3. Para ganhar mais confiança das pessoas, quando falar com elas, pensarei comigo mesmo como...

UMA FÓRMULA E UM ATÉ BREVE

> *Assim que confiar em si mesmo, você saberá como viver.*
> Johann von Goethe

Ao refletir sobre esses três propulsores de confiança — competência, coerência e conexão —, talvez você tenha notado um tema subjacente. O que impulsionou nos profissionais de alta performance o desenvolvimento de cada uma dessas áreas foi a *curiosidade*. Foi a curiosidade que desenvolveu seus conhecimentos, capacidades e habilidades. A curiosidade conduziu a autoavaliação deles. Você precisa fazer muitas perguntas sobre si mesmo para ver se está vivendo uma vida coerente. A curiosidade fez com que eles quisessem procurar as outras pessoas. Então talvez exista uma fórmula em jogo:

Curiosidade x (Competência + Coerência + Conexão) = Confiança

Essa equação é promissora porque você não precisa fingir ser sobre-humano. Você só precisa se preocupar o bastante para aprender coisas novas, para viver em sintonia com quem quer se tornar, de forma a se interessar pelos outros. Você se sentirá melhor em relação a si mesmo, e as pesquisas mostram que a curiosidade por si só pode melhorar seu bem-estar.[8] A curiosidade é o que dá energia para uma vida repleta de alegria e vivacidade. Para chegar lá, você só precisa começar a condicionar seu diálogo interior que diz...

- *Sei o que fazer e como agregar valor aqui (ou pelo menos acredito na minha capacidade de entender as coisas e estou disposto a fazer isso).*
- *Sei que estou vivendo em sintonia com a pessoa que quero ser.*
- *Sei que vou me sair bem com os outros, porque estou genuinamente interessado em aprender sobre eles e em servi-los.*

Se esses se tornarem seus pensamentos recorrentes e uma realidade na sua vida, você estará mais propenso a confiar em seu caminho para atingir uma performance mais alta.

Não vou fingir que se tornar mais confiante ou atingir uma alta performance será fácil. Ao longo deste livro, compartilhei que a jornada para se tornar mais extraordinário na vida será sempre repleta de conflitos. Mas, como também já disse aqui, *conforto* não é o objetivo do desenvolvimento pessoal, mas o *crescimento*. Portanto, antecipe e respeite o fato de que será difícil implementar os hábitos e as práticas deste livro.

Embora a jornada lhe imponha desafios, pelo menos agora você tem um mapa. Você conhece os seis hábitos exigidos para a alta performance e sabe as práticas para desenvolver cada um deles. Com as lições deste capítulo, você também sabe como se tornar ainda mais confiante nesse caminho para uma performance mais alta. Torne-se uma pessoa curiosa em relação à sua performance novamente e procure aperfeiçoá-la por meio da prática dos AP6:

1. *Procure clareza* sobre quem você quer ser, como deseja interagir com os outros e o que trará sentido para sua vida.
2. *Gere energia* para que você possa manter o foco, a dedicação e o bem-estar. Para dar o melhor de si, será necessário cuidar atentamente de sua resistência mental, de sua energia física e das emoções positivas.
3. *Encontre a necessidade* para ter uma performance excepcional. Isso significa explorar com toda a energia as razões pelas quais você *deve* ter indiscutivelmente um bom desempenho. Essa necessidade se baseia em uma combinação dos seus padrões internos (por exemplo, identidade, crenças, valores ou expectativa de excelência) e das demandas externas (como obrigações sociais, concorrência, compromissos públicos, prazos).
4. *Aumente a produtividade* em seu campo principal de interesse. Concentre-se especialmente na produtividade de natureza prolífica (PNP) na área em que quiser gerar impacto e ser reconhecido. Você também terá que minimizar distrações (inclusive oportunidades) que desviem sua atenção de criar PNP.
5. *Exercite a influência* com aqueles ao seu redor. Isso o tornará mais apto para fazer com que as pessoas acreditem em seus esforços e ambições e os apoiem. A menos que você desenvolva uma rede de apoio positivo, conquistas importantes a longo prazo serão quase impossíveis.
6. *Demonstre coragem* expressando suas ideias, empreendendo ações audaciosas e defendendo-se e aos outros, mesmo diante do medo, da incerteza ou de condições instáveis.

Procurar clareza. Gerar energia. Encontrar a necessidade. Aumentar a produtividade. Exercitar a influência. Demonstrar coragem. Esses são os seis hábitos que você precisa adotar para alcançar uma alta performance e permanecer no topo. São esses hábitos que o tornarão mais confiante na vida e ainda mais extraordinário.

E agora? Mantenha o checklist dos seis hábitos por perto o tempo todo. Você pode encontrar o Guia resumido no fim deste livro. A partir de agora, antes de cada reunião, antes de cada telefonema, antes de iniciar qualquer novo projeto ou ir em busca de qualquer novo objetivo, reveja os seis hábitos.

Vinte e tantos anos atrás, eu estava em choque e coberto de sangue dentro do carro completamente amassado depois do meu acidente. Aprendi que, no fim da vida, todos se questionarão se foram felizes nesse caminho. Aprendi que minhas perguntas deveriam ser: *Eu vivi? Eu amei? Eu fiz a diferença?*. Particularmente, não gostei das minhas respostas, então quis mudar minha vida e procurei as melhores maneiras de fazer isso. Senti que lutar para me tornar o meu eu ideal era uma maneira de merecer a grande bênção de ter recebido uma segunda chance. Esse esforço levou a uma vida de aprendizado e, por fim, à descoberta desses hábitos de alta performance.

Espero que, ao fechar este livro, você decida viver com o mesmo propósito e a mesma adoração pela sua vida. Espero que você acorde todos os dias e decida praticar os hábitos que o deixarão orgulhoso da sua vida. Espero que, à medida que tente viver uma vida extraordinária, você espalhe a alegria e valorize o esforço, e busque servir os outros. Espero que, quando olhar para trás um dia, tendo alcançado um nível de performance além de qualquer sonho, você possa dizer que esse era o objetivo, que você trabalhou por isso, desejou que isso acontecesse — que você nunca desistiu e não desistirá. *Você se tornou extraordinário porque escolheu ser assim.*

Essa realidade está ao alcance de cada um de nós.

Agora *corra atrás dela.*

Guia resumido

O que quer que você seja, seja o melhor.
Abraham Lincoln

HÁBITOS PESSOAIS

HÁBITO UM: PROCURAR CLAREZA

1. <u>Tenha em mente os Quatro Horizontes</u>. Tenha visão e estabeleça constantemente propósitos claros sobre quem você deseja ser a cada dia, como deseja interagir com os outros, quais habilidades deve desenvolver para vencer no futuro e como fazer a diferença e servir com excelência. Nunca encare uma situação sem pensar nessas quatro categorias (consciência, coletivo, capacidades e contribuição).
2. <u>Determine o sentimento que está buscando</u>. Pergunte-se com frequência: "Qual é o sentimento principal que quero *associar* a essa situação, e qual o sentimento principal que quero que essa situação me *traga*?". Não espere que as emoções cheguem a você; escolha e cultive os sentimentos que deseja experimentar e compartilhar constantemente na sua vida.
3. <u>Defina o que é significativo</u>. Nem tudo o que é possível de ser alcançado é importante. Portanto, a questão não é a conquista, mas o alinhamento. Olhe para os próximos meses e para os projetos que estão por vir e determine o que pode lhe trazer entusiasmo, conexão e satisfação — e dedique mais tempo a isso. Sempre se pergunte: "Como posso fazer com que esse esforço seja significativo para mim na esfera pessoal?".

HÁBITO DOIS: GERAR ENERGIA

1. <u>Libere a tensão, defina a intenção</u>. Use os períodos entre cada atividade para renovar sua energia. Faça isso fechando os olhos, respirando fundo e liberando a tensão no corpo e os pensamentos na mente. Tente fazer isso pelo menos uma vez a cada hora. Depois de sentir a tensão aliviar, defina uma intenção clara para a próxima atividade, abra os olhos e volte ao trabalho com foco intenso.
2. <u>Traga alegria</u>. Seja responsável pela energia que você traz para o seu dia e para cada situação em sua vida. Concentre-se principalmente em trazer alegria às suas atividades. Anteveja os resultados positivos de suas ações, faça perguntas que geram emoções positivas, defina gatilhos mentais para lembrá-lo de ser positivo e grato e valorize as pequenas coisas e as pessoas ao redor.
3. <u>Otimize a saúde</u>. Se as demandas da sua vida exigem que você aprenda rapidamente, lide com o estresse, esteja alerta, preste atenção, lembre-se de coisas importantes e mantenha um humor positivo. Para isso, você deve levar sono, atividades físicas e alimentação mais a sério. Otimize sua saúde consultando o seu médico e outros profissionais. Você já sabe as coisas que deveria estar fazendo. Mãos à obra!

HÁBITO TRÊS: ENCONTRAR A NECESSIDADE

1. <u>Saiba quem precisa da sua melhor performance</u>. É impossível se tornar extraordinário sem o entendimento de que é absolutamente necessário se destacar, tanto para você quanto para os outros. De agora em diante, sempre que você se sentar à sua mesa, pergunte-se: "Quem mais precisa da minha melhor performance neste momento? E quanto à minha identidade e minhas obrigações externas, o que é crucial resolver hoje?".
2. <u>Afirme o porquê</u>. Quando você verbaliza alguma coisa, ela se torna mais real e importante. Repita com frequência o seu "porquê" em voz alta e o compartilhe com outras pessoas. Isso vai motivá-lo a viver em coerência com seus compromissos. Então, da próxima vez que quiser

encontrar motivação para melhorar sua performance, repita — para si mesmo e para os outros — o que você quer e por quê.
3. <u>Melhore a qualidade do seu time</u>. Emoções e excelência são contagiantes, por isso passe mais tempo com as pessoas mais positivas e bem-sucedidas do seu grupo de colegas. Em seguida, continue a construir sua rede ideal de pessoas que lhe dão força e apoio. Pergunte-se: "Como posso trabalhar com as melhores pessoas ao embarcar neste próximo projeto? Como posso inspirar outras pessoas a elevar seus padrões?".

HÁBITOS SOCIAIS

HÁBITO QUATRO: AUMENTAR A PRODUTIVIDADE

1. <u>Aumente os resultados que importam</u>. Encontre os resultados mais importantes para determinar seu sucesso, sua diferenciação e sua contribuição para o seu campo ou setor. Concentre-se nisso, diga não a quase todo o resto e seja prolífico na criação desses resultados com altos padrões de qualidade. Lembre-se de que a prioridade é manter as prioridades em primeiro lugar.
2. <u>Planeje seus cinco passos</u>. Pergunte: "Se houvesse apenas cinco passos decisivos para que esse objetivo se concretizasse, quais seriam?". Pense em cada passo decisivo como um grande conjunto de atividades, um projeto. Divida os projetos em resultados, prazos e atividades. Assim que tiver clareza sobre essas coisas, coloque-as em sua agenda e reserve boa parte do seu tempo trabalhando nelas.
3. <u>Torne-se excepcionalmente bom em suas principais capacidades</u>. Determine as cinco principais capacidades que precisa desenvolver nos próximos três anos para se transformar na pessoa que você espera se tornar. Em seguida, prepare-se para desenvolver essas capacidades com foco total por meio dos dez passos do domínio progressivo. O mais importante é estar sempre desenvolvendo as capacidades fundamentais para o seu sucesso futuro.

HÁBITO CINCO: EXERCITAR A INFLUÊNCIA

1. <u>Ensine as pessoas a pensar</u>. Em todas as situações que envolvam influência, prepare-se perguntando a si mesmo como você deseja que outras pessoas pensem a respeito (a) delas mesmas, (b) de outras pessoas e (c) do mundo em geral. Depois fale sobre isso de forma consistente. Molde o pensamento das pessoas dizendo coisas como: "Pense por esse lado...". "O que você pensa sobre..." "O que aconteceria se tentássemos..."
2. <u>Desafie as pessoas a crescer</u>. Observe o caráter, as conexões e as contribuições dos outros e desafie-os a desenvolver ainda mais essas coisas. Pergunte-lhes se deram tudo de si, se poderiam tratar melhor as pessoas que os cercam e se poderiam dar ainda mais de si mesmos ou servir com excelência e distinção ainda maiores.
3. <u>Dê o exemplo</u>. Setenta e um por cento dos indivíduos de alta performance dizem que pensam diariamente em como servirem de exemplo. Querem ser um bom exemplo para a família, a equipe e a comunidade em geral. Então, pergunte-se: "Como posso lidar com essa situação de uma maneira que inspire os outros a acreditarem neles mesmos, a serem o melhor que podem ser e a servirem os outros com integridade, amor e excelência?".

HÁBITO SEIS: DEMONSTRAR CORAGEM

1. <u>Valorize a luta</u>. Quando você tem a oportunidade de aprender e servir, não se queixa do esforço envolvido. Veja a luta como uma parte necessária, importante e positiva da sua jornada para encontrar a verdadeira paz e o poder pessoal. Não lamente as inevitáveis dificuldades de se aperfeiçoar e de correr atrás de seus sonhos; reverencie os desafios.
2. <u>Compartilhe seus princípios e suas ambições</u>. A principal motivação da humanidade é ser livre, expressar o seu verdadeiro eu e ir atrás de seus sonhos sem medo — para experimentar o que pode ser chamado de liberdade pessoal. Siga esse impulso compartilhando constantemente seus verdadeiros pensamentos, sentimentos, necessidades e sonhos com outras pessoas. Não se diminua para satisfazer os outros. Viva sua verdade.

3. <u>Encontre alguém por quem vale a pena lutar</u>. Precisamos de uma causa nobre para defender. Profissionais de alta performance tendem a fazer dessa causa apenas uma pessoa — eles querem lutar por essa pessoa, para que ela possa estar em segurança, melhorar ou ter uma qualidade de vida melhor. Você fará mais pelos outros do que por si mesmo. E, ao fazer algo pelos outros, você encontrará sua razão para ter coragem e a causa para a qual você dirigirá seu foco e sua excelência.

Esses seis hábitos e as três práticas que fortalecem cada um deles são o caminho para uma vida extraordinária. Existem outras estratégias básicas no livro, mas esses seis meta-hábitos são os que mais auxiliam no seu progresso.

Agradecimentos

Esta é a sexta vez na vida que me sentei para escrever a seção de agradecimentos depois de ter acabado de completar a última página de um manuscrito. Eu me sinto abençoado por saber que muitas das pessoas que me inspiraram e deram apoio aos últimos cinco livros ainda fazem parte da minha vida. Relacionamentos de longo prazo são essenciais para o sucesso a longo prazo, talvez seu próprio significado.

Se estiver familiarizado com o meu trabalho, você sabe que me sinto grato a Deus primeiro e sempre pela segunda chance que recebi depois do meu acidente. Todos os dias, espero receber essa bênção — o que chamo de bilhete premiado da vida — buscando viver com mais plenitude, amar mais abertamente e fazer uma diferença maior.

Meu trabalho não teria sido possível sem o amor e a força de meus pais, irmãos, mentores e esposa. Mãe, obrigado por mostrar a todos nós como valorizar o esforço e trazer alegria a todos os momentos de nossa vida. Pai, sentimos sua falta. Nunca passei um dia ou escrevi uma página sem pensar em você desde que você se foi. David, Bryan e Helen, obrigado por me inspirarem a ser um homem e um irmão melhores. Amo vocês mais do que vocês imaginam. Linda Ballew, você era uma extensão da minha família e minha primeira mentora para valer. Obrigado por me ensinar a criar, escrever, filmar e liderar com excelência. Denise, meu raio de sol, obrigado por acreditar em mim em tudo, e por me mostrar o que significa ser um humano pensativo, gentil, amoroso e extraordinário. Você é a pessoa mais incrível que já conheci e o maior presente da minha vida. Para Marty e Sandy — obrigado pelo exemplo e por torcer por nós.

Enquanto eu desaparecia regularmente ao longo de dois anos e meio escrevendo este livro, minha maravilhosa equipe do The Burchard Group me encorajou, cobriu minha ausência e manteve o ímpeto de servir nossos alunos e nossa missão. Para minha equipe, obrigado pelo compromisso, pela excelência e pela criatividade em ampliar meu trabalho para muito além destas páginas. Poucos poderão imaginar as bênçãos e as dificuldades de servir milhões de estudantes e dezenas de milhões de fãs neste gênero. Mas vocês sabem, e fazem as coisas acontecerem todos os dias. Sou muito grato e maravilhado pelo que construímos.

Denise McIntyre de alguma forma consegue manter todos nós no caminho certo. Obrigado, Dmac, pela crença, confiança, liderança e amizade extraordinárias. Você esteve por perto o tempo todo e jamais terei como agradecer o suficiente. Mel Abraham orientou muitas das minhas decisões em grandes negócios, me apresentou ao palco, afastou os caras maus e se tornou um dos meus mais queridos amigos. Todo mundo deveria ter a sorte de contar com companheiros generosos como Dmac e Mel. Esta é a equipe inteira a quem tenho o privilégio de servir todos os dias: Jeremy Abraham, Adim Coleman, Karen Gelsman, Michael Hunter, Alex Houg, Hannah Houg, Michelle Huljev, Maggie Kirkland, Jessica Lipman, Helen Lynch, Jason Miller, Terry Powers, Travis Shields, Michele Smith, Danny Southwick e Anthony Trucks. Obrigado, também, à tripulante original Jennifer Robbins, que apoiou o início de minha carreira e estabeleceu o padrão de excelência que continuamos a nos esforçar para atingir.

Existem outras pessoas extraordinárias que fizeram este livro acontecer. Trazer um livro à vida e ao mercado exige muitas mãos. Scott Hoffman, meu agente, acreditou em mim desde o primeiro dia. Ao longo de seis livros, nunca me senti sozinho sabendo que você está por aí, meu camarada. Estou honrado em tê-lo como amigo e companheiro nesta incrível jornada. Reid Tracy me levou para a Hay House depois que outro editor não conseguiu ver futuro em *The Motivation Manifesto*. Reid, nunca vou me esquecer de sua generosidade e da honra que você me deu de fazer parte da família Hay House. Você é o líder mais importante na história das publicações de desenvolvimento pessoal, e espero que saiba o impacto que você provocou em mim e no mundo. Perry Crowe, meu editor na Hay House, conduziu este bebê à conclusão com mão paciente e espírito bondoso. Obrigado, Perry, por sua excelência em editar e agregar. Constance Hale leu o primeiro rascunho e forneceu ótimas edições e comentários, e felizmente me assustou o necessário para eu decidir recomeçar. Obrigado, Connie. Se este livro estiver em boa forma, é por causa de Michael Carr, o melhor editor com quem já trabalhei. Michael editou todos os meus livros, o que nunca foi tarefa fácil, pois escrevi cada um com uma nova voz e, geralmente, não consegui aprender com os erros anteriores. Obrigado, Michael, por todas as noites trabalhando até tarde e por me fazer parecer um escritor melhor.

Para os muitos amigos, psicólogos, coaches profissionais e mentores que moldaram o pensamento deste livro e me ajudaram com as entrevistas, pesquisas e análises, obrigado. Devo agradecer especialmente a Danny Southwick, por ser tão apaixonado quanto eu por este assunto, por ajudar a liderar alguns de nossos pesquisadores e as revisões até tarde da noite. Você é como um irmão para mim, com talento e dom marcantes no movimento da psicologia positiva. Agradeço também a Shannon Thompson, Alissa Mrazek e Mike Mrazek por fornecerem outras análises e revisões de literatura científica. Alissa e Mike — obrigado pela segurança, confiabilidade e entusiasmo.

Minha equipe no Growth.com também me encorajou, serviu nossos clientes de coaching com profissionalismo de classe internacional e me ensinou muito sobre excelência organizacional. Obrigado, Dean Graziosi e Ethan Willis, por liderarem o Growth e por construírem algo tão mágico. É impossível enumerar quantas ótimas lições de vida e insights de negócios aprendi com vocês, meus novos mentores. Aos nossos primeiros líderes no Growth, estou muito orgulhoso e agradecido, incluindo toda a equipe de Dean, além de Damon Willis, Bryan Hatch e Cary Inouye.

Para a nossa comunidade mundial de coaches de alta performance, agradeço a dedicação, a paixão e a liderança que vocês trazem para a indústria de coaching de desenvolvimento pessoal e profissional. Vocês são realmente os melhores coaches do mundo, e tenho a honra de servir ao lado de vocês.

Também sou profundamente grato a todos os meus leitores, alunos on-line e seguidores nas redes sociais por todos os comentários e apoio. Apesar da atenção recente e generosa, ainda sinto que sou apenas uma marola diante da longa lista de pessoas que se dedicaram ao ensino de desenvolvimento pessoal. Eu teria somado muito pouco na vida se não tivesse lido tantos livros sobre psicologia e autoaperfeiçoamento. Desde os dezenove anos li pelo menos um livro por semana. Complementava isso com pelo menos um artigo de pesquisa por dia desde os 28, e ainda me sinto um novato. Esse compromisso com a leitura foi, talvez, o melhor hábito que já adotei. Como as pessoas sempre pedem minhas recomendações, estes são os mestres em meu campo, que moldaram meus primeiros pensamentos e atitudes: Dale Carnegie, Napoleon Hill, Earl Nightingale, Og Mandino, Norman Cousins, Jim Rohn, John Wooden, Wayne Dyer, Marianne Williamson, Stephen Covey, Louise Hay, Marshall Goldsmith, Brian Tracy, Zig Ziglar, Harvey Mackay, Peter Drucker, Frances Hesselbein, James Redfield, Debbie Ford, Dan Millman, Tom Peters, Les Brown, Richard Carlson, Jack Canfield, Robin Sharma, Tony Robbins, Daniel Amen e Paulo Coelho. E estas são as mentes brilhantes e os psicólogos cujos trabalhos me inspiraram a aprofundar e conduzir esse tipo de pesquisa: Abraham Maslow, Carl Rogers, Alfred Adler, Erich Fromm, Nathaniel Branden, Albert Bandura, Richard Davidson, Roy Baumeister, Barbara Fredrickson, Edward Deci, Richard Ryan, Mihaly Csikszentmihalyi, Martin Seligman, Daniel Goleman, John Gottman, Carol Dweck, Michael Merzenich, Angela Duckworth e Anders Ericsson. Sou um simples coach, por isso, se você realmente quer entender a condição humana e apreciar a excelência acadêmica da melhor forma possível, confira o trabalho deles.

Se você ouviu falar sobre este livro em qualquer vídeo on-line de marketing, foi só porque aprendi algo sobre isso com Jeff Walker, Frank Kern e cerca de uma dezena de outros treinadores e profissionais de marketing on-line. A todos que me ajudaram a aprender a compartilhar minha mensagem e a todos os que promoveram meu trabalho e minha missão, obrigado. Quem sabia que o marketing on-line e de mídia social se tornaria uma coisa dessas? Aos meus amigos e colaboradores da área, obrigado pelo exemplo, pela amizade e pela liderança, especialmente Joe Polish, Tony Robbins, Robin Sharma, Peter Diamandis, Daniel Amen, Chalene Johnson, Nick Ortner, Marie Forleo, JJ Virgin, Gabby Bernstein, Mat Boggs, Mary Morrissey, Janet Attwood, Chris Attwood, Jack Canfield, Brian Tracy, Harvey Mackay, Lewis Howes, Kris Carr, Tony Horton, Larry King, Shawna King, Arianna Huffington, Stuart Johnson e Oprah Winfrey.

Aos meus clientes de coaching em todo o mundo, obrigado pela oportunidade e por me ensinarem tanto.

Aos meus queridos amigos Ryan, Jason, Steve, Jesse, Dave, Nick, Stephan e todos os selvagens e os Grizzlies de Montana, amo vocês e sinto saudades. Obrigado por acreditarem na criança barulhenta quando ninguém via potencial nela.

Por fim, a todos os meus amigos, colegas, alunos e fãs que podem ter se sentido negligenciados a qualquer momento durante este projeto de escrita — o mais longo de minha carreira —, espero que vocês achem que o resultado justificou a ausência. Vocês estiveram em minha cabeça e em meu coração todos os dias, a cada página.

Notas

INTRODUÇÃO [pp. 9-35]

1. Vários amigos escritores se perguntaram por que fiz essa escolha. Os livros desse gênero rapidamente se tornam obsoletos quando dependem excessivamente de estudos de caso de empresas para corroborar suas conclusões. Alguns exemplos podem ajudar: vejamos o *Empresas feitas para vencer*, de Jim Collins. Entre os célebres perfis de empresas estavam a Circuit City, agora falida, e a Fannie Mae, acusada de uma fraude de títulos que contribuiu significativamente para o colapso financeiro de 2007-2008. A Wells Fargo, outra "grande" empresa, foi multada em 185 milhões de dólares e demitiu mais de cinco mil funcionários por abrir milhões de contas fraudulentas. O extraordinário livro de Gary Hamel, *Liderando a revolução*, enalteceu a Enron, cujos principais executivos foram presos por dirigir uma das empresas mais corruptas de todos os tempos. O livro de Tom Peters, *Vencendo a crise*, traça o perfil de companhias como Atari, NCR, Wang Labs e Xerox — empresas que em pouco tempo estavam desvalorizadas. Isso não significa que as afirmações desses autores estavam erradas no momento. Significa que, inevitavelmente, a performance muda, e, se você apresentar seu caso de sucesso destacando as empresas, termina tendo um livro que se tornará irrelevante. E, além disso, pensar em "performance" da empresa é um erro de terminologia — quem tem performance são as pessoas, não as empresas. Foi por isso que tomei a decisão de evitar os perfis de empresas neste livro. Em vez disso, optei por usar meu ponto de vista de coach de performance e pesquisador, procurando diferenças individuais de comportamento que ajudam algumas pessoas a ter mais sucesso do que outras. Escolhi não destacar celebridades contemporâneas aqui pelo mesmo motivo: ainda que seja uma leitura envolvente no curto prazo, o material pode ficar datado. Indivíduos, assim como empresas, também podem cair do pedestal — e, em algum momento, isso acontece com a maioria de nós. Este livro não usa meias palavras. Alta performance não é algo que todos podem manter para sempre. É por isso que dei prioridade a estratégias que sabemos que funcionam, em vez de a indivíduos que por acaso são destaques hoje em dia. Pontuei com relatos de coaching e de experiências pessoais para que estratégias e táticas de instruções vitais

não ficassem entediantes. Mais uma vez, não foi uma escolha fácil, mas saber que posso compartilhar histórias, estudos de caso e exemplos oportunos em plataformas on-line me deu a liberdade para fazer essa opção. Em toda a minha carreira, fui recompensado por obter resultados para as pessoas, não por entrevistar pessoas a respeito de suas trajetórias. Isso se reflete neste trabalho. Se você gosta de entrevistas focadas no estilo de vida de pessoas fascinantes, recomendo que procure podcasts ou livros direcionados a isso. Para saber mais sobre minhas perspectivas e histórias pessoais, visite meu podcast no iTunes. Para mais conteúdo relacionado à pesquisa, visite <HighPerformanceInstitute.com>. Acesso em: 3 jul. 2018.

ALÉM DO NATURAL: A BUSCA PELA ALTA PERFORMANCE [pp. 36-56]

1. Para ocultar identidades e proteger a privacidade de todos os meus clientes e alunos, alterei nomes e detalhes das histórias. Qualquer semelhança resultante com pessoas vivas ou mortas é mera coincidência e não intencional.
2. C. S. Dweck, 2008; C. S. Dweck e E. L. Leggett, 1988.
3. A. L. Duckworth, 2016; A. L. Duckworth et al., 2015.
4. K. A. Ericsson e R. Pool, 2016a; K. A. Ericsson, 2014.
5. T. P. Munyon et al., 2015; D. Goleman et al., 2013; D. Goleman, 2007.
6. Ver L. Bossidy, L. et al, 2011; D. Seidman, 2011.
7. K. Reivich e A. Shatté, 2002.
8. J. J. Ratey e E. Hagerman, 2008.
9. Para ver nosso mais recente relatório de metodologia sobre o Indicador de Alta Performance (IAP), visite: <HighPerformanceInstitute.com>. Acesso em: 3 jul. 2018.
10. Para uma discussão mais acadêmica sobre esses nove fatores, visite: <HighPeformanceInstitute.com/research>. Acesso em: 3 jul. 2018.

HÁBITO DE ALTA PERFORMANCE #1: PROCURAR CLAREZA [pp. 58-91]

1. J. D. Campbell et al., 1996.
2. E. A. Locke e G. P. Latham, 2002.
3. P. M. Gollwitzer e V. Brandstätter, 1997.
4. P. M. Gollwitzer, 1999; P. M. Gollwitzer, e G. Oettingen, 2016.
5. E. P. Torrance, 1983.
6. Naturalmente, pode-se argumentar que um tempo de resposta mais curto ou um tom mais confiante não indicam necessariamente maior clareza. Talvez a pessoa nunca tenha pensado nessas questões, mas simplesmente seja mais criativa, assimilando melhor as ideias na hora. Talvez seja mais extrovertida e consiga melhor afirmar e articular suas ideias rapidamente. Mas não foi isso que encontrei quando comparei as pontuações do IAP às respostas nas entrevistas. (O IAP trata de criatividade, confiança e assertividade, por exemplo, e muitas pessoas que relataram baixa criatividade ou baixa assertividade na avaliação não deixam de ser capazes de responder com rapidez e confiança.) Em geral, as pontuações de alta performance não se relacionam fortemente

com a criatividade autorreferida nem com descrições de personalidade, então faz sentido que a velocidade e o tom de resposta signifiquem simplesmente que as pessoas já haviam pensado sobre esse tipo de pergunta antes. Mas precisaremos testar isso de maneira mais controlada em futuras pesquisas.

7. D. Goleman, 1998; D. Goleman et al., 2001, 2013.
8. M. Boggs e J. Miller, 2008.
9. J. Gottman e N. Silver, 1995, 2015.
10. A pesquisa empírica corrobora essa atitude. Por exemplo, pode-se interpretar a ansiedade como estresse ou empolgação e experimentar diferentes benefícios e consequências dessa escolha. Ver A. J. Crum et al., 2013.
11. P. R. Kleinginna e A. M. Kleinginna, 1981; P. J. Lang, 2010; A. R. Damasio, 1999.
12. Uso a palavra *reação* aqui para descrever tanto uma reação a um estímulo do mundo real, no sentido de algo que vemos ou sentimos fora de nós, como também uma reação de ansiedade, algo que acontece dentro de nós. Quando nossa mente antecipa algo que vai acontecer ou pode acontecer, a emoção pode aflorar. Essa emoção é uma reação, ou resultado, de antecipação.
13. Emoções geralmente resultam de como nosso cérebro antecipa situações, conceitua sentimentos ou relembra antigas situações. Apesar dos exemplos que dei aqui, e dos equívocos mais comuns, suas emoções nem sempre são as mesmas que as minhas, e há uma grande variação em como nosso cérebro conceitua e gera emoção. Ver L. F. Barrett, 2017.
14. Para uma visão mais ampla das emoções, ver M. Lewis et al., 2010.
15. C. D. Ryff, e B. Singer, 1998; K. D. Markman et al., 2013.
16. Para uma discussão geral mais ampla sobre o significado, comece com M. J. MacKenzie e R. Baumeister, 2014; A. Wrzesniewski, 2003; B. D. Rosso et al., 2010.
17. M. F. Steger et al., 2006.
18. J. Sun et al., 2017.
19. T. F. Stillman, et al., 2009.
20. D. L. Debats, 1999; N. M. Lambert et al., 2010; K. D. Markman et al., 2013.
21. Sobre a importância da segurança, ver D. A. Yousef, 1998; sobre autonomia, ver F. Herzberg et al., 1969; sobre equilíbrio, ver C. A. Thompson e D. J. Prottas, 2006.
22. F. Martela e M. F. Steger, 2016.

HÁBITO DE ALTA PERFORMANCE #2: GERAR ENERGIA [pp. 92-124]

1. Para mais distinções sobre esse assunto em geral, ver também H. L. Koball et al., 2010.
2. Essa relação é forte (r = 0,63).
3. C. L. Ogden et al., 2015.
4. Para obter as diretrizes mais recentes, visite: <https://www.cdc.gov/physicalactivity/basics/adults>. Acesso em: 3 jul. 2018.
5. American Psychological Association, 2015.
6. Ibid., 2016.
7. E. Seppala e K. Cameron, 2015; J. K. Harter et al., 2003; K. Danna e R. W. Griffin, 1999.
8. S. Ghosh et al., 2013; G. Issa et al., 2010; G. E. Tafet et al., 2001; E. Isovich et al., 2000.

9. Para mais informações sobre ansiedade e bem-estar, ver P. Grossman et al., 2004; K. W. Brown e R. M. Ryan, 2003. Para criatividade, ver R. Horan, 2009.

10. E. R. Valentine e P. L. Sweet, 1999.

11. Alguns notaram que a abordagem "Libere a tensão, defina a intenção" é mais uma técnica de relaxamento do que uma prática meditativa. Não tenho opinião sobre o assunto, e tanto as técnicas de relaxamento quanto as de meditação podem ser tremendamente poderosas. Ver S. Jain et al. (2007) para um teste controlado das duas, o que dá uma leve vantagem à meditação. Para uma olhada nos efeitos neurais positivos da meditação, especialmente na atenção, ver W. Hasenkamp e L. W. Barsalou, 2012. Para o estudante sério que também quiser uma visão crítica da moda e da pouca ciência em torno da meditação, ver P. Sedlmeier et al., 2012.

12. J. J. Miller et al., 1995.

13. S. Lyubomirsky et al., 2005.

14. T. Bryan J. e Bryan, 1991.

15. T, Sy, et al., 2005; B. M. Staw e S. G. Barsade, 1993.

16. A. M. Isen, et al., 1991.

17. A. M. Isen, e P. F. Levin, 1972; A. M. Isen, et al., 1976.

18. R. J. Davidson, et al., 2000.

19. M. D. Lemonick, 2005.

20. Essa também é uma prática bastante pesquisada na ciência da consecução de objetivos, chamada Intenções de Contraste Mental e Implementação (MCII, na sigla em inglês). Isso significa que você pensa sobre o que quer, pensa sobre os obstáculos que estarão no caminho e estabelece intenções específicas sobre como lidar com eles. Curiosamente, apenas visualizar o que você quer (à la *O segredo*) muitas vezes se relaciona negativamente com a obtenção de resultados. Mas visualizar o sucesso e pensar em um plano para lidar com os obstáculos está altamente associado à conquista. Ver A. L. Duckworth et al. (2011a) e G. Oettingen, et al., 2001. Para uma discussão sobre falar de si na terceira pessoa, ver E. Kross et al., 2014.

21. M. D. Lemonick, 2005.

22. A. Schirmer et al., 2011; M. J. Hertenstein et al., 2009.

23. R. A. Emmons, 2000.

24. M. E. Seligman, et al., 2005.

25. Ver J. J. Pilcher e A. J. Huffcutt. (1996); R. M. Benca et al., 1992; F. P. Cappuccio et al., 2008.

26. Para um exame mais aprofundado sobre a ciência das interações entre genes, comportamento e meio ambiente, comece com D. G. Blazer e L. M. Hernandez, 2006.

27. C. W. Cotman e N. C. Berchtold, 2002.

28. Ibid.

29. P. D. Tomporowski, 2003; G. Tenenbaum et al., 1993.

30. T. E. Foley e M. Fleshner (2008); J. J. Ratey e E. Hagerman, 2008.

31. D. N. Castelli et al., 2007; A. F. Kramer e C. H. Hillman, 2006; B. A. Sibley e J. L. Etnier, 2003.

32. J. J. Ratey e E. Hagerman, 2008; B. W. Penninx et al., 2002; C. Chen et al., 2016.

33. B. L. Jacobs, 1994; B. L. Jacobs e E. C. Azmitia, 1992; J. J. Ratey, e E. Hagerman, 2008.

34. C. D. Rethorst et al., 2009; B. L. Jacobs, 1994; B. L. Jacobs e E. C. Azmitia, 1992; J. J. Ratey e E. Hagerman, 2008; F. Chaouloff et al., 1989.

35. E. Anderson e G. Shivakumar, 2015; P. B. Sparling et al., 2003.
36. Estatísticas sobre obesidade: C. Davis et al., 2004. Consumo excessivo: M. A. McCrory et al., 2002.
37. C. Davis et al., 2004.
38. Sobre a conexão entre nutrição e produtividade, ver J. Hoddinott et al., 2008; D. Thomas e E. Frankenberg, 2002; J. Strauss e D. Thomas, 1998.
39. J. R. Behrman, 1993.
40. Por muitas razões, ver M. J. Grawitch et al., 2006; T. A. Wright e R. Cropanzano, 2000.
41. Disponível em: <http://www.apa.org/news/press/releases/2016/06/workplace-well-being.aspx>. Acesso em: 4 jul. 2018.

HÁBITO DE ALTA PERFORMANCE #3: ENCONTRAR A NECESSIDADE
[pp. 125-66]

1. Psicólogos frequentemente chamam isso de "identificação". Ver E. L. Deci e R. M. Ryan, 2010, 2002; R. Koestner, 1996.
2. E. A. Locke e G. P. Latham, 2002.
3. O automonitoramento e outros mecanismos de feedback são fundamentais para esse resultado. Ver A. Bandura e D. Cervone, 1983.
4. Esta é uma descoberta comum de pessoas saudáveis e bem-sucedidas em geral. Ver A. Bandura, 1991.
5. Ver B. Harkin et al., 2016.
6. P. J. Teixeira et al., 2015.
7. R. O. Frost e K. J. Henderson, 1991.
8. Constatou-se que isso é verdade em muitas situações da vida, desde esportes, passando pela música, até o dia a dia. Ver S. L.Beilock e T. H. Carr, 2001; C. Y. Wan e G. F. Huon, 2005.
9. E. A. Locke e G. P. Latham, 2002.
10. R. M. Ryan e E. L. Deci, 2000a, 2000b.
11. K. A. Ericsson et al., 1993. A. L. Duckworth et al., 2011a, 2011b.
12. Ver as descobertas completas em: <HighPerformanceInstitute.com/research>. Acesso em: 10 jul. 2018.
13. Por exemplo, R. F. Baumeister (1984) definiu pressão como "qualquer fator ou combinação de fatores que aumenta a importância de uma boa performance em uma ocasião específica". Em relação à pesquisa sobre alta performance, defino forças externas de forma mais ampla do que uma ocasião ou acontecimento específicos. Eu as considero unidades complementares ou atividades que já são importantes. Forças externas podem não aumentar a percepção de um sujeito sobre a importância de uma boa performance, mas podem simplesmente tornar a atividade já importante mais social ou particularmente significativa.
14. Na verdade, essa afirmação não previu significativamente qualquer pontuação alta em qualquer categoria ou outra variável indicadora de alta performance. As duas únicas coisas com as quais a declaração se relaciona são as coisas que você realmente não quer. A correlação mais forte foi com "eu lido com mais estresse do que meus colegas" — uma relação estatisticamente significante,

mas fraca. A outra mais próxima foi "as pessoas não percebem o quanto me esforço", o que ainda é estatisticamente significante, embora muito fraco.

15. Admito que há questões em torno do uso dos termos *dever*, *obrigação* e *responsabilidade* em traços muito abrangentes e de forma intercambiável, então minhas desculpas aos linguistas e filósofos em todos os lugares. Especialmente Hume e Kant. Para filosofia relacionada sobre esses tópicos, ver J. B. Schneewind, 1992; J. Feinberg, 1966; R. B. Brandt, 1964; B. Wand, 1956. Meu objetivo nesta seção é mostrar como os profissionais de alta performance realmente falam, como descrevem o sentido geral de "precisarem" fazer algo e por que "devem" ter sucesso. Para honrar suas descrições, usarei *dever* de forma intercambiável com qualquer *obrigação* ou *responsabilidade social* que faça com que os indivíduos de alta performance julguem necessário ter sucesso de forma consistente.

16. Ver J. S. Lerner e P. E. Tetlock, 1999; D. F. Crown e J. G. Rosse, 1995; J. Forward e A. Zander, 1971; M. S. Humphreys e W. Revelle, 1984. Para uma discussão abrangente sobre como o julgamento individual e a escolha podem ser moldados pela responsabilidade, ver P. E. Tetlock, 1992.

17. Para múltiplas perspectivas e mecanismos sobre o assunto, incluindo prós e contras, ver G. A. Rummler e A. P. Brache, 1995; M. Dubnick, 2005; D. D. Frink e G. R. Ferris, 1998.

18. A. J. Fuligni, 2001.

19. G. B. Cunningham, 2006; L. M. Sulsky, 1999.

20. Neste caso, os profissionais de alta performance foram definidos como aqueles que pontuaram 4,4 na categoria produtividade e 4,2 ou mais na avaliação completa do IAP. (A produtividade é apenas uma categoria do IAP, mas a avaliação completa inclui mais de cem variáveis que geram a pontuação total.)

21. S. Leroy, 2009.

22. M. Csikszentmihalyi e K. Rathunde, 1993; M. Csikszentmihalyi, 1975, 1997; M. Csikszentmihalyi et al., 2005.

23. Nos últimos cinco anos de pesquisas, nunca vimos uma forte correlação entre alta performance e descrições comuns de personalidade (dos traços de personalidade conhecidos como "Big 5"). A pesquisa organizacional moderna parece confirmar isso. Um estudo recente descobriu que CEOs de alta performance têm a mesma probabilidade de serem introvertidos ou extrovertidos. Ver E. L. Botelho et al., 2017. Para uma discussão completa sobre por que os introvertidos são prejudicados, ver S. Cain, 2013. De forma mais ampla, quando se trata de sucesso, traços de personalidade têm validade preditiva extremamente limitada. Ver M. R. Barrick e M. K. Mount, 1991; A. L. Duckworth et al., 2007; F. P. Morgeson et al., 2007. Observando meta-análises sobre personalidade e performance, Angela Duckworth, psicóloga da Universidade da Pensilvânia e vencedora da bolsa para "gênios" MacArthur, descobriu que "na melhor das hipóteses, qualquer traço de personalidade é responsável por menos de 2% da variação nas conquistas". A. L. Duckworth et al,. 2007.

24. J. Schimel et al., 2004.

25. C. L. Pury et al., 2007; C. L. Pury e R. M. Kowalski, 2007.

26. Ver N. A. Christakis e J. H. Fowler, 2008b. Sobre sono, ver S. C. Mednick et al., 2010; sobre o que você come, M. A. Pachucki et al., 2011; sobre comportamento econômico, E. O'Boyle, 2016.

27. Sobre fumar, ver N. A. Christakis e J. H. Fowler, 2008a; sobre obesidade, N. A. Christakis e J. H. Fowler, 2007; sobre solidão, J. T. Cacioppo, et al., 2009; sobre depressão, J. N. Rosenquist et al., 2011; sobre divórcio, R. McDermott et al., 2013; sobre o uso de drogas, S. C. Mednick et al., 2010.

28. Sobre felicidade, ver N. A. Christakis e J. H. Fowler, 2008b; sobre o comportamento pró-social, ver J. H. Fowler e N. A. Christakis, 2010.
29. D. Coyle, 2009; D. F. Chambliss, 1989.
30. N. A. Christakis e J. H. Fowler, 2009.
31. V. J. Felitti et al., 1998.
32. A. Danese e B. S. McEwen, 2012.
33. T. Lee, 2016; N. Kristof, 2016; E. Dunlap et al., 2009.
34. C. S. Dweck, 2014.
35. S. Claro et al., 2016.
36. A. L. Duckworth, 2016; M. E. P. Seligman, 2012.
37. J. S. Beck, 2013; S. Begley e R. Davidson, 2012; A. C. Butler et al., 2006; M. E. P. Seligman, 1990.
38. É tentador dizer "Bem, isso deve ser apenas porque eles são extrovertidos", mas esse não é o caso. A alta performance não se correlaciona com a personalidade, e essas práticas não estão necessariamente vinculadas a uma personalidade extrovertida. Em vez disso, o comportamento pró-social e as tentativas de trabalhar ou de se relacionar com grupos de pessoas mais avançados estão vinculados a desejos de crescimento, realização e contribuição, independentemente da personalidade.
39. Departamento de Trabalho dos EUA, 2016. Disponível em: <https://www.bls.gov/news.release/volun.nr0.htm>. Acesso em: 4 jul. 2018.
40. Para talvez o melhor livro escrito sobre competição e seus efeitos em ganhar, perder e na vida, ver P. Bronson e A. Merryman, 2013.

HÁBITO DE ALTA PERFORMANCE #4: AUMENTAR A PRODUTIVIDADE [pp. 168-205]

1. Nossa pesquisa descobriu que pessoas que sentem que dão mais de si do que os colegas não têm mais probabilidade de serem produtivas do que a média dos entrevistados. Tampouco aqueles que sentem que estão fazendo a diferença. Em outras palavras, a sensação de se dar mais ou de fazer a diferença não estava fortemente correlacionada à produtividade. Os que se dão podem sentir muita paixão, mas nem sempre terminam o que começam.
2. M. Csikszentmihalyi, 1996; E. A. Locke e G. P. Latham, 1990.
3. C. P. Cerasoli et al., 2014.
4. E. Weldon et al. (1991); E. A. Locke e G. P. Latham, 1990.
5. Sobre nutrição, ver J. Hoddinott et al. (2008); sobre exercício, ver C. W. Cotman e N. C. Berchtold, 2002.
6. Para conexões entre nutrição e produtividade, ver J. Hoddinott et al., 2008; D. Thomas e E. Frankenberg, 2002; J. Strauss e D. Thomas, 1998.
7. S. Lyubomirsky et al., 2005.
8. S. Lyubomirsky et al., 2005.
9. D. Sgroi, 2015.
10. Ver LexisNexis, 2010.

11. Disponível em: <http://www.nytimes.com/2013/05/05/opinion/sunday/a-focus-on--distraction.html>. Acesso em: 4 jul. 2018.

12. N. Lavie, 2010.

13. Sobre a performance ideal, ver K. A. Ericsson et al., 1993; sobre a qualidade do trabalho, ver C. Newport, 2016.

14. S. Leroy, 2009.

15. G. Mark et al., 2005.

16. Sim, o americano médio assiste a tudo isso, números de junho de 2016, de acordo com o *New York Times*. Ver J. Koblin, 2016.

17. Os executivos relataram um aumento de 19% na sensação de bem-estar e um aumento de 24% no senso de equilíbrio entre vida pessoal e profissional. Fizemos cinco perguntas relacionadas a ambos os tópicos (bem-estar e equilíbrio entre trabalho e vida pessoal), e os entrevistados se classificaram em cada questão, em uma escala de 1 a 10. O aumento médio do grupo foi de 16% após seis semanas. Essa foi uma pesquisa informal, e estamos trabalhando para validar a escala para um estudo mais amplo sobre produtividade.

18. M. H. Immordino-Yang et al., 2012.

19. Sobre se permitir mais pausas durante o dia, consulte: <https://www.fastcompany.com/3035605/how-to-be-a-success-at-everything/the-exact-amount-of-time-you-should-work--every-day>. Acesso em: 4 jul. 2018.

20. J. P. Trougakos e I. Hideg (2009); J. P. Trougakos et al., 2008.

21. J. P. Trougakos et al., 2014.

22. M. G. Berman et al., 2008.

23. G. Garrett et al., 2016.

24. E. C. Carter et al., 2015.

25. Para um debate sólido sobre como a mente funciona nesta moderna era de informação em excesso, ver D. J. Levitin, 2015.

26. T. Schwartz e C. McCarthy, 2007.

27. Disponível em:: <https://www.fastcompany.com/3035605/how-to-be-a-success-at--everything/the-exact-amount-of-time-you-should-work-every-day>. Acesso em: 4 jul. 2018.

28. K. A. Ericsson et al., 1993.

29. D. K. Simonton, 1988.

30. M. Chui et al., 2012.

31. S. Whittaker et al., maio 2011.

32. Para saber como funciona a indústria de especialistas, consulte meu livro *O mensageiro milionário*.

33. C. Senécal et al., 1995.

34. R. Wood e E. Locke, 1990.

35. E. Weldon e L. R. Weingart (1993); E. Weldon et al., 1991.

36. Para os recursos cognitivos obtidos com um plano, ver E. J. Masicampo e R. F. Baumeister, 2011.

37. Como exemplo, Tom Brady tem suas práticas e treinos programados até os quarenta anos. Enquanto eu editava este livro, ele levou o New England Patriots a ganhar o Super Bowl LI, no que muitos consideraram uma das maiores viradas e performances esportivas da história. Para ler

como ele é obsessivo em manter seu sistema, ver "obsessivo" sobre a manutenção de seu sistema em: <https://www.si.com/nfl/2014/12/10/tom-brady-new-england-patriots-age-fitness>. Acesso em: 4 jul. 2018.

38. Mas nem sempre. Para uma exploração perspicaz e abrangente de habilidades, ver I. Grugulis et al., 2017.

39. Ver C. S. Dweck, 2008; A. L. Duckworth, 2016; e K. A. Ericsson e R. Pool, 2016a.

40. K. A. Ericsson e R. Pool, 2016b.

41. Minha compilação favorita dos grandes discursos está em W. Safire, 2004.

HÁBITO DE ALTA PERFORMANCE #5: EXERCITAR A INFLUÊNCIA [pp. 206-41]

1. Como exemplo, em duas pesquisas distintas, a resposta "estou dando mais do que meus colegas" não mostrou uma correlação significativa e expressiva com a influência (maior que $r = 0,20$). Não foram amostras pequenas: o primeiro estudo envolveu 8826 indivíduos de alta performance (63% de mulheres) de 140 países, e o segundo envolveu 4626 pessoas (67% de mulheres) de cinquenta países.

2. ($r = 0,45$).

3. Nas mesmas duas pesquisas, "eu sou mais criativo do que meus colegas" foi correlacionado com a influência em 0,17 e 0,19, não mostrando uma correlação significativa.

4. Descobrimos que isso é verdadeiro para as mesmas duas pesquisas.

5. Uma leitura obrigatória para aqueles interessados em influência, especialmente aqueles que afirmam que não poder tê-la, é T. P. Munyon et al., 2015. Para pesquisas sobre como a habilidade política leva à promoção, ver W. A. Gentry et al., 2012.

6. F. J. Flynn e V. K. Bohns, 2012.

7. K. Savitsky et al., 2001.

8. J. Jecker e D. Landy, 1969.

9. K. Weaver et al., 2007.

10. M. J. Marquardt, 2011; J. M. Kouzes e B. Z. Posner, 2012; R. M. Kanter, 1999; B. Nanus, 1992.

11. A. Grant, 2013.

12. R. B. Cialdini (2007); D. T. Regan, 1971.

13. L. G. Bolman e T. E. Deal, 2003.

14. Veja o relatório completo disponível em: <https://www.apaexcellence.org/assets/general/2016-work-and-wellbeing-survey-results.pdf>.

15. A. M. Grant e F. Gino, 2010.

HÁBITO DE ALTA PERFORMANCE #6: DEMONSTRAR CORAGEM [pp. 242-73]

1. Observou-se que as mulheres, em média, pontuaram um pouco mais em coragem do que os homens, mas esse percentual foi tão pequeno e a amostra tão grande que não foi uma diferença

significativa. Em nossas intervenções de coaching, não há diferença mensurável entre homens e mulheres e suas respostas (ou capacidade de melhoria) relacionadas à coragem.

2. De um estudo: desafios de dominar o amor, r = 0,45; percebem-se como assertivas, r = 0,45; percebem-se como confiantes, r = 0,49; percebem-se como de alta performance, r = 0,41; percebem-se como mais bem-sucedidos do que seus pares, r = 0,40; e estão felizes com a vida em geral, r = 0,41.

3. S. J. Rachman, 2010.

4. Para "não é ausência de medo", ver S. J. Rachman (2010); para "agir, apesar do medo", ver Norton e Weiss, 2009.

5. S. Rachman (1990); Macmillan e Rachman, 1988.

6. Sobre operadores de bombas e soldados, ver D. Cox et al. (1983); sobre astronautas, ver Ruff e Korchin, 1964.

7. S. Rachman, 1990.

8. Para uma revisão abrangente de como conceituamos a coragem, ver C. L. Pury e S. J. Lopez, 2010.

9. Isso se alinha com os componentes encontrados em uma revisão abrangente de construtos da coragem por C. R. Rate et al., 2007.

10. C. L. Pury et al. (2015); C. L. Pury e C. B. Starkey, 2010.

11. C. L. Pury e A. D. Hensel, 2010.

12. C. S. Dweck, 2017.

13. C. S. Dweck e E. L. Leggett, 1988.

FUJA DE TRÊS ARMADILHAS [pp. 276-306]

1. R. S. Nickerson, 1998.

2. Não é de surpreender que as pessoas de mentalidade superior tenham maior probabilidade de atribuir seu sucesso (e os supostos fracassos dos outros) a "traços permanentes", como personalidade, talento, QI ou boa aparência. Ver J. L. Tracy et al., 2009.

3. Ver K. A. Ericsson e R. Pool (2016a, 2016b e 2016c).

4. Ironicamente, as pessoas propensas a sentimentos de superioridade são menos estáveis emocionalmente do que as outras. E as que acham que são melhores relatam sentir-se menos apoiadas e menos conectadas aos outros. Ver J. L. Tracy et al., 2009.

5. J. C. Wright et al., 2017.

6. Ver E. Kruse et al., 2014.

7. Você pode se lembrar da referência anterior sobre a meta-análise que abrangeu mais de 275 mil pessoas e mostrou que a felicidade leva a uma série de resultados positivos, como uma vida mais longa, menos doenças, mais sucesso financeiro, casamentos mais gratificantes, relacionamentos mais satisfatórios, trabalho mais recompensador e produtivo e maior influência social. Ver S. Lyubomirsky et al., 2005.

8. Ver J. Grzegorek et al. (2004); K. G. Rice et al., 2003.

9. R. O. Frost e K. J. Henderson, 1991.

10. P. L. Hewitt e G. L. Flett, 2002.

11. Ver P. Rozin e E. B. Royzman, 2001.
12. R. Hanson, 2015; D. Lykken, 1999.
13. E. Diener e R. Biswas-Diener, 2011; S. Lyubomirsky et al., 2005.
14. B. Fredrickson, 2004.
15. M. Csikszentmihalyi, 1997; N. A. Stavrou et al., 2007.
16. Para os prejuízos causados pelo sono, especialmente relacionados à performance, ver C. Samuels, 2009.
17. H. E. Marano (1999); D. Elkind (2007); E. Gil, 2012.
18. Para os custos da persistência sobre a saúde, ver G. E. Miller e C. Wrosch (2007). Para questões sobre mentalidade limitada e outros problemas pessoais, ver T. Kashdan, 2017.
19. C. A. Bonebright et al., 2000.

A COISA MAIS IMPORTANTE [pp. 307-24]

1. A confiança se correlaciona significativamente com a alta performance geral (r = 0,59). Isso quer dizer que a confiança prevê 35% da variação na alta performance. A confiança também se correlaciona significativamente com todos os AP6. Clareza, r = 0,53 (a confiança prediz 28% da variância em clareza). Energia, r = 0,47 (a confiança prediz 22% da variação na energia). Produtividade, r = 0,44 (a confiança prediz 19% da variação na produtividade). Influência, r = 0,41 (a confiança prediz 17% da variância na influência). Necessidade, r = 0,37 (a confiança prediz 13% da variância em necessidade). Coragem, r = 0,49 (a confiança prediz 24% da variância na coragem).
2. "Estou feliz com a minha vida em geral" (r = 0,42); a confiança prediz 18% da variância. "Adoro tentar dominar novos desafios" (r = 0,44); a confiança prediz 19% da variância. "Sinto como se estivesse fazendo a diferença" (r = 0,46); a confiança prediz 21% da variância.
3. Há uma distinção entre autoconfiança geral e autoeficácia. A confiança é geralmente vista como uma estimativa global do valor ou das habilidades de uma pessoa, enquanto a autoeficácia é a crença na capacidade de uma boa performance em determinada tarefa ou em determinado contexto. Mas, como os profissionais de alta performance não fazem essa distinção e isso continua sendo mais uma distinção acadêmica em geral, usaremos os dois de maneira intercambiável. Para mais sobre autoeficácia, ver A. Bandura, 1980; A. D. Stajkovic, e F. Luthans,1998.
4. K. Shoji et al., 2016.
5. D. C. Duff, 2010.
6. Novamente, isso é frequentemente chamado de autoeficácia. Ver A. Bandura, 1980, 1982, 1991; A. Bandura e D. Cervone, 1983.
7. E. L. Botelho et al., 2017.
8. K. M. Sheldon et al, 2015.

Referências bibliográficas

As referências a seguir nos foram muito úteis em nossas revisões de bibliografia para este projeto. Embora nem todas as fontes estejam citadas nas notas deste livro, cada uma delas enriqueceu o trabalho e os nossos artigos de pesquisa suplementares no HighPerformanceInstitute.com. Prevendo que uma nova geração de estudantes interessados neste campo emergente vai procurar caminhos de aprendizagem complementares, incluímos aqui tudo o que consideramos relevante. O autor agradece a todos os pesquisadores e profissionais, de todos os lugares do mundo, que generosamente forneceram seus conhecimentos e insights para este livro e para nossas outras empreitadas, inspirando o mundo a aderir à alta performance. Para referências complementares, visite: <www.HighPerformanceInstitute. com>. Acesso em: 4 jul. 2018.

Accenture. *Untapped potential: Stretching Toward the Future.* International Women's Day 2009 Global Research Results, 2009. Disponível em: <https://www.in.gov/icw/ files/Accenture_Research.pdf>. Acesso em: 4 jul. 2018.

AGGERHOLM, Kenneth. *Talent Development, Existential Philosophy and Sport: On Becoming an Elite Athlete.* Nova York: Routledge, 2015.

AMEN, Daniel G. *Change Your Brain, Change Your Life: The Breakthrough Program for Conquering Anxiety, Depression, Obsessiveness, Lackof Focus, Anger, and Memory Problems.* Nova York: Harmony, 2015. [Ed. bras.: *Mude seu cérebro, mude seu corpo: Use o cérebro para conseguir o corpo com o qual você sempre sonhou.* Rio de Janeiro: Bestseller, 2013.]

American Psychological Association. *Stress in America: Paying With Our Health.* 4 fev. 2015. Disponível em: <http://www.apa.org/news/press/releases/stress/2014 /stress-report.pdf>. Acesso em: 4 jul. 2018.

_____. *2016 Work and well-being survey.* Disponível em: <https://www.apaexcellence.org/assets/general/2016-work-and-wellbeing-survey-results.pdf>. Acesso em: 4 jul. 2018.

ANDERSON, Elizabeth; SHIVAKUMAR, Geetha. "Effects of Exercise and Physical Activity on Anxiety". *Frontiers in Psychiatry*, v. 4, n. 27, 2015. Disponível em: <http://journal.frontiersin.org/article/10.3389/fpsyt.2013.00027/full>. Acesso em: 4 jul. 2018.

ARONSON, Jane. "Women's Sense of Responsibility for the Care of Old People: 'But Who Else is Going To Do It?'". *Gender & Society*, v. 6, n. 1, pp. 8–29, 1992.

ARTZ, Benjamin; GOODALL, Amanda H., e OSWALD, Andrew J. Do Women Ask? IZA *Discussion Papers*. n. 10183, 2016. Disponível em: <https://www.iza.org/publications/dp/10183/do-women-ask>. Acesso em: 4 jul. 2018.

BANDURA, Albert. Gauging the Relationship Between Self-Efficacy Judgment and Action. *Cognitive Therapy and Research*, v. 4, pp. 263-8, 1980.

_____. Self-Efficacy Mechanism in Human Agency. *American Psychologist*, v. 37, n. 2, p. 122, 1982.

_____. Social Cognitive Theory of Self-Regulation. *Organizational Behavior and Human Decision Processes*, v. 50, n. 2, pp. 248–87, 1991.

_____; CERVONE, Daniel. Self-Evaluative and Self-Efficacy Mechanisms Governing the Motivational Effects of Goal Systems. *Journal of Personality and Social Psychology*, v. 45, n. 5, p. 1017, 1983.

BARNWELL, Bill. "The It Factor". *Grantland*, 27 ago. 2014. Disponível em: <grantland.com/features/it-factor-nfl-quarterback-intangibles>. Acesso em: 4 jul. 2018.

BARRETT, Lisa F. *How Emotions Are Made: The Secret Life of the Brain*. Nova York: Houghton Mifflin Harcourt, 2017.

_____. "The Theory of Constructed Emotion: An Active Inference Account of Interoception and Categorization". *Social Cognitive and Affective Neuroscience*, v. 12, n. 1, pp.1-23, 2017.

BARRICK, Murray R.; MOUNT, Michael K. "The Big Five Personality Dimensions and Job Performance: A Meta-Analysis". *Personnel Psychology*, v. 44, n. 1, pp. 1-26, 1991.

BATTY, G. David; DEARY, Ian J.; GOTTFREDSON, Linda S. Premorbid (Early Life) IQ and Later Mortality Risk: Systematic Review. *Annals of Epidemiology*, v. 17, n. 4, pp. 278-88, 2007.

BAUMEISTER, Roy F. "Choking Under Pressure: Self-Conscious and Paradoxical Effects of Incentives on Skillful Performance". *Journal of Personality and Social Psychology*, v. 46, n. 3, pp. 610-20, 1984.

BAYER, Alan E.; FOLGER, John. "Some Correlates of a Citation Measure of Productivity in Science". *Sociology of Education*, v. 39, pp. 381-390, 1966.

BECK, Judith S. *Cognitive Behavior Therapy: Basics and Beyond*. Nova York: Guilford Press, 2011. [Ed. bras.: *Terapia cognitivo-comportamental: Teoria e prática*. Porto Alegre: Artmed, 2013.]

BEGLEY, Sharon; DAVIDSON, Richard. *The Emotional Life of your Brain: How Its Unique Patterns Affect the Way You Think, Feel, and Live—And How You Can Change Them*. Nova York: Penguin, 2012. [Ed. bras.: *O estilo emocional do cérebro: Como o funcionamento cerebral afeta sua maneira de pensar, sentir e viver*. Rio de Janeiro: Sextante, 2012.]

BEHRMAN, Jere R. "The Economic Rationale for Investing in Nutrition in Developing Countries". *World Development*, v. 21, n. 11, pp. 1749-71, 1993.

BEILOCK, Sian L.; CARR, Thomas H. "On the Fragility of Skilled Performance: What Governs Choking Under Pressure?". *Journal of Experimental Psychology: General*, v. 130, n. 4, p. 701, 2001.

BENCA, Ruth M.; OBERMEYER, William H.; THISTED, Ronald A.; GILLIN, J. Christian. "Sleep and Psychiatric Disorders: A Meta-Analysis". *Archives of General Psychiatry*, v. 49, n. 8, pp. 651-68, 1992.

BERMAN, Marc G.; JONIDES, John; KAPLAN, Stephen. "The Cognitive Benefits of Interacting With Nature". *Psychological Science*, v. 19, n. 12, pp. 1207-12, 2008.

BLACKWELL, Lisa; DWECK, Carol; TRZESNIEWSKI, Kali. "Implicit Theories of Intelligence Predict Achievement Across an Adolescent Transition: A Longitudinal Study and an Intervention". *Child Development*, v. 78, n. 1, pp. 246-63, 2007.

BLAZER, Dan G.; HERNANDEZ, Lyla M. (Orgs.). *Genes, Behavior, and the Social Environment: Moving Beyond the Nature/Nurture Debate*. Washington: National Academies Press, 2006.

BLOOM, Benjamin S. "The Nature of the Study and Why it Was Done. In: BLOOM, Benjamin S. (Org.), *Developing Talent in Young People*. Nova York: Ballantine, 1985, pp. 3-18.

BOLMAN, Lee G.; DEAL, Terrence E. *Reframing Organizations: Artistry, Choice, and Leadership*. Hoboken: John Wiley & Sons, 2003.

BOGGS, Matthew; MILLER, Jason. *Project everlasting: Two bachelors discover the Secrets of America's Greatest Marriages*. Nova York: Fireside, 2008.

BONEBRIGHT, Cynthia A.; CLAY, Daniel L.; ANKENMANN, Robert D. "The Relationship of Workaholism with Work-Life Conflict, Life Satisfaction, and Purpose in Life". *Journal of Counseling Psychology*, v. 47, n. 4, pp. 469-77, 2000.

BORJAS, George J. *Friends or Strangers: The Impact of Immigrants on the US Economy*. Nova York: Basic Books, 1990.

BOSSIDY, Lawrence; CHARAN, Ram BURCK, Charles. *Execution: The Discipline of Getting Things Done*. Nova York: Random House, 2011.

BOTELHO, Elena L.; POWELL, Kim R.; KINKAID Stephen; WANG, Dina. "What Sets Successful CEOs Apart". *Harvard Business Review*, mai./jun., pp. 70-7, 2017.

BRANDT, R. B."The Concepts of Obligation and Duty". *Mind*, v. 73, n. 291, p. 374393, 1964.

BRONSON, Po; MERRYMAN, Ashley. *Top Dog: The Science of Winning and Losing*. Nova York: Random House, 2013.

BROWN, Kirk W.; RYAN, Richard M. "The Benefits of Being Present: Mindfulness and its Role in Psychological Well-Being". *Journal of Personality and Social Psychology*, v. 84, n. 4, p. 822, 2003.

BRYAN, Tanis; BRYAN, James. "Positive Mood and Math Performance". *Journal of Learning Disabilities*, v. 24, pp. 490-4, 1991.

BURT, Cyril. "The Genetic Determination of Differences in Intelligence: A Study of Monozygotic Twins Reared Together and Apart". *British Journal of Psychology*, v. 57, n. 12, pp. 137-53, 1966.

BUTLER, Andrew C.; CHAPMAN, Jason E.; FORMAN, Evan M.; BECK, Aaron T. "The Empirical Status of Cognitive-Behavioral Therapy: A Review of Meta-Analyses". *Clinical Psychology Review*, v. 26, n 1, pp. 17-31, 2006.

CACIOPPO, John T.; FOWLER, James H.; CHRISTAKIS, Nicholas A. "Alone in the Crowd: The Structure and Spread of Loneliness in a Large Social Network". *Journal of Personality and Social Psychology*, v. 97, pp. 977-91, 2009.

CAIN, Susan. *Quiet: The Power of Introverts in a World That Can't Stop Talking*. Nova York: Broadway Books, 2013. [Ed. bras.: *O poder dos quietos: Como os tímidos e introvertidos podem mudar um mundo que não para de falar*. Rio de Janeiro: HarperCollins Brasil, 2017.]

CAMPBELL, Jennifer D.; TRAPNELL, Paul D.; HEINE, Steven J.; KATZ, Ilana M.; LAVALLEE, Loraine F.; LEHMAN, Darrin R. "Self-Concept Clarity: Measurement, Personality Correlates, and Cultural Boundaries". *Journal of Personality and Social Psychology*, v. 70, n. 1, p. 141, 1996.

CAPPUCCIO, Francesco P.; TAGGART, Frances M.; KANDALA, Ngianga-Bakwin; CURRIE, Andrew; PEILE, Ed; STRANGES, Saverio; MILLER, Michelle. A. "Meta-Analysis of Short Sleep Duration and Obesity in Children and Adults". *SLEEP*, v. 31, n. 5, p. 619, 2008.

CAPRON, Christiane; DUYME, Michael. "Assessment of the Effects of Socio-Economic Status on IQ in a Full Cross-Fostering Study". *Nature*, v. 340, pp. 552-4, 1989.

CARTER, Evan C.; KOFLER, Lilly M.; FORSTER, Daniel E.; MCCULLOUGH, Michael E. "A Series of Meta-Analytic Tests of the Depletion Effect: Self-Control Does Not Seem to Rely on a Limited Resource". *Journal of Experimental Psychology: General*, v. 144, n. 4, pp. 796-815, 2015.

CASPI, Avshalom; ROBERTS, Brent W.; SHINER, Rebecca L. "Personality Development: Stability and Change". *Annual Review of Psychology*, v. 56, pp. 453-84, 2005. Disponível em: <dx.doi.org/10.1146/annurev.psych.55.090902.141913>. Acesso em: 4 jul. 2018.

CASTELLI, Darla M.; HILLMAN, Charles H.; BUCK, Sarah. M.; ERWIN, Heather. E. "Physical Fitness and Academic Achievement in Third and Fifth-Grade Students". *Journal of Sport and Exercise Psychology*, v. 29, n. 2, pp. 239-52, 2007.

Center for Behavioral Health Statistics and Quality. *Behavioral Health Trends in the United States: Results from the 2014 National Survey on Drug Use and Health* (HHS Publication no. SMA 15-4927, NSDUH Series H-50). Disponível em: <www.samhsa.gov/data/sites/default/files/NSDUH-FRR1-2014/NSDUH-FRR1-2014.pdf>. Acesso em: 4 jul. 2018.

_____. *Key Substance Use and Mental Health Indicators in the United States: Results from the 2015 National Survey on Drug Use and Health*. Disponível em: <www.samhsa.gov/data/sites/default/files/NSDUH-FFR1-2015/NSDUH-FFR1-2015/NSDUH-FFR1-2015.pdf>. Acesso em: 4 jul. 2018.

CERASOLI, Christopher P.; NICKLIN, Jessica M.; FORD, Michael T. Intrinsic Motivation and Extrinsic Incentives Jointly Predict Performance: A 40-year Meta-Analysis". *Psychological Bulletin*, v. 140, n. 4, p. 980, 2014.

CHAMBLISS, Daniel F. "The Mundanity of Excellence: An Ethnographic Report on Stratification and Olympic Swimmers". *Sociological Theory*, v. 7, n. 1, pp. 70-86, 1989.

CHAOULOFF, F.; LAUDE, D.; ELGHOZI, J. "Physical Exercise: Evidence for Differential Consequences of Ttryptophan on 5-HT Synthesis and Metabolism in Central Serotonergic Cell Bodies and Terminals". *Journal of Neural Transmission*, v. 78, n. 2, pp. 1435-63, 1989.

CHEN, Chong; et. al. "The Role of Medial Prefrontal Corticosterone and Dopamine in the Antidepressant-Like Effect of Exercise". *Psychoneuroendocrinology*, v. 69, pp. 1-9, 2016.

CHRISTAKIS, Nicholas A.; FOWLER, James H. "The Spread of Obesity in a Large Social Network Over 32 Years". *New England Journal of Medicine*, v. 357, n. 4, pp. 370-9, 2007. Disponível em: <www.nejm.org/doi/full/10.1056/NEJMsa066082>. Acesso em: 4 jul. 2018.

_____. "The Collective Dynamics of Smoking in a Large Social Network". *New England Journal of Medicine*, v. 358, pp. 2249-58, 2008a. Disponível em: <www.nejm.org/doi/full/10.1056/NEJMsa0706154>. Acesso em: 4 jul. 2018.

_____. "Dynamic Spread of Happiness in a Large Social Network: Longitudinal Analysis Over 20 Years in the Framingham Heart Study". *British Medical Journal*, v. 337, n. a2338, pp. 1-9, 2008b. doi:10.1136/bmj .a2338

CHRISTAKIS, N.A.; FOWLER, J.H. *Connected: The Surprising Power of our Social Networks and How They Shape our Lives*. Nova York: Little, Brown and Company, 2009.

_____. "Social Contagion Theory: Examining Dynamic Social Networks and Human Behavior". *Statistics in Medicine*, v. 32, n. 4, pp. 556-77, 2013.

CHUI, Michael; MNYIKA, James; BUGHIN, Jacques; DOBBS, Richard; ROXBURGH, Charles; SARRAZIN, Hugo; SANDS, Geoffrey; WESTERGREN, Magdalena.. "The Social Economy: Unlocking Value and Productivity Through Social Technologies". McKinsey Global Institute.

CIALDINI, Robert B. *Influence: The psychology of Persuasion*. Nova York: Harper Collins, 2007. [Ed. bras.: *As armas da persuasão: Como influenciar e não se deixar influenciar*. Rio de Janeiro: Sextante, 2013.]

CLARO, Susana; PAUNESKU, David; DWECK, Carol. S. "Growth Mindset Tempers the Effects of Poverty on Academic Achievement". *Proceedings of the National Academy of Sciences*, v. 113, n. 31, pp. 8664-68, 2016.

COLE, Jonathan R.; COLE, Steve. *Social Stratification in Science*. Chicago: University of Chicago Press, 1973.

Columbia University, CASA. *Addiction Medicine: Closing the Gap Between Science and Practice*. Jul. 2012. Disponível em: ‹www.centeronaddiction.org /download/file/fid/1177›. Acesso em: 4 jul. 2018.

CONNOR, Kathryn M.; DAVIDSON, Jonathan R. T. "Development of a New Resilience Scale: The Connor-Davidson Resilience Scale (CD-RISC)". *Depression and Anxiety*, 1v. 8, pp. 76-82, 2003.

COTMAN, Carl W.; BERCHTOLD, Nicole C. "Exercise: A Behavioral Intervention to Enhance Brain Health and Plasticity". *Trends in Neurosciences*, v. 25, n. 6, pp. 295-301, 2002.

COX, D.; HALLAM, Richard; O'CONNOR, Kieron; RACHMAN, Stanley. "An Experimental Analysis of Fearlessness and Courage". *British Journal of Psychology*, v. 74, pp. 107-17, 1983.

COYLE, Danie. *The Talent Code: Greatness Isn't Born. It's Grown. Here's How*. Nova York: Bantam, 2009.

CROWN, Deborah F.; ROSSE, Joseph. G. "Yours, Mine, and Ours: Facilitating Group Productivity Through the Integration of Individual and Group Goals". *Organizational Behavior and Human Decision Processes*, v. 64, pp. 138-150, 1995.

CRUM, Alia J.; SALOVEY, Peter; ACHOR, Shawn. "Rethinking Stress: The Role of Mindsets in Determining the Stress Response". *Journal of Personality and Social Psychology*, v. 104, n. 4, p. 716, 2013.

CRUST, Lee; CLOUGH, Peter J. "Developing Mental Toughness: From Research to Practice". *Journal of Sport Psychology in Action*, v. 2, n. 1, pp. 21-32, 2011.

CSIKSZENTMIHALYI, Mihaly. *Beyond Boredom and Anxiety*. San Francisco: Jossey-Bass, 1975.

_____. *Creativity: Flow and the Psychology of Discovery and Invention*. Nova York: Harper Collins, 1996.

_____. *Finding Flow: The Psychology of Engagement With Everyday Life*. Nova York: Basic Books, 1997.

_____; ABUHAMDEH, Sami; NAKAMURA, Jeanne. "Flow". In: ELLIOT, Andrew; DWECK, Carol S. (Orgs.), *Handbook of Competence and Motivation*. Nova York: Guilford Press, 2005, pp. 598-698.

CSIKSZENTMIHALYI, Mihaly; RATHUNDE, Kevin. "The Measurement of Flow in Everyday Life: Toward a Theory of Emergent Motivation". In: JACOBS, Janis E. (Org.), *Developmental Perspectives on Motivation: Volume 40 of the Nebraska Symposium on Motivation*. Lincoln: University of Nebraska Press, 1993, pp. 57-97.

Culture. In: *Merriam-Webster's Online Dictionary*. 11 ed. Disponível em: <www.merriam-webster.com/dictionary/culture>. Acesso em: 4 jul. 2018.

CUNNINGHAM, George B. "The Relationships Among Commitment to Change, Coping With Change, and Turnover Intentions". *European Journal of Work and Organizational Psychology*, v. 15, n. 1, pp. 29-45, 2006.

DAMÁSIO, António. R. *The Feeling of What Happens: Body and Emotion in the Making of Consciousness*. Boston: Houghton Mifflin Harcourt, 1999. [Ed. bras.: *O mistério da consciência: Do corpo e das emoções ao conhecimento de si*. São Paulo: Companhia das Letras, 2015.]

DANESE, Andrea; MCEWEN, Bruce S. "Adverse Childhood Experiences, Allostasis, Allostatic Load, and Age-Related Disease". *Physiology & Behavior*, v. 106, n. 1, pp. 29-39, 2012.

DANNA, Karen; GRIFFIN, Ricky W. "Health and Well-Being in the Workplace: A Review and Synthesis of the Literature". *Journal of Management*, v. 25, n. 3, pp. 357-84, 1999.

DAVIDSON, Richard J.; JACKSON, Daren; KALIN, Ned H. "Emotion, Plasticity, Context, and Regulation: Perspectives from Affective Neuroscience". *Psychological Bulletin 126*, pp. 890--909, 2000.

DAVIS, Caroline; LEVITAN, Robert D.; MUGLIA, Pierandrea; BEWELL, Carmen; KENNEDY, James L. "Decision-Making Deficits and Overeating: A Risk Model for Obesity". *Obesity Research*, v. 12, n. 6, pp. 929-35, 2004.

DEBATS, Dominique L. "Sources of Meaning: An Investigation of Significant Commitments in Life". *Journal of Humanistic Psychology*, v. 39, n. 4, pp. 30-57, 1999.

DECI, Edward L.; RYAN, Richard M. *Handbook of Self-Determination Research*. Rochester: University of Rochester Press, 2002.

_____. *Self-Determination*. Hoboken: John Wiley & Sons, 2010.

DEMEROUTI Evangelia; BAKKER, Arnold B., NACHREINER, Friedhelm; SCHAUFELI, Wilmar B. "A Model of Burnout and Life Satisfaction Amongst Nurses". *Journal of Advanced Nursing*, v. 32, n. 2, pp. 454-64, 2000.

DIENER, Carol I.; DWECK, Carol S. "An Analysis of Learned Helplessness: Continuous Changes in Performance, Strategy, and Achievement Cognitions Following Failure". *Personality and Social Psychology*, v. 36, n. 5, pp. 451-61, 1978.

DIENER, Ed; BISWAS-DIENER, Robert. *Happiness: Unlocking the Mysteries of Psychological Wealth*. Hoboken: John Wiley & Sons, 2011.

DIENER, Ed; SELIGMAN, Martin E. "Beyond Money: Toward an Economy of Well-Being". *Psychological Science in the Public Interest*, v. 5, n. 1, pp. 1-31, 2004.

DIENER, Ed; EMMONS, Robert A.; LARSEN, Randy J.; GRIFFIN, Sharon. "The Satisfaction With Life Scale". *Journal of Personality Assessment*, v. 49, n. 1, pp. 71-5, 1985.

DOIDGE, Norman. *The Brain That Changes Itself: Stories of Personal Triumph from the Frontiers of Brain Science*. Nova York: Penguin, 2007. [Ed. bras.: *O cérebro que se transforma: Como a neurociência pode curar as pessoas*. Rio de Janeiro: Record, 2011.]

DOLL, Jörg; MAYR, Ulrich. "Intelligenz und schachleistung — Eine untersuchung an schachexperten" [Inteligência e performance no xadrez — Um estudo sobre experts em xadrez]. *Psychologische Beiträge*, v. 29, pp. 270-89, 1987.

DRENNAN, David. *Transforming Company Culture: Getting Your Company From Where You Are Now to Where You Want to Be*. Londres: McGraw-Hill, 1992.

DUBNICK, Melvin. "Accountability and the Promise of Performance: In Search of the Mechanisms". *Public Performance e Management Review*, v. 28, n. 3, pp. 376-417, 2005.

DUCKWORTH, Angela. *Grit: The Power of Passion and Perseverance*. Nova York: Simon and Schuster, 2016. [Ed. bras.: *Garra: O poder da paixão e da perseverança*. Rio de Janeiro: Intrínseca, 2016.]

_____; EICHSTAEDT, Johannes C.; UNGAR, Lyle H. "The Mechanics of Human Achievement". *Social and Personality Psychology Compass*, v. 9, n. 7, pp. 359-69, 2015.

DUCKWORTH, Angela; GRANT, Heidi; LOEW, Benjamin; OETTINGEN, Gabriele; GOLLWITZER, Peter M. "Self-Regulation Strategies Improve Self-Discipline in Adolescents: Benefits of Mental Contrasting and Implementation Intentions". *Educational Psychology*, v. 31, n. 1, pp. 17-26, 2011a.

DUCKWORTH, Angela; KIRBY, Teri A.; TSUKAYAMA, Eli; BERSTEIN, Heather; ERICSSON, K. Anders. "Deliberate Practice Spells Success: Why Grittier Competitors Triumph at the National Spelling Bee". *Social Psychological and Personality Science*, v. 2, n. 2, pp. 174-81, 2011b.

DUCKWORTH, Angela; PETERSON, Christopher; MATTHEWS, Michael. D.; KELLY, Dennis R. "Grit: Perseverance and Passion for Long-Term Goals". *Journal of Personality and Social Psychology*, v. 92, n. 6, p. 1087, 2007.

DUFF, Desiree. C. *The Relationship Between Behavioral Intention, Self-efficacy and Health Behavior: A Meta-analysis of Meta-analyses*. East Lansing, MI: Michigan State University Press, 2010.

DUNLAP, E., GOLUB, A., JOHNSON, B. D., e BENOIT, E. "Normalization of Violence: Experiences of Childhood Abuse by Inner-city Crack Users". *Journal of Ethnicity in Substance Abuse*, v. 8, n. 1, pp. 15-34, 2009.

DWECK, Carol S. *Mindset: The New Psychology of Success*. Nova York: Random House, 2008. [Ed. bras.: *Mindset: A nova psicologia do sucesso*. Rio de Janeiro: Objetiva, 2015.]

_____. *The Power of Believing that You Can Improve* [Vídeo]. Disponível em: <https://www.ted.com/talks/carol_dweck_the_power_of_believing_that_you_can_improve?language=en#t-386248>. Acesso em: 11 jul. 2018.

_____; LEGGETT, E. L. "A Social-cognitive Approach to Motivation and Personality". *Psychological Review*, v. 95, n. 2, pp. 256-273, 1988.

DWECK, Carol S.; REPPUCCI, N. D. "Learned Helplessness and Reinforcement Responsibility in Children". *Journal of Personality and Social Psychology*, v. 25, n. 1, pp. 109-116, 1973.

EASTERLIN, R. A., McVey, L. A., SWITEK, M., SAWANGFA, O., e ZWEIG, J. S. "The Happiness-income Paradox Revisited". *Proceedings of the National Academy of Sciences*, v. 107, n. 52, pp. 22463-22468, 2010.

ELKIND, D. *The Power of Play: How Spontaneous Imaginative Activities Lead to Happier, Healthier Children*. Massachusetts: Da Capo Press, 2007.

ELLIOTT, E. S., e DWECK, Carol S. "Goals: An Approach to Motivation and Achievement". *Journal of Personality and Social Psychology*, v. 54, n. 1, pp. 5-13, 1988.

EMMONS, R. A. "Is Spirituality an Intelligence? Motivation, Cognition, and the Psychology of Ultimate Concern". *The International Journal for the Psychology of Religion*, v. 10, n. 1, pp. 3-26, 2000.

EMMONS, Robert. A. *Thanks! How the New Science of Gratitude Can Make You Happier*. Boston: Houghton Mifflin Harcourt, 2009. [Ed. bras.: *Agradeça e seja feliz: Como a ciência da gratidão pode mudar sua vida para melhor*. Rio de Janeiro: BestSeller, 2009.]

ERICSSON, K. A. "The Influence of Experience and Deliberate Practice on the Development of Superior Expert Performance". *In* ERICSSON, K. A.; CHARNESS, N.; FELTOVICH, P. J.; e

HOFFMAN R. R. (org.), *Cambridge Handbook of Expertise and Expert Performance*, pp. 685-706. Cambridge: Cambridge University Press.

_____. "Why Expert Performance Is Special and Cannot Be Extrapolated from Studies of Performance in the General Population: A Response to Criticisms". *Intelligence*, v. 45, pp. 81-103, 2014.

_____; POOL, R. Malcolm Gladwell Got Us Wrong: Our Research Was Key to the 10,000-hour Rule, but Here's What Got Oversimplified, 19 br. 2016a. Disponível em: <http://bit.ly/1S3LiCK>. Acesso em: 11 jul. 2018.

ERICSSON, K. A.; POOL, R. Not All Practice Makes Perfect: Moving from Naive to Purposeful Practice Can Dramatically Increase Performance, 21 abr. 2016b. Disponível em: <http://nautil.us/issue/35/boundaries/not-all-practice-makes-perfect>. Acesso em: 11 jul. 2018.

ERICSSON, K. A.; KRAMPE, R. T.; TESCH-ROMER, C. "The Role of Deliberate Practice in the Acquisition of Expert Performance". *Psychological Review*, v. 100, n. 3, pp. 363-406, 1993.

FEINBERG, J. "Duties, Rights, and Claims". *American Philosophical Quarterly*, v. 3, n. 2, pp. 137-144, 1966.

FELITTI, V. J.; ANDA, R. F.; NORDENBERG, D.; WILLIAMSON, D. F.; SPITZ, A. M.; EDWARDS, V.; [...] e MARKS, J. S. "Relationship of Childhood Abuse and Household Dysfunction to Many of the Leading Causes of Death in Adults: The Adverse Childhood Experiences (ACE) Study. *American Journal of Preventive Medicine*, v. 14, n. 4, pp. 245-258, 1998.

FLYNN, F. J.; BOHNS, V. K. "Underestimating One's Influence in Help-seeking. *In* KENRICK, D. T.; GOLDSTEIN, N. J.; BRAVER, S. L. (org.). *Six Degrees of Social Influence: Science, Application, and the Psychology of Robert Cialdini* (pp. 14-26). Oxford: Oxford University Press, 2012.

FLYNN, F. J. "Massive IQ Gains in 14 Nations: What IQ Tests Really Measure". *Psychological Bulletin*, v. 101, pp. 171-191, 1987.

_____. *Are We Getting Smarter? Rising IQ in the Twenty-first Century*. Cambridge: Cambridge University Press, 2012.

_____; ROSSI-CASÉ, L. "IQ Gains in Argentina between 1964 and 1998". *Intelligence*, v. 40, n. 2, pp. 145-150, 2012.

FOLEY, T. E.; FLESHNER, M. "Neuroplasticity of Dopamine Circuits after Exercise: Implications for Central Fatigue". *Neuromolecular Medicine*, v. 10, n. 2, pp. 67-80, 2008.

FORWARD, J.; ZANDER, A. "Choice of Unattainable Group Goals and Effects on Performance". *Organizational Behavior and Human Performance*, v. 6(2), pp. 184-199, 1971.

FOWLER, J. H.; CHRISTAKIS, N. A. "Cooperative Behavior Cascades in Human Social Networks". *Proceedings of the National Academy of Sciences*, v. 107, n. 12, pp. 5334-5338. doi:10.1073/pnas.0913149107, 2010.

FREDRICKSON, B. "The Broaden-and-build Theory of Positive Emotions". *Philosophical Transactions of the Royal Society B*, v. 359, n. 1449, pp. 1367-1378, 2004.

FRINK, D. D.; FERRIS, G. R. "Accountability, Impression Management, and Goal Setting in the Performance Evaluation Process". *Human relations*, v. 51, n. 10, pp. 1259-1283, 1998.

FROST, R. O.; HENDERSON, K. J. "Perfectionism and Reactions to Athletic Competition". *Journal of Sport and Exercise Psychology*, v. 13, pp. 323-335, 1991.

FULIGNI, A. J. "Family Obligation and the Academic Motivation of Adolescents from Asian, Latin American, and European Backgrounds". *New Directions for Child and Adolescent Development*, v. 2001, n. 94, pp. 61-76, 2001.

GAGNÉ, F. "Giftedness and Talent: Reexamining a Reexamination of the Definitions". *Gifted Child Quarterly*, v. 29, n. 3, pp. 103-112, 1985.

GANDY, W. M.; COBERLEY, C.; POPE, J. E.; WELLS, A.; RULA, E. Y. "Comparing the Contributions of Well-being and Disease Status to Employee Productivity". *Journal of Occupational and Environmental Medicine*, v. 56, n. 3, pp. 252-257, 2014.

GARRETT, G.; BENDEN, M.; MEHTA, R.; PICKENS, A.; PERES, C.; ZHAO, H. "Call Center Productivity over 6 Months Following a Standing Desk Intervention". *IIE Transactions on Occupational Ergonomics and Human Factors*, v. 4, n. 23, pp. 188-195, 2016.

GENTRY, W. A.; GILMORE, D. C.; SHUFFLER, M. L.; LESLIE, J. B. "Political Skill as an Indicator of Promotability among Multiple Rater Sources". *Journal of Organizational Behavior*, v. 33, n. 1, pp. 89-104, 2012.

GHAEMI, N. *A First-rate Madness: Uncovering the Links between Leadership and Mental Illness*. Nova York, NY: Penguin, 2011.

GHOSH, S.; LAXMI, T. R.; CHATTARJI, S. "Functional Connectivity from the Amygdala to the Hippocampus Grows Stronger after Stress". *Journal of Neuroscience*, v. 33, n. 17, pp. 7234--7244, 2013.

GIL, E. *The Healing Power of Play: Working with Abused Children*. Nova York: Guilford Press, 2012.

GIORGI, S.; LOCKWOOD, C.; GLYNN, M. A. "The Many Faces of Culture: Making Sense of 30 Years of Research on Culture in Organization Studies". *Academy of Management Annals*, v. 9, n. 1, pp. 1-54, 2015.

GOLEMAN, Daniel. *Working with Emotional Inteligence*. Nova York: Bantam, 1999. [Ed. bras.: *Trabalhando com a inteligência emocional*. Rio de Janeiro: Objetiva, 1999.]

_____. *Social Inteligence*. Nova York: Randon House, 2006. [Ed. bras.: *Inteligência social: O poder das relações humanas*. Rio de Janeiro: Campus Elsevier, 2006.]

_____; BOYATZIS, Richard; MCKEE, Anne. "Primal Leadership: The Hidden Driver of Great Performance". *Harvard Business Review*, v. 79, n. 11, pp. 42-53, 2011.

GOLEMAN, Daniel; BOYATZIS, Richard; MCKEE, Anne. *Primal Leadership: Unleashing the Power of Emotional Intelligence*. Boston: Harvard Business Press, 2013. [Ed. bras.: *O poder da inteligência emocional: Como liderar com sensibilidade e eficiência*. Rio de Janeiro: Objetiva, 2002.]

GOLLWITZER, P. M. "Implementation Intentions: Strong Effects of Simple Plans". *American Psychologist*, v. 54, n. 7, p. 493, 1999.

_____; BRANDSTÄTTER, V. "Implementation Intentions and Effective Goal Pursuit". *Journal of Personality and Social Psychology*, v. 73, n. 1, p. 186, 1997.

GOLLWITZER, P. M.; OETTINGEN, G. "Planning Promotes Goal Striving". In VOHS, K. D.; BAUMEISTER R. F. (org.), *Handbook of Self-regulation: Research, Theory, and Applications*, 3 ed., pp. 223-244. Nova York: Guilford, 2016.

GOTTFREDSON, L. S. "Why g Matters: The Complexity of Everyday Life". *Intelligence*, v. 24, n. 1, pp. 79-132, 1997.

_____. "The General Intelligence Factor". *The Scientific American Presents*, v. 9, n. 4, pp. 24--29, inverno de 1998.

GOTTMAN, John; SILVER, Nan. *Why Marriages Succeed or Fail: And How You Can Make Yours Last*. Nova York: Simon and Schuster, 1995.

GOTTMAN, John; SILVER, Man. *The Seven Principles for Making Marriage Work: A Practical Guide from the Country's Foremost Relationship Expert*. Nova York: Harmony, 2000. [Ed. bras.: *Sete princípios para o casamento dar certo*. Rio de Janeiro: Objetiva, 2001.]

GOULD, Stephen. J. *The Mismeasure of Man*. Nova York: W. W. Norton, 1996.[Ed. bras.: *A falsa medida do homem*. São Paulo: WMF Martins Fontes, 2014.]

GRABNER, R. H; STERN, E.; NEUBAUER, A. C. "Individual Differences in Chess Expertise: A Psychometric Investigation. *Acta Psychologica*, v. 124, n. 3, pp. 398-420, 2007.

GRANT, Adam. *Give and Take: Why Helping Others Drives Our Success*. Nova York: Penguin, 2013. [Ed. bras.: *Dar e receber: Uma abordagem revolucionária sobre sucesso, generosidade e influência*. Rio de Janeiro: Sextante, 2014.]

_____; GINO, F. "A Little Thanks Goes a Long Way: Explaining Why Gratitude Expressions Motivate Prosocial Behavior". *Journal of Personality and Social Psychology*, v. 98, n. 6, pp. 946--955, 2010.

GRAWITCH, M. J.; GOTTSCHALK, M.; MUNZ, D. C. "The Path to a Healthy Workplace: A Critical Review Linking Healthy Workplace Practices, Employee Well-being, and Organizational Improvements". *Consulting Psychology Journal: Practice and Research*, v. 58, n. 3, p. 129, 2006.

GROSSMAN, P.; NIEMANN, L.; SCHMIDT, S.; WALACH, H. "Mindfulnessbased Stress Reduction and Health Benefits: A Meta-analysis". *Journal of Psychosomatic Research*, v. 57, n. 1, pp. 35-43, 2004.

GRUGULIS, I.; HOLMES, C.; MAYHEW, K. "The Economic and Social Benefits of Skills. *In* BUCHANAN, J.; FINEGOLD, D.; MAYHEW, K.; WARHURST C. (org.), *The Oxford Handbook of Skills and Training*, p. 372. Oxford: Oxford University Press, 2017.

GRZEGOREK, J.; SLANEY, R. B.; FRANZE, S.; RICE, K. G. "Self-criticism, Dependency, Self-esteem, and Grade Point Average Satisfaction among Clusters of Perfectionists and Nonperfectionists". *Journal of Counseling Psychology*, v. 51, pp. 192-200. doi:10.1037/0022-0167.51.2.192, 2004.

HAEFFEL, G. J.; HAMES, J. L. "Cognitive Vulnerability to Depression Can Be Contagious". *Clinical Psychological Science*, v. 2, n. 1, pp. 75-85, 2013.

HAMPSON, S. E.; GOLDBERG, L. R. "A First Large Cohort Study of Personality Trait Stability over the 40 Years between Elementary School and Midlife". *Journal of Personality and Social Psychology*, v. 91, n. 4, p. 763, 2006.

HANSON, Rick. *Hardwiring Happiness: The New Brain Science of Contentment, Calm, and Confidence*. Nova York: Harmony, 2013. [Ed. bras.: *O cérebro e a felicidade: Como treinar sua mente para atrair serenidade, amor e autoconfiança*. São Paulo: WMF Martins Fontes, 2015.]

HARKIN, B.; WEBB, T. L.; CHANG, B. P.; PRESTWICH, A.; CONNER, M.; KELLAR, I.; SHEERAN, P. "Does Monitoring Goal Progress Promote Goal Attainment? A Meta-analysis of the Experimental Evidence". *Psychological Bulletin*, v. 142, n. 2, p. 198, 2016.

HARRIS, M. A.; BRETT, C. E.; JOHNSON, W.; DEARY, I. J. "Personality Stability from Age 14 to Age 77 Years". *Psychology and Aging*, v. 31, n. 8, p. 862, 2016.

HART, B.; RISLEY, T. R. "The Early Catastrophe: The 30 Million Word Gap by Age 3". *American Educator*, v. 27, n. 1, pp. 4-9, 2003.

HARTER, J. K.; SCHMIDT, F. L.; KEYES, C. L. "Well-being in the Workplace and its Relationship to Business Outcomes: A Review of the Gallup Studies". *Flourishing: Positive Psychology and the Life Well-Lived*, v. 2, pp. 205-224, 2003.

HASENKAMP, W.; BARSALOU, L. W. "Effects of Meditation Experience on Functional Connectivity of Distributed Brain Networks". *Frontiers in Human Neuroscience*, v. 6, p. 38, 2012.

HEATHERTON, T. F.; WEINBERGER, J. L. E. *Can Personality Change?* Washington, DC: American Psychological Association, 1994.

HEFFERON, K.; GREALY, M.; MUTRIE, N. Post-traumatic Growth and Life Threatening Physical Illness: A Systematic Review of the Qualitative Literature". *British Journal of Health Psychology*, v. 14, n. 2, pp. 343-378, 2009.

HEILMAN, M. E.; WALLEN, A. S. "Wimpy and Undeserving of Respect: Penalties for Men's Gender-inconsistent Success". *Journal of Experimental Social Psychology*, v. 46, n. 4, pp. 664-667, 2010.

HERTENSTEIN, M. J.; HOLMES, R.; McCULLOUGH, M.; KELTNER, D. "The Communication of Emotion Via Touch". *Emotion*, v. 9, n. 4, p. 566, 2009.

HERZBERG, F.; MAUSNER, B.; SNYDERMAN, B. *The Motivation to Work*. Hoboken: John Wiley & Sons, 1969.

HEWITT, P. L.; FLETT, G. L. "Perfectionism and Stress in Psychopathology". *In* FLETT, G. L.; HEWITT, P. L. (org.), *Perfectionism: Theory, Research, and Treatment*, pp. 255-284. Washington, DC: American Psychological Association, 2002.

HODDINOTT, J.; MALUCCIO, J. A.; BEHRMAN, J. R.; FLORES, R.; MARTORELL, R. "Effect of a Nutrition Intervention During Early Childhood on Economic Productivity in Guatemalan Adults". *The Lancet*, v. 371, n. 9610, pp. 411-416, 2008.

HORAN, R. "The Neuropsychological Connection between Creativity and Meditation". *Creativity Research Journal*, v. 21, n. 23, pp. 199-222, 2009.

HOWE, M. J.; DAVIDSON, J. W.; SLOBODA, J. A. "Innate Talents: Reality or Myth?" *Behavioral and Brain Sciences*, v. 21, n. 3, pp. 399-407, 1998.

HUME, David. *Enquiries Concerning the Human Understanding and Concerning the Principles of Morals: Reprinted from the Posthumous Edition of 1777*. Oxford: Clarendon Press, 1970. [Ed. bras.: *Investigação sobre o entendimento humano*. São Paulo: Hedra, 2009.]

HUMPHREYS, M. S.; REVELLE, W. "Personality, Motivation, and Performance: A Theory of the Relationship between Individual Differences and Information Processing". *Psychological Review*, v. 91, n. 2, p. 153, 1984.

HYDE, J. S. "The Gender Similarities Hypothesis". *American Psychologist*, v. 60, n. 6, pp. 581-592, 2005.

IMMORDINO-YANG, M. H.; CHRISTODOULOU, J. A.; SINGH, V. "Rest Is Not Idleness: Implications of the Brain's Default Mode for Human Development and Education". *Perspectives on Psychological Science*, v. 7, n. 4, pp. 352-364, 2012.

ISEN, A. M.; LEVIN, P. F. Effect of Feeling Good on Helping: Cookies and Kindness". *Journal of Personality and Social Psychology*, v. 21, n. 3, pp. 384-388, 1972.

ISEN, A. M.; CLARK, M.; SCHWARTZ, M. F. "Duration of the Effect of Good Mood on Helping: Footprints on the Sands of Time". *Journal of Personality and Social Psychology*, v. 34, n. 3, pp. 385-393, 1976.

ISEN, A. M.; ROSENZWEIG, A. S.; YOUNG, M. J. "The Influence of Positive Affect on Clinical Problem Solving". *Medical Decision Making*, v. 11, n. 3, pp. 221-227, 1991.

ISOVICH, E.; MIJNSTER, M. J.; FLÜGGE, G.; FUCHS, E. "Chronic Psychosocial Stress Reduces the Density of Dopamine Transporters". *European Journal of Neuroscience*, v. 12, n. 3, pp. 1071--1078, 2000.

ISSA, G.; WILSON, C.; TERRY, A. V.; PILLAI, A. "An Inverse Relationship between Cortisol and BDNF Levels in Schizophrenia: Data from Human Postmortem and Animal Studies". *Neurobiology of Disease*, v. 39, n. 3, pp. 327-333, 2010.

JACOBS, B. L. "Serotonin, Motor Activity and Depression-related Disorders". *American Scientist*, v. 82, n. 5, pp. 456-463, 1994.

_____; AZMITIA, E. C. "Structure and Function of the Brain Serotonin System". *Physiol Rev*, v. 72, n. 1, pp. 165-229, 1992.

JAIN, S.; SHAPIRO, S. L.; SWANICK, S.; ROESCH, S. C.; MILLS, P. J.; BELL, I.; SCHWARTZ, G. E. "A Randomized Controlled Trial of Mindfulness Meditation Versus Relaxation Training: Effects on Distress, Positive States of Mind, Rumination, and Distraction". *Annals of Behavioral Medicine*, v. 33, n. 1, pp. 11-21, 2007.

JECKER, J.; LANDY, D. "Liking a Person as a Function of Doing Him a Favour". *Human Relations*, v. 22, n. 4, pp. 371-378, 1969.

JENSEN, A. "How Much Can We Boost IQ and Scholastic Achievement?". *Harvard Educational Review*, v. 39, n. 1, pp. 1-123, 1969.

JENSEN, A. R. "Reaction Time and Psychometric g". In EYSENK H. J. (org.), *A Model for Intelligence*, pp. 93-132. Berlim: Springer Berlin Heidelberg, 1982.

JUDGE, T. A., THORESEN, C. J.; BONO, J. E.; PATTON, G. K. "The Job Satisfaction–Job Performance Relationship: A Qualitative and Quantitative Review". *Psychological Bulletin*, v. 127, n. 3, pp. 376-407, 2001.

JUNG, R. E.; MEAD, B. S.; CARRASCO, J.; FLORES, R. A. "The Structure of Creative Cognition in the Human Brain". *Frontiers in Human Neuroscience*, v. 7, p. 330, 2013.

KAHNEMAN, Daniel.; DEATON, Angus. "High Income Improves Evaluation of Life But Not Emotional Well-being". *Proceedings of the National Academy of Sciences*, v. 107, n. 38, pp. 16489-16493, 2010.

KANT, Immanuel. *Lectures on Ethics*. Cambridge: Cambridge Univesity Press, 1997. [Ed. bras.: *Lições de ética*. São Paulo: Editora Unesp, 2018.]

KANTER, R. M. "The Enduring Skills of Change Leaders". *Leader to Leader*, v. 1999, n. 13, pp. 15-22, 1999.

KASHDAN, T. "How I Learned about the Perils of Grit: Rethinking Simple Explanations for Complicated Problems". *Psychology Today*, 13 abr. 2017. Disponível em: <https://www.psychologytoday.com/blog/curious/201704/how-i-learned-about-the-perils-grit>. Acesso em: 11 jul. 2018.

KAUFMAN, Scott B. *Ungifted: Intelligence Redefined*. Nova York: Basic Books, 2015.

_____; QUILTY, L. C.; GRAZIOPLENE, R. G.; HIRSH, J. B.; GRAY, J. R.; PETERSON, J. B.; DEYOUNG, C. G. "Openness to Experience and Intellect Differentially Predict Creative Achievement in the Arts and Sciences". *Journal of Personality*, v. 82, pp. 248-258, 2015.

KING, L.; HICKS, J. "Detecting and Constructing Meaning in Life Events". *Journal of Positive Psychology*, v. 4, n. 5, pp. 317-330, 2009.

KLEINGINNA, P. R.; KLEINGINNA, A. M. "A Categorized List of Emotion Definitions, with Suggestions for a Consensual Definition". *Motivation and Emotion*, v. 5(4), pp. 345-379, 1981.

KOBALL, H. L.; MOIDUDDIN, E.; HENDERSON, J.; GOESLING, B.; BESCULIDES, M. "What Do We Know about the Link between Marriage and Health?". *Journal of Family Issues*, v. 31, n. 8, pp. 1019-1040, 2010.

KOBLIN, J. "How Much Do We Love TV? Let Us Count the Ways". *The New York Times*, 30 jun. 2016. Disponível em: <https://www.nytimes.com/2016/07/01/business/media/nielsen-survey-media-viewing.html>. Acesso em: 11 jul. 2018.

KOESTNER, R.; LOSIER, G. F.; VALLERAND, R. J. CARDUCCI, D. "Identified and Introjected Forms of Political Internalization: Extending Self-determination Theory". *Journal of Personality and Social Psychology*, v. 70, n. 5, p. 1025, 1996.

KOUZES, James M., e POSNER, Barry Z. *Credibility: How Leaders Gain and Lose It, Why People Demand It*. Hoboken: John Wiley & Sons, 2011. [Ed. bras.: *Credibilidade: O que os líderes devem fazer para conquistá-la e evitar sua perda*. Rio de Janeiro: Campus Elsevier, 2012.]

KRAMER, A. F.; HILLMAN, C. H. "Aging, Physical Activity, and Neurocognitive Function". In ACEVADO, E. e EKKEKAKIS, P. (org.), *Psychobiology of exercise and sport*, pp. 45-59. Champaign: Human Kinetics, 2006.

KRISTOF, Nicholas. "3 TVs and no Food: Growing Up Poor in America". *The New York Times*, 28 out. 2016. Disponível em: <http://www.nytimes.com/2016/10/30/opinion/sunday/3-tvs-and-no-food-growing-up-poor-in-america.html>. Acesso em: 11 jul. 2018.

KROSS, E.; BRUEHLMAN-SENECAL, E.; PARK, J.; BURSON, A.; DOUGHERTY, A.; SHABLACK, H.; [...] AYDUK, O. "Self-talk as a Regulatory Mechanism: How You Do It Matters". *Journal of Personality and Social Psychology*, v. 106, n. 2, p. 304, 2014.

KRUSE, E.; CHANCELLOR, J.; RUBERTON, P. M.; LYUBOMIRSKY, S. "An Upward Spiral between Gratitude and Humility". *Social Psychological and Personality Science*, v. 5, n. 7, pp. 805-814, 2014.

LADD, Helen F.; GOERTZ, Margaret E. (orgs.). *Handbook of Research in Education Finance and Policy*, 2 ed., Nova York: Routledge, 2015.

LAMBERT, N. M.; STILLMAN, T. F.; BAUMEISTER, R. F.; FINCHAM, F. D.; HICKS, J. A.; GRAHAM, S. M. (2010). "Family as a Salient Source of Meaning in Young Adulthood". *The Journal of Positive Psychology*, v. 5, n. 5, pp. 367-376, 2010.

LANG, P. J. "Emotion and Motivation: Toward Consensus Definitions and a Common Research Purpose". *Emotion Review*, v. 6, n. 2, pp. 93-99, 2010.

LAVIE, N. "Attention, Distraction, and Cognitive Control under Load". *Current Directions in Psychological Science*, v. 19, n. 3, pp. 143-148, 2010.

LAW, K. S.; WONG, C. S.; HUANG, G. H.; LI, X. "The Effects of Emotional Intelligence on Job Performance and Life Satisfaction for the Research and Development Scientists in China". *Asia Pacific Journal of Management*, v. 25, n. 1, pp. 51-69, 2008.

LEE, Trymaine. "The City: Prison's Grip on the Black Family: The Spirals of Poverty and Mass Incarceration Upend Urban Communities". MSNBC, 20 out. 2016. Disponível em: <http://www.nbcnews.com/specials/geographyofpoverty-big-city>. Acesso em: 11 jul. 2018.

LEMONICK, Michael D. "The Biology of Joy: Scientists Know Plenty about Depression. Now They Are Starting to Understand the Roots of Positive Emotions". *TIME: Special Mind and Body Issue*, 9 jan. 2005. Disponível em: <http://content.time.com/time/magazine/article/0,9171,1015863,00.html>. Acesso em: 11 jul. 2018.

LERNER, J. S.; TETLOCK, P. E. "Accounting for the Effects of Accountability". *Psychological Bulletin*, v. 125, n. 2, p. 255, 1999.

LEROY, S. "Why Is It So Hard to Do My Work? The Challenge of Attention Residue When Switching between Work Tasks". *Organizational Behavior and Human Decision Processes*, v. 109, n. 2, pp. 168-181, 2009.

LEVITIN, Daniel J. *The Organized Mind: Thinking Straight in the Age of Information Overload*. Nova York: Penguin, 2014. [Ed. bras.: *A mente organizada: Como pensar com clareza na era da sobrecarga de informação*. Rio de Janeiro: Objetiva, 2015.]

LEWIS, K.; LANGE, D.; GILLIS, L. "Transactive Memory Systems, Learning, and Learning Transfer". *Organization Science*, v. 16, n. 6, pp. 581-598, 2005.

LEWIS, Michael.; HAVILAND-JONES, Jeannette M.; BARRETT, Lisa F. (org.). *Handbook of Emotions*. Nova York: Guilford Press, 2010.

LexisNexis. "New Survey Reveals Extent, Impact of Information Overload on Workers; from Boston to Beijing, Professionals Feel Overwhelmed, Demoralized". [Release, 20 out. 2010]. Disponível em: <http://www.lexisnexis.com/en-us/about-us/media/press-release.page?id=128751276114739>. Acesso em: 11 jul. 2018.

LINLEY, P. A.; JOSEPH, S. "Positive Change Following Trauma and Adversity: A Review". *Journal of Traumatic Stress*, v. 17, n. 1, pp. 11-21, 2004.

LIPARI, Rachel N.; PARK-LEE, Eeunice; VAN HORN, Struther. *America's Need for and Receipt of Substance Use Treatment in 2015* (The CBHSQ Report, 29 set. 2016). Disponível no site da Substance Abuse and Mental Health Services Administration: <http://bit.ly/2mPrRGl>. Acesso em: 11 jul. 2018.

LOCKE, Edwin A.; LATHAM, Gary P. *A Theory of Goal Setting and Task Performance*. Englewood Cliffs, NJ: Prentice-Hall, 1990.

_____. "Building a Practically Useful Theory of Goal Setting and Task Motivation: A 35-year Odyssey". *American Psychologist*, v. 57, n. 9, p. 705, 2002.

LYKKEN, David. *Happyness: The Nature and Nurture of Joy and Contentment*. Nova York:Picador, 2000 [Ed. bras.: *Felicidade: Sugestões práticas para escapar dos grandes ladrões da felicidade*. Rio de Janeiro: Objetiva, 2000.]

LYUBOMIRSKY, S.; KING, L.; DIENER, E. "The Benefits of Frequent Positive Affect: Does Happiness Lead to Success?". *Psychological Bulletin*, v. 131, n. 6, pp. 803-855, 2005.

MACKENZIE, M. J.; BAUMEISTER, R. F. "Meaning in Life: Nature, Needs, and Myths." In RUSSO--NETZER, Pninit; BATTHYANY, Alexander (orgs.), *Meaning in Positive and Existential Psychology*, pp. 25-37. Nova York: Springer, 2014.

MACMILLAN, T.; RACHMAN, S. "Fearlessness and Courage in Paratroopers Undergoing Training". *Personality and Individual Differences*, v. 9, pp. 373-378. doi:10.1016/0191-8869(88)90100--6, 1998.

MACNAMARA, B. N.; HAMBRICK, D. Z.; OSWALD, F. L. "Deliberate Practice and Performance in Music, Games, Sports, Education, and Professions: A Meta-analysis". *Psychological Science*, v. 25, n. 8, p. 1608-1618, 2014.

MAHNCKE, H. W.; CONNOR, B. B.; APPELMAN, J.; AHSANUDDIN, O. N., HARDY, J. L.; WOOD, R. A.; [...] MERZENICH, M. M. "Memory Enhancement in Healthy Older Adults Using a Brain Plasticity Based Training Program: A Randomized, Controlled Study". *Proceedings of the National Academy of Sciences*, v. 103, n. 33, pp. 12523-12528, 2006.

MARANO, H. E. "The Power of Play". *Psychology Today*, 32, n. 4, 36, 1999.

MARK, G.; GONZALEZ, V. M., HARRIS, J. *No Task Left Behind? Examining the Nature of Fragmented Work*. Artigo apresentado na Conference on Human Factors in Computing Systems, Portland, Oregon. Abr. 2005.

MARKMAN, Keith D.; PROULX, Travis E.; LINDBERG, Matthew J. *The Psychology of Meaning*. Washington, DC: American Psychological Association, 2013.

MARQUARDT, Michael J. *Leading with Questions: How Leaders Find the Right Solutions by Knowing What to Ask*. Hoboken: John Wiley & Sons, 2011.

MARTELA, F.; STEGER, M. F. "The Three Meanings of Meaning in Life: Distinguishing Coherence, Purpose, and Significance". *Journal of Positive Psychology*, v. 11, n. 5, pp. 531-545, 2016.

MASICAMPO, E. J.; BAUMEISTER, R. F. "Consider It Done! Plan Making Can Eliminate the Cognitive Effects of Unfulfilled Goals". *Journal of Personality and Social Psychology*, v. 101, n. 4, p. 667, 2011.

MASLOW, Abraham. *Towards a Psychology of Being*. Princeton: Van Nostrand, 1962.

_____. *The Farther Reaches of Human Nature*. Nova York: Viking Press, 1971.

MCADAMS, D. P. "Can Personality Change? Levels of Stability and Growth in Personality across the Life Span". In MCADAMS, D. P; WEINBERGER, J. L.; LEE, J. (org.), *Can Personality Change?*, pp. 299-313. Washington, DC: American Psychological Association.

MCCRORY, M. A.; SUEN, V. M.; ROBERTS, S. B. "Biobehavioral Influences on Energy Intake and Adult Weight Gain". *Journal of Nutrition*, v. 132, n. 12, pp. 3830S-3834S, 2002.

MCDERMOTT, R.; FOWLER, J.; CHRISTAKIS, N. "Breaking Up Is Hard to Do, Unless Everyone Else Is Doing It Too: Social Network Effects on Divorce in a Longitudinal Sample". *Social Forces*, v. 92, n. 2, pp. 491, 2013.

MEDNICK, S. C.; CHRISTAKIS, N. A.; FOWLER J. H. "The Spread of Sleep Loss Influences Drug Use in Adolescent Social Networks". *Public Library of Science One*, v. 5, n. 3, e9775, 2010.

MERZENICH, Michael M. *Soft-wired: How the New Science of Brain Plasticity Can Change Your Life*. São Francisco: Parnassus, 2013.

MICHAELS, Ed; HANDFIELD-JONES, Helen, e AXELROD, Beth. *The War for Talent*. Boston: Harvard Business Press, 2001. [Ed. bras.: *A guerra pelo talento*. Rio de Janeiro: Campus, 2002.]

MILLER, G. E.; WROSCH, C. "You've Gotta Know When to Fold 'em: Goal Disengagement and Systemic Inflammation in Adolescence". *Psychological Science*, v. 18, n. 9, pp. 773-777, 2007.

MILLER, J. "The Well-being and Productivity Link: A Significant Opportunity for Research-into-practice". *Journal of Organizational Effectiveness: People and Performance*, v. 3, n. 3, p. 289311, 2016.

MILLER, J. J.; FLETCHER, K.; KABAT-ZINN, J. "Three-year Follow-up and Clinical Implications of a Mindfulness Meditation-based Stress Reduction Intervention in the Treatment of Anxiety Disorders". *General Hospital Psychiatry*, v. 17, n. 3, pp. 192-200, 1995.

MORGESON, F. P.; CAMPION, M. A.; DIPBOYE, R. L.; HOLLENBECK, J. R.; MURPHY, K.; SCHMITT, N. "Are We Getting Fooled Again? Coming to Terms with Limitations in the Use of Personality Tests for Personnel Selection". *Personnel Psychology*, v. 60, n. 4, pp. 1029-1049, 2007.

MUNYON, T. P.; SUMMERS, J. K.; THOMPSON, K. M.; FERRIS, G. R. "Political Skill and Work Outcomes: A Theoretical Extension, Meta-analytic Investigation, and Agenda for the Future". *Personnel Psychology*, v. 68, n. 1, pp. 143-184, 2015.

NANUS, Burt. *Visionary Leadership: Creating a Compelling Sense of Direction for Your Organization*. São Francisco: Jossey-Bass, 1992.

National Institute on Drug Abuse. "Principles of Drug Addiction Treatment: A Research-based Guide", 3 ed., 2012. Disponível em: <https://www.drugabuse.gov/ publications/principles-drug--addiction-treatment-research-based-guide-third-edition/preface>. Acesso em: 12 jul. 2018.

NEWPORT, Cal. *Deep Work: Rules For Focused Success in a Distracted World*. Nova York: Hachette, 2016.

NICKERSON, R. S. "Confirmation Bias: A Ubiquitous Phenomenon in Many Guises". *Review of General Psychology*, v. 2, n. 2, pp. 175-220, 1998.

NISBETT, Richard E. *Intelligence and How to Get It: Why Schools and Cultures Count*. Nova York: W. W. Norton, 2009.

_____; ARONSON, J.; BLAIR, C.; DICKENS, W.; FLYNN, J.; HALPERN, D. F.; TURKHEIMER, E. "Intelligence: New Findings and Theoretical Developments". *American Psychologist*, v. 67, n. 2, p. 130, 2012.

NORTON, P. J.; WEISS, B. J. "The Role of Courage on Behavioral Approach in a Fear-Eliciting Situation: A Proof-Of-Concept Pilot Study. *Journal of Anxiety Disorders*, v. 23, n. 2, pp. 212-217, 2009.

NUÑEZ, M. "Does Money Buy Happiness? The Link Between Salary and Employee Satisfaction", 18 jun. 2015. [Publicação em blog]. Disponível em: < www.glassdoor.com/research/does-money-buy-happiness-the-link-between-salary-and-employee-satisfaction/>. Acesso em: 12 jul. 2018.

O'BOYLE, E. "Does Culture Matter in Economic Behaviour?". *Social and Education History*, v. 5, n. 1, pp. 52-82. doi:10.17583/hse.2016.1796, 2016.

OETTINGEN, G.; PAK, H. J.; SCHNETTER, K. "Self-regulation of Goal-setting: Turning Free Fantasies about the Future into Binding Goals. *Journal of Personality and Social Psychology*, v. 80, n. 5, p. 736, 2001.

OGDEN, C. L.; CARROLL, M. D.; FRYAR, C. D.; FLEGAL, K. M. "Prevalence of Obesity among Adults and Youth: United States, 2011-2014". *National Center for Health Statistics Data Brief*, v. 219, pp. 1-8, 2015. Disponível em: <http://c.ymcdn.com/sites/www.acutept.org/resource/resmgr/Critical_EdgEmail/0216-prevalence-of-obesity.pdf>. Acesso em: 12 jul. 2018.

PACHUCKI, M. A.; JACQUES, P. F.; CHRISTAKIS, N. A. "Social Network Concordance in Food Choice among Spouses, Friends, and Siblings". *American Journal of Public Health*, v. 101, n. 11, pp. 2170-2177, 2011.

PENNINX, B. W.; REJESKI, W. J.; PANDYA, J.; MILLER, M. E.; DI BARI, M.; APPLEGATE, W. B.; PAHOR, M. "Exercise and Depressive Symptoms: A Comparison of Aerobic and Resistance Exercise Effects on Emotional and Physical Function in Older Persons with High and Low Depressive Symptomatology". *Journals of Gerontology Series B: Psychological Sciences and Social Sciences*, v. 57, n. 2, P124-P132, 2002.

PILCHER, J. J.; HUFFCUTT, A. J. "Effects of Sleep Deprivation on Performance: A Meta-analysis". *Sleep: Journal of Sleep Research & Sleep Medicine*, v. 19, n. 4, pp. 318-326, 1996.

PINK, Daniel H. *Drive: The Surprising Truth about What Motivates Us*. Nova York: Penguin, 2011.

PLOMIN, R.; DEARY, I. J. "Genetics and Intelligence Differences: Five Special Findings". *Molecular Psychiatry*, v. 20, n. 1, pp. 98-108, 2015.

PURY, Cyntia L.; HENSEL, A. D. "Are Courageous Actions Successful Actions?". *Journal of Positive Psychology*, v. 5, n. 1, pp. 62-72, 2010.

PURY, Cyntia L.; KOWALSKI, R. M. "Human Strengths, Courageous Actions, and General and Personal Courage". *The Journal of Positive Psychology*, v. 2, n. 2, p. 120-128, 2007.

_____; LOPEZ, Shane J. (org.). *The Psychology of Courage: Modern Research on an Ancient Virtue*. Washington, DC: American Psychological Association, 2010.

PURY, Cyntia L.; Starkey, C. B. "Is Courage an Accolade or a Process? A Fundamental Question for Courage Research". *In* PURY, Cyntia L.; LOPEZ, Shane J. (org.), *The Psychology of Courage: Modern Research on an Ancient Virtue*, pp. 67-87. Washington, DC: American Psychological Association, 2010.

_____; KOWALSKI, R. M.; SPEARMAN, J. "Distinctions between General and Personal Courage". *The Journal of Positive Psychology*, 2, n. 2, 99-114, 2007.

_____; STARKEY, C. B. KULIK, R. E.; SKJERNING, K. L.; SULLIVAN, E. A. "Is Courage Always a Virtue? Suicide, Killing, and Bad Courage". *The Journal of Positive Psychology*, v. 10, n. 5, pp. 383-388, 2015.

QUOIDBACH, J., DUNN, E. W.; PETRIDES, K. V.; MIKOLAJCZAK, M. "Money Giveth, Money Taketh Away: The Dual Effect of Wealth on Happiness". *Psychological Science*, v. 21, n. 6, pp. 759-763, 2010.

RACHMAN, Stanley. *Fear and Courage*, 2 ed., Nova York: Freeman, 1990.

_____. "Courage: A Psychological Perspective". *In* PURY Cyntia L.; LOPEZ, Shane J. (org.), *The Psychology of Courage: Modern Research on an Ancient Virtue*, pp. 91-107. Washington, DC: American Psychological Association, 2010.

RATE, C. R., CLARKE, J. A.; LINDSAY, D. R.; STERNBERG, R. J. "Implicit Theories of Courage". *Journal of Positive Psychology*, v. 2, n. 2, pp. 80-98, 2007.

RATEY, J. J., & HAGERMAN, E. *Spark: The Revolutionary New Science of Exercise and the Brain*. Nova York: Little, Brown and Company, 2008 [Ed. bras.: *Corpo ativo, mente desperta: Como o exercício melhora o desempenho do cérebro*. Rio de Janeiro: Objetiva, 2012.]

REGAN, D. T. "Effects of a Favor and Liking on Compliance". *Journal of Experimental Social Psychology*, v. 7, n. 6, pp. 627-639, 1971.

REIVICH, Karen; SHATTÉ, Andrew. *The Resilience Factor: 7 Essential Skills for Overcoming Life's Inevitable Obstacles*. Nova York: Broadway Books, 2002.

RETHORST, C. D.; WIPFLI, B. M.; L ANDERS, D. M. "The Antidepressive Effects of Exercise". *Sports Medicine*, v. 39, n. 6, pp. 491-511, 2009.

RICE, K. G.; ASHBY, J. S. "An Efficient Method for Classifying Perfectionists". *Journal of Counseling Psychology*, v. 54, pp. 72-85. doi:10.1037/00220167.54.1.72, 2007

RICE, K. G.; BAIR, C.; CASTRO, J.; COHEN, B.; HOOD, C. "Meanings of Perfectionism: A Quantitative and Qualitative Analysis". *Journal of Cognitive Psychotherapy*, v. 17, pp. 39-58. doi:10.1521/jscp.2005.24.4.580, 2003.

ROBERTS, B. W.; LUO, J.; BRILE, D. A.; CHOW, P. I.; SU, R.; HILL P. L. "A Systematic Review of Personality Trait Change Through". *Psychological Bulletin*, v. 143, n. 2, pp. 117-141, 2017.

ROE, Anne. *The Making of a Scientist*. Nova York: Dodd, Mead, 1953.

_____. "A Psychological Study of Eminent Psychologists and Anthropologists, and a Comparison with Biological and Physical Scientists". *Psychological Monographs: General and Applied*, v. 67, n. 2, p. 1, 1953b.

ROSENQUIST, J. N.; FOWLER, J. H.; CHRISTAKIS, N. A. "Social Network Determinants of Depression". *Molecular Psychiatry*, v. 16, n. 3, pp. 273-281, 2011.

ROSSO, B. D., DEKAS, K. H.; WRZESNIEWSKI, A. "On the Meaning of Work: A Theoretical Integration and Review". *Research in Organizational Behavior*, v. 30, pp. 91-127, 2010.

ROZIN, P.; ROYZMAN, E. B. "Negativity Bias, Negativity Dominance, and Contagion". *Personality and Social Psychology Review*, v. 5, n. 4, pp. 296-320, 2001.

RUFF, G.; KORCHIN, S. "Psychological Responses of the Mercury Astronauts to Stress". In GROSSER, G.; WECHSLER, H.; GREENBLATT, M. (org.), *The Threat of Impending Disaster*, pp 46-57. Cambridge: MIT Press, 1964.

RUMMLER, Geary A.; BRACHE, Alan P. *Improving Performance: How to Manage the White Space on the Organization Chart*, 2 ed., São Francisco: Jossey-Bass, 1995.

RUSHTON, J. P.; JENSEN, A. R. "Race and IQ: A Theory-based Review of the Research in Richard Nisbett's Intelligence and How to Get It". *Open Psychology Journal*, v. 3, n. 1, pp. 9-35, 2010.

RUTHSATZ, J.; DETTERMAN, D. K.; GRISCOM, W. S.; CIRULLO, B. A. "Becoming an Expert in the Musical Domain: It Takes More Than Just Practice". *Intelligence*, v. 36, n. 4, pp. 330-338, 2008.

RYAN, R. M.; DECI, E. L. "Intrinsic and Extrinsic Motivations: Classic Definitions and New Directions". *Contemporary Educational Psychology*, v. 25, n. 1, pp. 54-67, 2000a.

_____. "Self-Determination Theory and the Facilitation of Intrinsic Motivation, Social Development, and Well-being". *American Psychologist*, v. 55, n. 1, p. 68, 2000b.

RYFF, C. D.; SINGER, B. "The Contours of Positive Human Health". *Psychological Inquiry*, v. 9, n. 1, pp. 1-28, 1998.

SAFIRE, William. *Lend Me Your Ears: Great Speeches in History*. Nova York: W.W. Norton & Company, 2004.

SAMUELS, C. "Sleep, Recovery, and Performance: The New Frontier in High-performance Athletics". *Physical Medicine and Rehabilitation Clinics of North America*, v. 20, n. 1, pp. 149-159, 2009.

SAVITSKY, K.; EPLEY, N.; GILOVICH, T. "Is It As Bad As We Fear? Overestimating the Extremity of Others' Judgments". *Journal of Personality and Social Psychology*, v. 81, n. 1, pp. 44-56, 2011.

SCHEIN, Edgar H. *Organizational Culture and Leadership*, 4 ed., São Francisco: Jossey-Bass, 2010. [Ed. bras.: *Cultura organizacional e liderança*. São Paulo: Atlas, 2010.]

SCHIMEL, J.; ARNDT, J.; BANKO, K. M.; COOK, A. "Not All Self-affirmations Were Created Equal: The Cognitive and Social Benefits of Affirming the Intrinsic (vs. Extrinsic) Self". *Social Cognition*, v. 22, n. 1: edição especial, pp. 75-99, 2004.

SCHIRMER, A.; TEH, K. S.; WANG, S.; VIJAYAKUMAR, R.; CHING, A.; NITHIANANTHAM, D.; [...] CHEOK, A. D. "Squeeze Me, But Don't Tease Me: Human and Mechanical Touch Enhance Visual Attention and Emotion Discrimination". *Social Neuroscience*, v. 6, n. 3, pp. 219-230, 2011.

SCHWARTZ, T.; MCCARTHY, C. "Manage Your Energy, Not Your Time". *Harvard Business Review*, pp. 85, n. 10, p. 63, 2007.

SCOTT, G.; LERITZ, L. E.; MUMFORD, M. D. "The Effectiveness of Creativity Training: A Quantitative Review". *Creativity Research Journal*, v. 16, n. 4, pp. 361-388, 2004.

SEDLMEIER, P.; EBERTH, J.; SCHWARZ, M.; ZIMMERMANN, D.; HAARIG, F.; JAEGER, S.; KUNZE, S. "The Psychological Effects of Meditation: A Meta-analysis". *Psychological Bulletin*, v. 138, n. 6, p. 1139, 2012.

SEIDMAN, Dov. *How: Why How We Do Anything Means Everything*. Hoboken: John Wiley & Sons, 2011. [Ed. bras.: *Como: Por que o como fazer algo significa tudo... nos negócios (e na vida)*. São Paulo: DVS Editora, 2011.]

SELIGMAN, M. E. P.; STEEN, T. A.; PARK, N.; PETERSON, C. "Positive Psychology Progress: Empirical Validation of Interventions". *American Psychologist*, v. 60, n. 5, p. 410, 2005.

SELIGMAN, M. E. P. *Leaned Optimism: The Skill to Conquer Life's Obstacles, Large and Small*. Nova York: Pocket Books, 1990. [Ed. bras.: *Aprenda a ser otimista*. Rio de Janeiro: Nova Era, 2005.]
_____. *Flourish: A Visionary New Understanding of Happiness and Well-being*. Nova York: Simon and Schuster, 2012. [Ed. bras.: *Florescer: Uma nova compreensão sobre a natureza da felicidade e do bem-estar*. Rio de Janeiro: Objetiva, 2012.]

SENÉCAL, C.; KOESTNER, R.; VALLERAND, R. J. "Self-regulation and Academic Procrastination". *Journal of Social Psychology*, v. 135, n. 5, pp. 607-619, 1995.

SEPPALA, E.; CAMERON, K. "Proof That Positive Work Cultures Are More Productive", 1 dez. 2015. *Harvard Business Review*. Disponível em: <https:// hbr.org/2015/12/proof-that-positive-work-cultures-are-more-productive>. Acesso em: 12 jul. 2018.

SGROI, D. *Happiness and Productivity: Understanding the Happy-productive Worker*. (SMF-CAGE Global Perspectives Series Paper 4, 2015.) Disponível no site da Social Market Foundation: <http://bit.ly/2ndmvFA>. Acesso em: 12 jul. 2018.

SHADYAB, A. H.; MACERA, C. A.; SHAFFER, R. A.; JAIN, S.; GALLO, L. C.; LAMONTE, M. J.; [...] MANINI, T. M. "Associations of Accelerometer-measured and Self-reported Sedentary Time with Leukocyte Telomere Length in Older Women". *American Journal of Epidemiology*, v. 185, n. 3, pp. 172-184, 2017.

SHELDON, K. M.; JOSE, P. E.; KASHDAN, T. B.; JARDEN, A. "Personality, Effective Goal-striving, and Enhanced Well-being: Comparing 10 Candidate Personality Strengths". *Personality and Social Psychology Bulletin*. doi:10.1177/0146167215573211, 2015.

SHOJI, K.; CIESLAK, R.; SMOKTUNOWICZ, E.; ROGALA, A.; BENIGHT, C. C.; LUSZCZYNSKA, A. "Associations between Job Burnout and Self-efficacy: A Meta-analysis". *Anxiety, Stress, & Coping: An International Journal*, v. 29, n. 4, pp. 367-386, 2016.

SIBLEY, B. A.; ETNIER, J. L. "The Relationship between Physical Activity and Cognition in Children: A Meta-analysis". *Pediatric Exercise Science*, v. 15, n. 3, pp. 243-256, 2003.

SIMONTON, D. K. "Creativity, Leadership, and Chance". *In* STERNBERG, R. J. (org.), *The Nature of Creativity: Contemporary Psychological Perspectives*, pp. 386-426. Nova York: Cambridge University Press, 1988.

SPARLING, P. B.; GIUFFRIDA, A.; PIOMELLI, D.; ROSSKOPF, L.; DIETRICH, A. "Exercise Activates the Endocannabinoid System". *Neuroreport*, v. 14, n. 17, pp. 2209-2211, 2003.

SPELKE, Elizabeth S. "Sex Differences in Intrinsic Aptitude for Mathematics and Science? A Critical Review". *American Psychologist*, v. 60, n. 9, pp. 950-958, 2005.

STAJKOVIC, A. D.; LUTHANS, F. "Self-efficacy and Work-related Performance: A Meta-analysis". *Psychological Bulletin*, v. 124, n. 2, pp. 240-261, 1998.

STAVROU, N. A.; JACKSON, S. A.; ZERVOS, Y.; KARTEROLLIOTIS, K. "Flow Experience and Athletes' Performance with Reference to the Orthogonal Model of Flow". *Sport Psychologist*, v. 21, pp. 438-457, 2007.

STAW, B. M.; BARSADE, S. G. "Affect and Managerial Performance: A Test of the Sadder-but-wiser vs. Happier-and-smarter Hypothesis". *Administrative Science Quarterly*, v. 38, n. 2, pp. 304--331, 1993.

STEGER, M. F.; FRAZIER, P.; OISHI, S.; KALER, M. "The Meaning in Life Questionnaire: Assessing the Presence of and Search for Meaning in Life". *Journal of Counseling Psychology*, v. 53, n. 1, p. 80, 2006.

STERNBERG, Robert J. *Handbook of creativity*. Cambridge: Cambridge University Press, 1999.

_____; FRENSCH, P. A. "On Being an Expert: A Cost-benefit Analysis". *In* HOFFMAN, R. R. (org.), *The Psychology of Expertise: Cognitive Research and Empirical AI*, pp. 191-203). Nova York: Springer, 1992.

STERNBERG, Robert J.; GRIGORENKO, Elena L. *The Psychology of Abilities, Competencies, and Expertise*. Cambridge: Cambridge University Press, 2003.

STEVENSON, B.; WOLFERS, J. "Subjective Well-being and Income: Is There Any Evidence of Satiation?". *American Economic Review*, v. 103, n. 3, pp. 598-604, 2013.

STILLMAN, T. F.; BAUMEISTER, R. F.; LAMBERT, N. M.; CRESCIONI, A. W.; DEWALL, C. N.; FINCHAM, F. D. "Alone and without Purpose: Life Loses Meaning Following Social Exclusion". *Journal of Experimental Social Psychology*, v. 45, n. 4, pp. 686-694, 2009.

STRAUSS, J.; THOMAS, D. "Health, Nutrition, and Economic Development". *Journal of Economic Literature*, v. 36, n. 2, pp. 766-817, 1998.

SULSKY, L. M. "Commitment in the Workplace: Theory, Research, and Application. [Resenha do livro *Commitment in the Workplace: Theory, Research, and Application*, de MEYER, J. P.; ALLEN, N. J.] *Canadian Psychology*, 40, n. 4, 383-385, 1999.

SUN, J.; KAUFMAN, S. B.; SMILLIE, L. D. "Unique Associations between Big Five Personality Aspects and Multiple Dimensions of Well-being". *Journal of Personality*. doi:10.1111/jopy.12301, 2017.

SY, T.; COTE, S.; SAAVEDRA, R. "The Contagious Leader: Impact of the Leader's Mood on the Mood of Group Members, Group Affective Tone, and Group Process". *Journal of Applied Psychology*, v. 90, n. 2, pp. 295-305, 2005.

TAFET, G. E.; IDOYAGA-VARGAS, V. P.; ABULAFIA, D. P.; CALANDRIA, J. M.; ROFFMAN, S. S.; CHIOVETTA, A.; SHINITZKY, M. "Correlation between Cortisol Level and Serotonin Uptake in Patients with Chronic Stress and Depression". *Cognitive, Affective, & Behavioral Neuroscience*, v. 1, n. 4, pp. 388-393, 2001.

TANGNEY, J. P.; BAUMEISTER, R. F.; BOONE A. L. "High Self-control Predicts Good Adjustment, Less Pathology, Better Grades, and Interpersonal Success". *Journal of Personality*, v. 72, n. 2, pp. 271-324, 2004.

TEDESCHI, R. G.; CALHOUN L. G. "Posttraumatic Growth: Conceptual Foundations and Empirical Evidence". *Psychological Inquiry*, v. 15, n. 1, pp. 1-18, 2004.

TEIXEIRA, P. J.; CARRAÇA, E. V.; MARQUES, M. M.; RUTTER, H.; OPPERT, J. M.; DE BOURDEAUDHUIJ, I.; [...] BRUG, J. "Successful Behavior Change in Obesity Interventions in Adults: A Systematic Review of Self-regulation Mediators". *BMC Medicine*, v. 13, n. 1, p. 84, 2015.

TENENBAUM, G.; YUVAL, R.; ELBAZ, G.; BAR-ELI, M.; WEINBERG, R. "The Relationship between Cognitive Characteristics and Decision Making". *Canadian Journal of Applied Physiology*, v. 18, n. 1, pp. 48-62, 1993.

TETLOCK, P. E. "The Impact of Accountability on Judgment and Choice: Toward a Social Contingency Model". *Advances in Experimental Social Psychology*, v. 25, pp. 331-376, 1992.

THOMAS, D.; FANKENBERG, E. "Health, Nutrition and Prosperity: A Microeconomic Perspective". *Bulletin of the World Health Organization*, v. 80, n. 2, pp. 106-113, 2002.

THOMPSON, C. A.; PROTTAS, D. J. "Relationships among Organizational Family Support, Job Autonomy, Perceived Control, and Employee Well-being". *Journal of Occupational Health Psychology*, v. 11, n. 1, p. 100, 2006.

TOGNATTA, N.; VALERIO, A.; SANCHEZ PUERTA, M. L. *Do Cognitive and Noncognitive Skills Explain the Gender Wage Gap in Middle-income Countries? An Analysis Using STEP data*. (World Bank Policy Research Working Paper No. 7878.) Disponível no site do SSRN: <http://bit.ly/2nehVaf>. Acesso em 12 jul. 2018.

TOMPOROWSKI, P. D. "Effects of Acute Bouts of Exercise on Cognition". *Acta Psychologica*, v. 112, n. 3, pp. 297-324, 2003.

TORRANCE, E. P. "The Importance of Falling in Love with 'Something'". *Creative Child & Adult Quarterly*, v. 8, n. 2, pp. 72-78, 1983.

TRACY, J. L.; CHENG J. T.; ROBINS, R. W.; TRZESNIEWSKI, K. H. "Authentic and Hubristic Pride: The Affective Core of Self-esteem and Narcissism". *Self and Identity* v. 8, n. 2-3, pp. 196-213, 2009.

TREFFERT, D. A. *Islands of Genius: The Bountiful Mind of the Autistic, Acquired and Sudden Savant*. Londres: Jessica Kingsley, 2010.

_____. "Accidental Genius". *Scientific American*, 311, n. 2, 52-57, 2014.

TROUGAKOS, J. P.; HIDEG, I. "Momentary Work Recovery: The Role of Within-day Work Breaks". In PERREWÉ, P.; GANSTER, D.; SONNENTAG, S. (org.), *Research in Occupational Stress and Wellb-eing*, vol. 7, pp. 37-84. West Yorkshire: Emerald Group, 2009.

TROUGAKOS, J. P.; BEAL, D. J.; GREEN, S. G.; WEISS, H. M. "Making the Break Count: An Episodic Examination of Recovery Activities, Emotional Experiences, and Positive Affective Displays". *Academy of Management Journal*, v. 51, n. 1, pp. 131-146, 2008.

TROUGAKOS, J. P.; HIDEG, I.. CHENG, B. H.; BEAL, D. J. "Lunch Breaks Unpacked: The Role of Autonomy as a Moderator of Recovery During Lunch". *Academy of Management Journal*, v. 57, n. 2, pp. 405-421, 2014.

US Department of Labor [Departamento de Trabalho dos Estados Unidos]. "Volunteering in the United States, 2015", 25 fev. 2016. [Release.] Disponível em: <https://www.bls.gov/news.release/volun.nr0.htm>. Acesso em: 12 jul. 2018.

VAEYENS, R.; LENOIR, M.; WILLIAMS, A. M.; PHILIPPAERTS, R. M. "Talent Identification and Development Programmes in Sport". *Sports Medicine*, v. 38, n. 9, pp. 703-714, 2008.

VALENTINE, E. R.; SWEET, P. L. "Meditation and Attention: A Comparison of the Effects of Concentrative and Mindfulness Meditation on Sustained Attention. *Mental Health, Religion & Culture*, v. 2, n. 1, pp. 59-70, 1999.

WAN, C. Y.; HUON, G. F. "Performance Degradation under Pressure in Music: An Examination of Attentional Processes". *Psychology of Music*, v. 33, n. 2, pp. 155-172, 2005.

WAND, B. "Hume's Account of Obligation". *The Philosophical Quarterly (1950-)*, v. 6, n. 23, pp. 155-168, 1956.

WANG, G. J.; VOLKOW, N. D.; LOGAN, J.; PAPPAS, N. R.; WONG, C. T.; ZHU, W.; [...] FOWLER, J. S. "Brain Dopamine and Obesity". *The Lancet*, v. 357, n. 9253, pp. 354-357, 2001.

WEAVER, K.; GARCIA, S. M.; SCHWARZ, N.; MILLER, D. T. "Inferring the Popularity of an Opinion from Its Familiarity: A Repetitive Voice Can Sound Like a Chorus". *Journal of Personality and Social Psychology*, v. 92, n. 5, p. 821, 2007.

WELDON, E.; WEINGART, L. R. "Group Goals and Group Performance". *British Journal of Social Psychology*, v. 32, n. 4, pp. 307-334, 1993.

WELDON, E.; JEHN, K. A.; PRADHAN, P. "Processes That Mediate the Relationship between a Group Goal and Improved Group Performance". *Journal of Personality and Social Psychology*, v. 61, n. 4, p. 555, 1991.

WHITTAKER, S.; MATTHEWS, T.; CERRUTI, J.; BADENES, H.; TANG, J. "Am I Wasting My Time Organizing Email? A Study of Email Refinding", maio 2011. *In* Proceedings of the Conference on Human Factors in Computing Systems, pp. 276-283. Disponível em: <http://bit.ly/2nkpdGq>. Acesso em: 12 jul. 2018.

WIGFIELD, A.; ECCLES, J. "The Development of Competence Beliefs, Expectancies for Success, and Achievement Values from Childhood Through Adolescence". *In* WIGFIELD, A.; ECCLES, J. (org.), *Development of Achievement Motivation*, pp. 91-120. San Diego: Academic Press, 2002.

WOOD, R.; LOCKE, E. "Goal Setting and Strategy Effects on Complex Tasks". *In* STAW, B.; CUMMINGS, L. (org.), *Research in Organizational Behavior*, v. 12, pp. 73-109. Greenwich: JAI Press, 1990.

WOODARD, R. W.; PURY, C. L. S. "The Construct of Courage: Categorization Management". *Consulting Psychology Journal: Practice and Research*, v. 59, n. 2, pp. 135-147, 2013.

WRIGHT, J. C.; NADELHOFFER, T.; PERINI, T.; LANGVILLE, A.; ECHOLS, M.; VENEZIA, K. The Psychological Significance of Humility". *The Journal of Positive Psychology*, v. 12, n. 1, pp. 3-12, 2017.

WRIGHT, T. A.; CROPANZANO, R. "Psychological Well-being and Job Satisfaction as Predictors of Job Performance". *Journal of Occupational Health Psychology*, v. 5, n. 1, pp. 84, 2000.

WRZESNIEWSKI, A. "Finding Positive Meaning in Work". *In* CAMERON, K. S.; DUTTON, J. E.; QUINN, R. E. (org.), *Positive Organizational Scholarship: Foundations of a New Discipline*, pp. 296-308. São Francisco: Berrett-Koehler, 2003.

YOUNG, W. T. "The Role of Musical Aptitude, Intelligence, and Academic Achievement in Predicting the Musical Attainment of Elementary Instrumental Music Students". *Journal of Research in Music Education*, v. 19, n. 4, pp. 385-398, 1971.

YOUSEF, D. A. "Satisfaction with Job Security as a Predictor of Organizational Commitment and Job Performance in a Multicultural Environment". *International Journal of Manpower*, v. 19, n. 3, pp. 184-194, 1998.

YU, R. "Choking under Pressure: The Neuropsychological Mechanisms of Incentive-induced Performance Decrements". *Frontiers in Behavioral Neuroscience*, v. 9, pp. 19-19, 2014.

A maioria dos livros do **Grupo Companhia das Letras** está disponível a preços especiais quando adquiridos em quantidade para uso corporativo e educacional. A editora oferece também edições exclusivas da obra que, em grandes tiragens, incluem: capas personalizadas, mensagens dirigidas e o logotipo da empresa. Essas edições são sujeitas à prévia autorização do autor da obra. Para mais informações, ligue para (11) 3707-3583 ou (11) 3707-3590 ou envie um e-mail para: vendascorporativas@companhiadasletras.com.br.

1ª EDIÇÃO [2018] 8 reimpressões

ESTA OBRA FOI COMPOSTA PELA ABREU'S SYSTEM EM INES LIGHT
E IMPRESSA EM OFSETE PELA LIS GRÁFICA SOBRE PAPEL PÓLEN DA
SUZANO S.A. PARA A EDITORA SCHWARCZ EM MAIO DE 2024

A marca FSC® é a garantia de que a madeira utilizada na fabricação do papel deste livro provém de florestas que foram gerenciadas de maneira ambientalmente correta, socialmente justa e economicamente viável, além de outras fontes de origem controlada.